LES HÉRITIERS d'Enkidiev

TOME 1
Renaissance

ANNE ROBILLARD

LES HÉRITIERS d'Enkidiev

TOME 1

Renaissance

WELLAN INC.

Catalogage avant publication de Bibliothèque et Archives
nationales du Québec et Bibliothèque et Archives Canada

Robillard, Anne
Les Héritiers d'Enkidiev
Sommaire : t. 1. Renaissance

ISBN 978-2-9810428-2-8 (v. 1)

I. Titre. II. Titre : Renaissance

PS8585.O325H47 2010   C843'.6   C2009-942695-1
PS9585.O325H47 2010

WELLAN INC.
C.P. 57067 - Centre Maxi
Longueuil, QC   J4L 4T6
Téléphone : 450-647-4444
Télécopieur : 450-647-0620
Courriel : wellan.inc@videotron.ca

Couverture et illustration : Jean-Pierre Lapointe
Mise en page : Claudia Robillard
Révision : Nathalie Vallière

Distribution : Prologue
1650, boul. Lionel-Bertrand
Boisbriand, QC   J7H 1N7
Téléphone : 450-434-0306 / 1-800-363-2864
Télécopieur : 450-434-2627 / 1-800-361-8088

Dépôt légal - Bibliothèque et Archives nationales du Québec, 2010
Dépôt légal - Bibliothèque et Archives Canada, 2010

MOT DE L'AUTEURE

J'ai finalement cédé aux nombreuses demandes que j'ai reçues de vive voix, par lettre et par courriel de la part de lecteurs qui désiraient connaître la suite des aventures des Chevaliers d'Émeraude.

Vous apprendrez donc dans Renaissance *et dans les prochains tomes des* Héritiers d'Enkidiev *ce qui est advenu de vos héros préférés après la guerre.*

Pour les petits détails de la première saga, que vous auriez peut-être oubliés, je vous invite à consulter l'encyclopédie Enkidiev, un monde à découvrir, *disponible partout.*

Je vous souhaite beaucoup de bonheur auprès de vos personnages préférés !

Anne.

ENKIDIEV

1

RÉCONCILIATION

Un peu plus de quinze ans s'étaient écoulés depuis la destruction d'Irianeth. La nouvelle de la victoire des Chevaliers d'Émeraude avait lentement gagné chaque royaume, ce qui avait donné lieu à de grandes réjouissances. Puis les pays les plus touchés par la guerre s'étaient mis à reconstruire les murailles et les maisons abîmées et à ressemer les champs piétinés par l'ennemi. Les royaumes épargnés par l'invasion avaient spontanément offert leur aide à ceux qui avaient le plus souffert, si bien qu'au bout de quelques années seulement, la vie avait repris son cours normal à peu près partout.

Les échanges commerciaux avaient recommencé entre les pays, et même les Fées y participaient. Elles troquaient des miels divins et des flûtes de cristal exquises contre des pierres précieuses ou de l'or, car elles aimaient tout ce qui brille. Encouragés par l'ouverture de leurs voisines, les Elfes avaient suivi leur exemple, échangeant avec les autres peuples leurs thés et leurs tisanes curatives contre des matériaux de construction. Chaque royaume cherchait à offrir sa spécialité. Pour les Argentais, c'était les produits de la mer. Pour les Cristallois, c'était la laine de leurs moutons. Pour les Zénorois, c'était leur célèbre bière. Pour les Falois, c'étaient des fruits exotiques et des étoffes d'une douceur inégalée. Pour les

Perlois, c'étaient des chevaux. Pour les Turquais, c'étaient les meilleurs champignons du monde. Pour les Bérylois, c'étaient de la pierre ponce et les produits de la chèvre. Pour les Jadois, c'étaient du riz et des meubles en rotin. Pour les Rubiens, c'étaient des essences rares de bois. Pour les Opaliens, c'étaient des dagues et des lances d'une solidité inébranlable.

Pour les Diamantois, c'étaient des confitures et des fromages auxquels personne ne pouvait résister. Pour les Émériens, c'étaient toutes les sortes de farines imaginables. En plus d'exporter sa bière dans des barils fabriqués au Royaume de Rubis, le peuple de Zénor avait rebâti sa cité sur le bord de la mer et s'était remis à construire des bateaux, pour la plupart achetés par les Argentais. Il faisait si bon de ne plus vivre sous la menace d'une invasion. Des aèdes se promenaient de royaume en royaume pour chanter, au grand bonheur des enfants, les exploits des Chevaliers d'Émeraude et de la Princesse Kira.

Les rois avaient recommencé à se visiter entre eux et à organiser des fêtes somptueuses dans leur propre royaume pour célébrer les bonnes récoltes et les fêtes de leurs dieux respectifs. Seul le Royaume d'Émeraude tirait de l'arrière, car son souverain s'était quelque peu isolé après la guerre. Contrairement à ce à quoi ses pairs s'attendaient, le Roi Onyx n'avait plus cherché à annexer d'autres pays au sien. En fait, il se tenait étrangement tranquille. Les seules réjouissances qu'il permettait dans la cour de son château, c'étaient les Fêtes de Parandar, où il ne se présentait même pas. Les élèves de maître Hawke avaient pourtant l'âge de devenir Chevaliers, mais aucun adoubement n'était prévu à Émeraude.

Au sein de l'Ordre lui-même, il ne se passait plus grand-chose. Hadrian avait cédé son commandement à Jenifael, puisque Bridgess n'avait plus envie de faire la guerre. La plupart des soldats magiciens n'habitaient même plus le royaume du Roi Onyx, non pas parce qu'ils voulaient s'éloigner de lui, mais parce qu'ils avaient eu envie d'une autre vie. Certains étaient devenus fermiers, d'autres précepteurs, guérisseurs ou magiciens pour d'autres rois. Puisque le Magicien de Cristal leur avait enlevé leur vortex, ils étaient contraints de se déplacer à cheval et ne se visitaient plus aussi souvent qu'avant.

Le nouveau commandant, Jenifael d'Émeraude, avait laissé ses frères et sœurs d'armes choisir leurs nouveaux lieux de résidence en leur faisant jurer sur l'honneur que si un nouveau danger menaçait Enkidiev, ils répondraient tous sur-le-champ à son appel télépathique. Ainsi, les Chevaliers Alex, Brit, Dyksta, Herrior, Ivy, Koshoff, Loreli, Néda, Noah, Noémie, Norikoff, Tédéenne et Théa s'étaient installés sur les terres du Royaume d'Argent. Les Chevaliers Akers, Aurelle, Brennan, Davis, Dillawn, Dollyn, Drew, Gibbs, Goran, Jakobe, Keiko, Moher, Onill, Quill, Ryun, Sladek, Thalie et Tidian habitaient désormais le Royaume de Béryl. Les Chevaliers Analia, Bathide, Chesley, Cidia, Indya, Kaled, Kelly, Maryne, Milos, Nurick, Phelan, Philin, Tazyel, Ursa, Uwhan, Zandor et Zane étaient devenus des résidants du Royaume de Cristal.

Quant à eux, les Chevaliers Alwin, Dean, Émélianne, Filip, Francis, Franklin, Gabrelle, Heilder, Kagan, Maxense, Nelson, Polass, Sahill, Tara, Vélaria, Wimme, Xéli, Yamina et Zerrouk avaient élu domicile au Royaume de Diamant. Les Chevaliers Andaraniel, Arca, Bianchi, Botti, Daviel, Dienelt, Nogait, Rayanelle, Robyn, Shandini et Valici vivaient maintenant chez les Elfes. Les Chevaliers Ali, Allado, Amax, Brianna, Carlo, Chariff, Corbin, Esko, Horacio, Kisilin, Lavann, Lornan,

Madul, Mercass, Orlando, Tomaso et Zoran étaient devenus des sujets du Roi de Fal. Seuls Kardey et les Chevaliers Ariane et Derek habitaient parmi les Fées. Les Chevaliers Ada, Akarina, Atall, Bansal, Brannock, Célan, Colville, Coralie, Dianjin, Jaake, Jana, Jinann, Joslove, Kerns, Lianan, Murray, Myung, Osan, Qilliang, Sagwee, Shangwi, Shizuo et Shuhei étaient retournés au Royaume de Jade.

Les Chevaliers Ambre, Bélonn, Dansen, Donatey, Drewry, Edessa, Fabrice, Izzly, Linney, Marika, Nova, Otylo, Sédanie, Sherman, Sora, Stone, Syrian, Waxim, Xion et Yann avaient choisi de vivre au Royaume d'Opale. Pour leur part, les Chevaliers Aldian, Bankston, Cyril, Deleska, Dunkel, Fanelle, Fideka, Harrison, Hiall, Périn, Rupert, Silvess et Viyay s'étaient installés au Royaume de Perle. Les Chevaliers Atalée, Callaan, Benson, Cilian, Cristelle, Falide, Héliante, Jolain, Jonas, Léode, Madier, Michal, Odélie, Offman, Rainbow, Randan, Romald, Romy, Saphora, Vassilios et Yancy avaient élu domicile au Royaume de Rubis.

Les Chevaliers Aidan, Anton, Dalvi, Domenec, Haspel, Hettrick, Julia, Kilimiris, Kowal, Mara, Mérine, Parise, Prorok, Radama, Salmo et Symilde résidaient désormais dans le Royaume de Turquoise. Les Chevaliers Alisen, Camilla, Curtis, Fossell, Ivanko, Jaromir, Kumitz, Kruse, Malède, Morgan, Nikelai, Pencer, Pierce, Reiser, Sheehy, Terri, Tivador et Winks habitaient le Royaume de Zénor. Seuls les Chevaliers Bailey, Bergeau, Bridgess, Chloé, Daiklan, Dempsey, Ellie, Falcon, Jasson, Kevin, Kira, Lassa, Liam, Maïwen, Mann, Santo, Swan, Volpel et Wanda étaient demeurés sur les terres d'Émeraude.

Du côté des Immortels, les dieux avaient exaucé le vœu de Dylan, puis finalement celui d'Abnar de devenir mortels, mais, puisque les humains devaient continuellement avoir un gardien céleste, Danalieth offrit de prendre la relève, à la grande surprise de tous. Ses filles, Ariane et Dinath, avaient véhémentement protesté contre son retour au panthéon, lui rappelant que lors de son dernier passage dans le monde des dieux, Parandar avait tenté de l'exécuter. Au milieu de la clairière de Turquoise, qu'il considérait toujours comme son domaine personnel, Danalieth avait pris les mains des deux jeunes filles dans les siennes et leur avait transmis une puissante vague d'amour.

— Tu vis dans ce monde depuis bien trop longtemps pour repartir là-haut! continua de s'opposer Dinath.

— J'ai vécu plus longtemps auprès des dieux qu'auprès des hommes, ma petite Fée.

— Si tu nous quittes, nous ne te reverrons jamais, s'affola Ariane.

— Vous savez bien que rien ni personne ne m'empêchera de visiter mes enfants et mes petits-enfants. Au lieu de vous en faire pour moi, pensez plutôt à la joie qui se lira sur le visage de ma mère lorsque ma réputation sera rétablie au panthéon.

— C'est peut-être une ruse, persista Dinath.

— Si jamais ce devait être le cas, ce dont je doute, je reviendrai vivre parmi vous. Cela suffit-il à vous rassurer?

— Non, pas vraiment.

– Vous n'êtes pas raisonnables, les filles.

– Je viens à peine de retrouver mon père, geignit Ariane.

– Je reviendrai, je vous le promets. Maintenant, laissez-moi décider de mon destin.

Danalieth avait embrassé ses enfants, puis avait reculé de quelques pas. En leur souriant, il s'était dématérialisé. C'est avec beaucoup de confiance qu'il retrouva sa route jusqu'à la rotonde de Parandar. Rien n'avait changé depuis son départ. Tout était exactement au même endroit. Il grimpa les marches de marbre en se demandant comment il serait reçu par ses créateurs. Une fois sur le palier, il écarta les longs rideaux diaphanes, tendus entre les colonnades, et aperçut Parandar, Theandras et Fan, assis sur leurs trônes.

– Avance, l'invita Theandras.

L'Immortel lui obéit en surveillant l'expression sur le visage de Parandar. Ce dernier semblait plutôt contrarié de voir réapparaître devant lui ce serviteur qu'il avait jadis condamné à mort. Danalieth s'arrêta aux pieds de la triade et s'inclina avec respect. Il y avait bien longtemps qu'il avait quitté cet univers froid et ordonné. À l'époque, deux hommes et une femme formaient le petit groupe de divinités. Or, après avoir commis une faute grave, Akuretari avait été châtié par son frère aîné. Au lieu de l'exécuter, il l'avait exilé dans le gouffre sans fond afin de préserver l'équilibre du ciel. Trois divinités de la même famille devaient en tout temps gouverner le panthéon sous peine de disparaître avec tout ce qu'il avait créé. C'est ainsi que Fan de Shola, fille d'Akuretari, avait pris la place de celui-ci. Les dieux suprêmes Aiapaec et Aufaniae s'étaient ainsi assurés que leurs enfants feraient un effort pour s'entendre.

— Ta mère nous a transmis ta requête, poursuivit la déesse du feu.

— Pourquoi désires-tu revenir parmi nous ? demanda Fan.

Elle était le premier maître magicien à occuper un poste aussi important.

— J'ai fait tout ce que je pouvais pour les humains et je désire maintenant veiller sur eux d'une manière différente.

— Ce n'étaient pas eux que tu devais guider, laissa tomber Parandar.

— Il est vrai que je me suis laissé détourner de mon chemin, mais n'est-ce pas un risque que vous avez accepté en donnant à vos Immortels un parent humain ? J'ai ressenti le besoin de connaître mon père, un roi Elfe. Son peuple m'a fasciné au point où je suis resté parmi eux pour apprendre leur sagesse.

— Nous avions choisi un Elfe en pensant qu'il te léguerait sa tolérance, ce qui t'aurait aidé à éduquer les Tanieths. Par ta faute, les humains ont beaucoup souffert.

— C'est pour cette raison que je leur ai offert mon soutien pendant la guerre.

— Elle n'aurait jamais dû avoir lieu.

Theandras vit que si elle n'intervenait pas bientôt, cette discussion durerait des siècles.

– Pourquoi revenir sur des faits révolus ? s'interposa-t-elle. Avec l'aide d'Abnar, nous avons donné suffisamment de pouvoir à un jeune Chevalier qui a finalement mis fin à ces hostilités inutiles. Préoccupons-nous plutôt du présent et de l'avenir.

– Qu'avez-vous prévu pour les humains, vénérables seigneurs ? s'enquit Danalieth.

– Des années de paix, répondit Fan.

– Jusqu'à ce qu'un de nos Immortels n'accomplisse pas le travail qui lui a été confié, grommela Parandar.

– Pour que nous puissions t'accorder ta requête, il faudra que tu répondes de l'un de nous, expliqua Theandras.

Danalieth ne pouvait choisir son protecteur, mais il espérait que ce ne soit pas Parandar qui l'aurait espionné jusqu'à ce qu'il commette la moindre petite faute.

– Alors, ce sera moi, décida Fan. J'ai vécu dans le monde sur lequel il veut veiller et je connais bien les humains. Il me sera plus facile de juger de ses interventions.

– Cela me paraît raisonnable, acquiesça Theandras. Qu'en penses-tu, mon frère ?

L'air renfrogné, Parandar aurait préféré bannir cet Immortel de son domaine.

– Si tu veux prendre un moment pour y réfléchir, je suis certaine que Danalieth comprendra.

Parandar savait bien qu'il était acculé au pied du mur, puisque les deux déesses étaient déjà d'accord.

– Il sera sous ton entière responsabilité, Fan, se résolut-il.

Danalieth se courba devant le panthéon en guise de remerciement. Pour ne pas indisposer plus longtemps le chef des dieux, il recula jusqu'aux voilages et retourna vers l'escalier. Somme toute, cette rencontre s'était beaucoup mieux passée qu'il l'avait anticipé. Il suivit le sentier qui menait au monde des Immortels, se doutant qu'il serait seul pendant très longtemps, puisque les quelques demi-dieux qui y habitaient vivaient très loin les uns des autres. Heureusement, il s'était habitué à la solitude lors de son séjour sur la terre des hommes. Il aurait maintenant le loisir d'accumuler davantage de connaissance sur les humains à partir de son point de vue privilégié. Même si sa tâche principale consistait à les empêcher de faire des bêtises, il ne se priverait pas d'aller emprunter des livres partout où il en trouverait.

Il s'immobilisa devant la vaste vallée où se dressaient quelques huttes blanches, désormais désertes, car les Immortels étaient maintenant dispersés partout dans l'univers.

– Tu as pris un gros risque en te présentant ici après le coup monté, fit une voix de femme, derrière lui.

Danalieth pivota et trouva Fan à quelques pas de lui. Elle faisait évidemment référence à la création par sa mère d'une

19

entité sans âme à l'image de son fils, laquelle avait été mise à mort par Parandar.

— Natelia a compris que j'avais besoin de passer du temps avec mon père. À son avis, au lieu de me punir, le dieu suprême aurait dû me donner une seconde chance de faire mon travail auprès des Tanieths.

— Pourquoi n'es-tu pas allé vers eux, lorsque tu t'es enfui ?

— Sans l'assentiment de la triade, je n'aurais pu les convaincre de devenir pacifiques. De plus, il était bien plus facile de se cacher à Enkidiev qu'à Irianeth.

Fan s'approcha de Danalieth et marcha lentement autour de lui en l'observant.

— Pourquoi n'es-tu pas resté auprès des humains ? voulut-elle savoir.

— Ce n'est pas la place d'un demi-dieu.

La déesse capta en lui une émotion qui ne se manifestait pas, habituellement, chez les Immortels.

— Une femme ? s'étonna-t-elle.

— La plus belle d'entre toutes, mais elle est mariée.

— La dérobade ne règle jamais rien. Il est toujours préférable de faire face à ses obligations, même lorsqu'elles sont déchirantes.

– J'ai fait mon choix. Je veux la laisser vivre en paix.

– Je le respecterai. J'ai ma propre rotonde au-delà des grandes fontaines si jamais tu as besoin de moi.

– Je tenterai de ne pas vous embêter inutilement.

– Ce monde n'est pas aussi peuplé que celui que nous protégeons. Une visite de temps à autre serait appréciée.

– Je m'en souviendrai.

Fan se dématérialisa au milieu d'une pluie de petites étoiles argentées. Après son départ, Danalieth demeura immobile un long moment, à revoir le doux visage de la Reine des Fées dans son esprit. Elle lui avait donné deux magnifiques filles, et malgré tout, son époux, le Roi Tilly avait exprimé le souhait de la garder auprès de lui. Les Fées vivaient très longtemps… mais les Immortels vivaient pour toujours. Il attendrait son heure.

2

NOUVEAUX DÉPARTS

En quittant le service actif, plusieurs des Chevaliers avaient décidé de se marier. Nombre d'entre eux choisirent même leur conjoint dans l'Ordre. Parmi les nouveaux couples, on trouvait Aidan et Julia, Akers et Drew, Alisen et Terri, Amax et Brianna, Arca et Andaraniel, Atall et Coralie, Bailey et Volpel, Bankston et Fanelle, Bianchi et Rayanelle, Brannock et Akarina, Brennan et Dillawn, Callaan et Atalée, Carlo et Ali, Chesley et Analia, Colville et Joslove, Corbin et Kisilin, Curtis et Sheehy, Daiklan et Ellie, Davis et Keiko, Dienelt et Robyn, Drewry et Marika, Dyksta et Loreli, Fabrice et Ambre, Francis et Tara, Gabrelle et Yamina, Gibbs et Thalie, Herrior et Ivy, Hettrick et Mara, Kerns et Jana, Koshoff et Théa, Madier et Rainbow, Milos et Ursa, Morgan et Winks, Murray et Ada, Nelson et Vélaria, Offman et Cristelle, Pencer et Camilla, Randan et Saphora, Romald et Odélie, Sherman et Sédanie, Wimme et Kagan, Yann et Sora, Zerrouk et Émélianne.

Dans les royaumes où ils s'étaient établis, d'autres avaient épousé des gens du peuple, soit Aldian, Allado, Alwin, Anton, Bansal, Bathide, Bélonn, Benson, Botti, Célan, Chariff, Cilian, Cyril, Dalvi, Dean, Deleska, Dianjin, Dollyn, Donatey, Dunkel, Edessa, Esko, Fideka, Filip, Fossell, Goran, Harrison, Héliante, Hiall, Horacio, Indya, Jaake, Jakobe, Jaromir, Jolain,

Jonas, Kaled, Kilimiris, Kowal, Kruse, Kumitz, Lavann, Lianan, Linney, Madul, Malède, Maryne, Mercass, Mérine, Michal, Néda, Nikelai, Noah, Norikoff, Nova, Nurick, Onill, Osan, Otylo, Parise, Phelan, Philin, Pierce, Prorok, Qilliang, Quill, Radama, Reiser, Romy, Rupert, Sagwee, Sahill, Salmo, Shandini, Shangwi, Shuhei, Sladek, Stone, Symilde, Tazyel, Tédéenne, Tidian, Tomaso, Uwhan, Valici, Viyay, Waxim, Xéli, Yancy, Zandor, Zane et Zoran.

Dans le groupe des célibataires, quelques-uns étaient devenus les magiciens officiels de certains royaumes, soit Dansen au Royaume d'Opale, Domenec au Royaume de Turquoise, Franklin au Royaume de Diamant, Ivanko au Royaume de Zénor, Kelly au Royaume de Cristal, Lornan au Royaume de Fal, Moher au Royaume de Béryl, Myung au Royaume de Jade, Silvess au Royaume de Perle et Vassilios au Royaume de Rubis. Quant à Alex, Aurelle, Brit, Cidia, Daviel, Falide, Haspel, Izzly, Jinann, Léode, Mann, Maxense, Noémie, Orlando, Périn, Polass, Ryun, Shizuo, Syrian, Tivador et Xion, ils cherchaient toujours la perle rare.

Du côté de la monarchie, certains enfants avaient succédé à leurs parents. Au Royaume d'Argent, le Roi Cull avait remis son titre à son fils unique Rhee. Ce dernier avait épousé la Princesse Mona de Zénor, qui lui avait donné un garçon, Marcus, et une fille, Ania. De la même façon, le Roi Levon de Fal avait fait monter sur le trône son fils Patsko après son mariage avec la Princesse Christa de Rubis. Les deux garçons du couple, Solorius et Karl, étaient des adultes qui commençaient à se chercher une épouse, mais les princesses de leur âge se faisaient rares. Au Royaume d'Opale, à la suite d'un grave accident de chasse, le Roi Nathan avait cédé sa place à son fils

Humey. Celui-ci avait pris pour épouse la Princesse Bela de Diamant. Le couple avait deux garçons adolescents, Olier et Lothar. Le dernier roi à avoir remis son pouvoir à son héritier fut le Roi Toma de Turquoise. Son fils Levin avait épousé une paysanne, Jendavi, qui lui avait donné un fils, Jacek.

Au Royaume de Béryl, le Roi Wyler et la Reine Stela n'ayant eu qu'un seul fils, soit le Chevalier Dempsey d'Émeraude, avaient l'intention de faire du fils aîné de Dempsey leur héritier, lorsqu'il serait en âge de gouverner. Au Royaume de Cristal, le Roi Cal et la Reine Félicité continuaient de tenir les rênes du pays, jugeant que Paolo, leur premier né, n'était pas suffisamment mûr pour leur succéder. Au Royaume de Diamant, le Prince Kraus était devenu roi à la mort de son père. Il avait épousé une jeune servante de son entourage, la belle Saramarie, qui lui avait donné un fils, Haïdar, et une fille, Noélia.

Au Royaume des Elfes, le Roi Hamil avait exprimé le vœu que son petit-fils Cameron lui succède éventuellement, mais sa décision ne plaisait pas à tout le monde. Au Royaume d'Émeraude, le Roi Onyx, qui avait d'abord fait de son fils Atlance le premier en liste pour le trône, commençait à pencher en faveur de la petite dernière de la famille. Toutefois, puisqu'il avait l'intention de régner pour toujours, la Reine Swan le laissait parler. Au Royaume des Fées, le Roi Tilly, n'ayant eu que des filles qui ne s'intéressaient pas du tout à la politique, envisageait de faire d'un de ses petits-enfants le futur monarque des Fées.

Au Royaume de Jade, le Roi Lang n'avait aucune intention de céder sa place à ses enfants pourtant en âge de régner. Il les avait prévenus que seule la mort l'arracherait à son pays.

Au Royaume de Perle, le Roi Giller avait commencé à former son fils Xavier afin qu'il prenne bientôt sa place à la tête des Perlois, mais cette éducation ne semblait pas s'achever, au grand désespoir du jeune homme. Xavier n'avait pas attendu de monter sur le trône de son père pour épouser la Princesse Shenyann de Jade et fonder sa propre famille. Ils avaient un fils, Nikolos, et une fille, Tomassina.

Quant au Roi Stem de Rubis, il régnait sur son royaume depuis la mort de son père. Époux de la Reine Maud de Béryl, il avait deux fils, Endreas et Vencel et une fille, Oriane. Finalement, au Royaume de Zénor, le Roi Vail et la Reine Jana gouvernaient toujours le pays, même si leur fils Zach était en âge de succéder à son père. Ce dernier avait épousé son amie d'enfance, Alassia, qui lui avait donné un fils, Kirsan.

Cependant, le changement le plus important au régime d'Enkidiev était sur le point de se produire. Si le Roi Onyx avait renoncé à annexer le Royaume de Diamant au sien, il n'avait cependant pas abandonné son rêve de devenir le souverain le plus important d'entre tous. S'il ne pouvait pas devenir empereur, alors il serait le Grand Roi du continent.

3

LE ROI DE SAPHIR

mbarrassé d'avoir déserté l'Ordre tandis que ses compagnons avaient besoin de lui, Jasson n'avait pas participé aux réjouissances qui avaient duré toute une semaine à Émeraude. Il s'était esquivé tout de suite après le discours du Roi Onyx, ce qui avait été relativement facile, puisque la cour du château était bondée. De plus, poussés par la foule, les Chevaliers avaient été distancés les uns des autres. Comme aucun de ses frères et sœurs d'armes ne se trouvait près de lui, Jasson avait tout simplement franchi le pont-levis pour s'éloigner le plus possible des paysans en liesse. La création d'un vortex était une opération dangereuse, car là où il se formait, il pouvait tuer un être humain.

Jasson était instantanément retourné à son domaine, dans la Forêt Interdite, le cœur gonflé d'incertitude. Maintenant que l'ennemi avait été anéanti, que souhaitait-il faire de sa vie ? Il réapparut suffisamment loin du temple ancien pour ne pas blesser sa fille qui aimait un peu trop s'aventurer dans la jungle. Le soleil avait commencé à décliner et Sanya avait allumé les flambeaux dans leur demeure.

Lorsque Jasson voulut ouvrir les portes qui protégeaient sa maison des prédateurs durant la nuit, il les trouva déjà barricadées. Il frappa quelques coups avec son poing et perçut des pas à l'intérieur.

— Qui va là ? demanda la voix de sa fille.

— C'est ton père préféré, ma chérie.

— Mais je n'en ai qu'un !

Le soldat entendit le frottement de la barre de bois que l'enfant tentait de retirer de ses supports.

— Je vais t'aider, fit alors sa mère.

La voix de Sanya fut comme une chanson aux oreilles de Jasson. En travaillant de concert, les deux femmes de sa vie finirent par lui ouvrir.

— Pourquoi n'as-tu pas utilisé ton vortex pour entrer ? lui reprocha Katil en lui sautant dans les bras.

— C'est trop risqué, répondit le père en la serrant très fort. Je te l'ai pourtant déjà expliqué.

— Plus elle grandit, plus sa mémoire rapetisse, plaisanta sa mère.

Jasson la serra dans ses bras à son tour, humant le parfum de ses cheveux avec bonheur.

— J'avais hâte que tu reviennes, chuchota Sanya à son oreille. Nous devons discuter.

— Je pensais plutôt à autre chose…

— Seulement lorsque nous aurons décidé de notre avenir.

Elle se dégagea de son étreinte et referma les portes. Jasson ramassa la barre qui les maintenait solidement fermées et la fit glisser sur les supports de métal. Il se retourna avec l'intention de supplier son épouse de remettre cette conversation à plus tard, lorsqu'il entendit les gémissements d'un bébé. Attendri, il alla s'agenouiller à côté du berceau de bois. Famire, le fils de Santo, était encore plus minuscule que Liam au même âge, mais il montrait déjà sa volonté de vivre.

— Son père va être heureux de le revoir, indiqua Jasson en caressa la joue de l'enfant du bout de l'index.

— Est-ce que ça veut dire que nous rentrons à la maison ? s'égaya Sanya.

— Puisque nous avons anéanti l'ennemi, j'ai pensé que…

Il n'eut pas le temps de terminer sa phrase que son épouse le renversait sur le plancher pour couvrir son visage de baisers.

— Je croyais que tu te plaisais ici ! la taquina Jasson.

— Ramène-nous à la maison, maintenant.

— Il fait déjà sombre et je ne sais pas dans quel état est la ferme.

— Il y a peut-être des souris partout, frissonna Katil.

– Alors, demain matin, à la première heure, insista Sanya.

– Dès que j'aurai ouvert l'œil.

Jasson tint sa promesse et utilisa son vortex pour ramener à Émeraude sa famille et tous les objets auxquels elle tenait le plus, sauf le mobilier. Sanya préféra le laisser sur place, jugeant qu'il avait fait son temps. En sortant du tourbillon de lumière, ils furent plutôt découragés de trouver la ferme à l'abandon. Le vieux serviteur qui était resté pour s'occuper des chevaux était mort pendant que les Chevaliers combattaient l'ennemi. Quelqu'un l'avait enterré près de l'enclos, dont la moitié des clôtures avaient été défoncées. Jasson, Sanya, Katil et Lérine, leur servante, étudièrent un long moment les dégâts.

– Ce n'est rien d'irréparable, affirma Jasson, mais il nous faudra trouver de la nourriture ailleurs pendant quelques mois.

– Je vais t'aider, papa, l'encouragea Katil.

– Allons voir dans quel état est la maison, soupira Sanya en y transportant le petit Famire.

Puisqu'ils avaient apporté la plupart des meubles dans la Forêt Interdite, il ne leur restait que le grand lit des parents et rien d'autre. Une épaisse couche de poussière recouvrait le plancher.

– Nous ferons des pique-niques à l'extérieur jusqu'à ce que j'aie fabriqué une table et des sièges, annonça joyeusement le père.

– Rien n'est jamais un problème pour toi, Jasson d'Émeraude, commenta sa femme.

– Les gens anxieux meurent plus jeunes que les autres, répliqua-t-il. Par quoi dois-je commencer ?

– Va porter le bébé à son père. Il n'est pas question que nous le gardions dans des conditions semblables. Pendant ce temps, nous allons nettoyer la maison.

Jasson avait soumis sa femme à un si grand nombre de bouleversements lors de sa désertion qu'il n'avait aucune intention de s'opposer à ses plans. Elle le laissa ouvrir un nouveau vortex et déposa l'enfant dans ses bras. Certain de trouver Santo au Château d'Émeraude, Jasson visualisa la petite route de terre qui en faisait le tour et s'engouffra dans le maelström.

À son grand étonnement, lorsqu'il pénétra finalement dans la grande cour de la forteresse, il trouva tous les Chevaliers d'Émeraude rassemblés devant le balcon du Roi Onyx. Toutefois, ce n'était pas le monarque qui s'y tenait, mais la déesse Fan auréolée d'une magnifique lumière blanche. Jasson s'immobilisa derrière ses compagnons, à quelques pas de la tour qu'occupait maintenant Armène, et repéra Santo plus loin.

– Il va se passer des choses magiques, annonça alors Chloé.

– Comme quoi ? voulut savoir Jasson.

Devinant que Jasson allait participer à un rituel, Armène s'approcha de lui et lui enleva l'enfant.

– Vous viendrez le reprendre plus tard, chuchota-t-elle.

– Il était temps que tu arrives, dit alors Wimme à Jasson sur un ton de reproche.

— Vous m'attendiez ? Mais je n'ai été prévenu de rien !

La déesse réclama alors le silence.

— Chevaliers, tout comme lors de la première grande invasion, les dieux ont décidé de vous retirer les pouvoirs magiques qu'ils vous ont conférés. Vous ne perdrez pas les facultés qui vous ont été données à la naissance, mais vos épées ne seront plus enchantées. Ceux d'entre vous qui possèdent des bracelets magiques devront les rendre.

Elle venait à peine de prononcer le dernier mot que les bandes de cuir noir qui serraient les poignets des lieutenants du défunt Chevalier Wellan disparurent toutes en même temps.

— Comment vais-je rentrer chez moi, maintenant ? se découragea Jasson.

Les Chevaliers étaient tellement habitués à se déplacer sans effort, grâce à leurs bracelets magiques, qu'ils ne pensaient même plus à utiliser leurs chevaux.

— Merci d'avoir fait d'Enkidiev un havre de paix, conclut Fan en disparaissant sous les yeux ébahis des plus jeunes soldats.

Ceux qui avaient choisi d'habiter d'autres royaumes grimpèrent sur leur monture et partirent par petits groupes, selon le pays où ils se dirigeaient. Jasson demeura sur place, plutôt déprimé. Bergeau passa alors près de lui, à cheval.

— Te voilà enfin ! s'exclama l'homme du Désert.

— Je suis venu rendre à Santo son jeune fils et, curieusement, je n'ai jamais reçu l'appel de la déesse.

— La même chose est arrivée à Ariane, parce qu'elle se servait de son vortex au moment où il a été lancé.

— C'est donc ça !

Santo rejoignit ses deux compagnons et leur serra les bras à la manière des Chevaliers.

— As-tu perdu tes merveilleux pouvoirs de guérisseur en même temps que tes bracelets ? s'alarma Jasson.

— Pas du tout, puisqu'ils m'ont été transmis de façon indépendante par Abnar, répondit Santo.

— Mais les enchantements des sorciers et des maîtres magiciens ne disparaissent-ils pas avec eux ?

— Seulement quand ils meurent, et Abnar est encore vivant. As-tu ramené mon fils ?

— Oui, tu le trouveras dans les bras d'Armène.

— Merci pour tout, Jasson. Je te revaudrai ça.

— C'était tout naturel, voyons.

Santo entra dans la tour de la gouvernante.

— Où est ton cheval ? demanda alors Bergeau.

– La dernière fois que je l'ai vu, nous étions à Zénor, je crois.

– Allez, monte.

Bergeau aida son meilleur ami à se hisser sur la selle, derrière lui, et fit marcher l'animal en direction du pont-levis.

– Es-tu allé à ta ferme ? s'enquit-il tout en suivant le chemin qui menait vers le sud.

– C'est là que je me suis arrêté en premier.

– Tu n'es pas trop découragé ?

– J'ai beaucoup de travail devant moi pour la rendre productive et je ne sais pas encore comment je vais me procurer tous les animaux qui se sont enfuis, mais je suis débrouillard.

– Nous allons te donner un coup de main, tu le sais bien.

– La dernière chose que je veux, c'est vous enlever le pain de la bouche. Surtout que je sais que tu as l'intention de repeupler le continent.

Bergeau s'arrêta d'abord chez lui, car son domaine était plus près du château que celui de Jasson, et remplit sa charrette de victuailles, malgré les protestations de son frère d'armes. Lorsqu'ils arrivèrent enfin à la ferme de Jasson, les femmes avaient terminé le dépoussiérage de la maison et se désaltéraient au puits apparemment encore fonctionnel. Bergeau souleva Sanya dans ses bras en la faisant tournoyer, pour lui manifester sa joie de la revoir. Plus prudente, Katil garda ses distances avec l'ami un peu trop exubérant de son père.

– Pendant que vous déchargez la nourriture, Jasson et moi allons fabriquer une table, décida Bergeau.

Il se dirigea vers la grange, aussitôt suivi du propriétaire des lieux.

– Tu as rapporté tes outils ? voulut-il savoir.

– Je les avais pour la plupart laissés ici, affirma Jasson.

Les deux hommes commencèrent par aiguiser leur hache et s'enfoncèrent dans la forêt pour abattre un arbre. Grâce à ses pouvoirs de lévitation, Jasson le déplaça dans une clairière, puis, avec des rayons ardents, les Chevaliers le découpèrent en larges planches épaisses.

– Heureusement que les dieux n'ont pas complètement fait disparaître nos pouvoirs, se réjouit Jasson. Nous en aurions eu pour des semaines !

– Et c'est toi qui dis que j'exagère ? le taquina Bergeau.

Au milieu de l'après-midi, ils rapportèrent à la maison une longue table et six chaises d'une remarquable solidité. Les femmes étaient en train de laver les vêtements, la literie et les nappes qui n'avaient pas été apportés au Royaume de Saphir, car ils sentaient le renfermé. Elles furent ravies de voir arriver le mobilier et le firent installer par les hommes au milieu de la pièce principale.

La même semaine, le Roi Onyx présida une grande réception au château pour ses vaillants Chevaliers. Jasson y emmena évidement sa petite famille, car Sanya mourrait d'envie d'un bain de foule, après leur isolement dans la Forêt Interdite. La jeune femme ne dansa pas autant qu'autrefois, au grand étonnement de son époux, mais il attribua son comportement au manque de pratique. Ils avaient trop longtemps vécu dans un vieux temple où on ne jouait aucune musique. Jasson en profita pour bavarder avec tous ses camarades, ce qui n'avait pas toujours été possible durant la guerre et, comme c'était son habitude, il fut parmi les derniers à quitter la fête, assis avec sa famille dans la charrette de Bergeau, en attendant qu'il s'en fabrique une nouvelle.

Jasson remarqua la grosse besace de toile que sa fille transportait, mais crut que quelqu'un au château lui avait fait un présent. Fatigué, il ne l'avait questionnée qu'au matin, pendant le premier repas de la journée.

– Quel sac ? s'exclama Katil en faisant mine de s'étonner.

– Pendant que j'y pense, s'en mêla Sanya, moi aussi je me souviens de t'avoir vu ramener une poche de toile que tu ne transportais pas à notre départ.

La fillette alla la chercher au fond de la pièce et la déposa par terre pour que ses parents puissent l'examiner.

– Elle n'était pas vide, hier soir, fit remarquer Jasson.

– Je n'y avais pourtant mis que mes sabots. Peut-être est-ce le vin qui t'a fait voir des choses différentes.

– Katil, on ne parle pas de cette façon à ses parents, la reprit sa mère.

– Je ne fais que fournir une explication.

– Elle a raison sur un point, affirma Jasson. Il y a certaines choses dont je ne me souviens pas très bien.

Ils ne reparlèrent plus de cet incident, au grand soulagement de Katil, car, en réalité, elle avait bel et bien caché quelque chose dans ce grand sac en quittant le palais du Roi Onyx : deux petits dragons, qui avaient jadis été les sentinelles de la Montagne de Cristal. Pour qu'ils ne soient pas découverts par ses parents, l'enfant les avait installés dans la grange. Il lui faudrait évidemment leur trouver un autre refuge avant les prochaines moissons. Dès qu'elle avait terminé ses corvées quotidiennes, Katil courait rejoindre ses nouveaux amis rouge et bleu. Pour leur permettre de quitter le bâtiment en cas d'urgence, elle les avait aidés à creuser un trou sous le mur le plus éloigné, derrière un buisson, là où son père ne risquait pas de le découvrir.

Pour que les petites bêtes puissent se délier les pattes, elle les emmenait régulièrement avec elle dans la nature, quelquefois dans les champs, d'autres fois dans les immenses vergers. L'endroit que les dragons affectionnaient le plus, c'était le ruisseau qui traversait les terres de Jasson. Là où il pénétrait dans la forêt s'ouvrait une clairière parsemée d'herbe tendre. Un très vieux saule pleureur trempait le bout de ses branches dans l'eau, tout en cachant un tronc d'arbre tombé durant un orage et qui servait de banc à Katil. Celle-ci s'y assoyait avec un livre, car elle avait appris à lire, même si elle n'avait jamais eu le bonheur de fréquenter l'école, et elle laissait ses inhabituels amis courir et patauger dans l'eau peu profonde.

Bien souvent, l'enfant cueillait des pommes dont elle s'emplissait les poches et les partageait avec Urulocé et Ramalocé. En fait, ces petits animaux mangeaient n'importe quoi, surtout les restes. Lorsqu'ils vivaient dans la caverne magique d'Abnar, ils pouvaient faire apparaître tout ce dont ils avaient envie, mais ils avaient perdu cette faculté en quittant la Montagne de Cristal. Katil s'empressait donc d'aider sa mère à tous les repas, en vidant la nourriture laissée dans les bols dans un seau qu'elle faisait semblant d'aller jeter dans la forêt.

« Il faudra bien un jour que je parle d'eux à mes parents », songea-t-elle en protégeant son livre des gouttes d'eau qui jaillissaient du ruisseau tandis que les dragons s'amusaient. « Mais rien ne presse », décida-t-elle en se replongeant dans l'étude de l'histoire de son pays.

Au cours des semaines suivantes, les Chevaliers qui étaient restés à Émeraude s'arrêtèrent les uns après les autres à la maison de Jasson avec plusieurs présents dont la famille avait un urgent besoin, notamment quelques poules, des chèvres et des vaches. Embarrassé, Jasson ne savait plus comment les remercier. Puis, lorsque Dempsey arriva avec un berceau de bois qu'il avait sculpté lui-même, il écarquilla les yeux.

— Est-ce un souhait ou y a-t-il quelque chose que j'ignore ? s'égaya-t-il.

— Ce n'est pas à moi de t'annoncer la nouvelle, répondit Dempsey en lui tapotant amicalement l'épaule.

Jasson avait aussitôt couru jusqu'à la rivière où Sanya frottait les vêtements sur une pierre. Il la saisit par-derrière, lui arrachant un cri de terreur, et la fit pivoter vers lui.

– Mes pouvoirs ne sont certainement pas aussi puissants qu'avant, car je ne me suis douté de rien ! s'exclama-t-il avec joie.

– C'est sans doute parce que c'est tout récent.

– Nous allons avoir un autre bébé ! Je suis tellement heureux, Sanya !

Dès lors, le Chevalier redoubla d'efforts pour remettre sa ferme sur pied avant la naissance de l'enfant. Il défricha le reste de ses terres, les ensemença, émonda ses pommiers et répara toutes ses clôtures en chantant des chansons grivoises. Le petit garçon naquit au milieu de la saison des pluies, dans la maison chaude et douillette de ses parents. Les récoltes n'avaient pas été aussi abondantes que Jasson l'avait espéré, mais la famille avait suffisamment de nourriture pour subsister jusqu'à la saison chaude. Les pluies ne permettaient pas aux hommes de travailler la terre. Katil continuait cependant de nourrir ses dragons et de les faire sortir durant les accalmies.

Comme bien d'autres fermiers, le Chevalier passa presque tout son temps à bercer son nouveau fils et à lui raconter sa vie, même si le poupon ne comprenait pas encore la langue des adultes. Après d'interminables délibérations, ils le prénommèrent finalement Carlo. L'enfant qui ressemblait de plus en plus à Katil en grandissant n'afficha aucune propension à la magie, au grand bonheur de sa mère.

Quatre ans plus tard, la famille accueillit avec joie la venue d'un autre garçon. Sanya espérait qu'il serait aussi normal que Carlo, mais quelques heures après sa naissance, elle découvrit avec horreur qu'il flottait à quelques centimètres au-dessus de son berceau.

— Peut-être que lorsqu'un enfant de Chevalier naît sans le moindre pouvoir, le suivant en a deux fois plus, postula Katil.

Pour éviter que sa mère devienne complètement hystérique, l'adolescente maintenant âgée de dix-sept ans se mit à s'occuper elle-même de son petit frère, le recouchant gentiment dans son lit chaque fois qu'elle le surprenait dans les airs. Katil lui répétait sans cesse que la magie était un cadeau des dieux, mais qu'il était important de ne jamais en abuser ou de s'en servir pour terrifier ses semblables. Sa persévérance fut finalement récompensée, car les premiers mots que prononcèrent le petit Cléman, à l'âge de deux ans, furent « sage » et « doux ». Jasson aurait préféré « papa » et « maman », mais c'était mieux que rien.

Un soir, tandis que toute la famille était à table et que Katil forçait son petit frère à tenir sa cuillère avec la main plutôt que par ses facultés surnaturelles, elle se mit à se plaindre de l'absence de Liam, son frère aîné.

— C'est un adulte, maintenant, lui rappela Sanya. Il mène sa propre vie.

— Mais ce n'est pas une raison pour ignorer sa famille, protesta Katil. Il ne nous a visités que deux fois après la naissance de Carlo et de Cléman. Il ne vient même pas nous aider à la ferme.

– Ton grand frère a bien des talents, mais aucun penchant pour la terre, expliqua Jasson.

– Le château n'est qu'à une heure d'ici et il a un cheval !

– Liam a passé les premières années qui ont suivi la victoire des Chevaliers d'Émeraude à faire visiter tout le continent à Mali pour qu'elle s'y sente davantage chez elle, poursuivit Sanya. Ensuite, il a fallu qu'ils s'installent quelque part. Cela ne se fait pas en claquant des doigts.

– Pourquoi ont-ils choisi le château du Roi Onyx ? Ils auraient pu acheter une ferme par ici.

– Parce que ton frère n'est pas un fermier, répéta Jasson. Tu ne m'écoutes pas quand je parle ?

– Non, répondit pour elle le petit Carlo de six ans, le visage barbouillé de sauce.

– Je ne sais pas à quoi je sers dans cette famille, se plaignit le Chevalier.

Sanya lui adressa un regard compatissant.

– À être papa ! s'exclama Carlo en riant.

– À nous protéger, à conserver un toit sur nos têtes et à mettre de la nourriture sur notre table, des vêtements sur nos dos et du bonheur dans nos cœurs, récita Sanya.

– Beaucoup de bonheur, renchérit le gamin.

Cléman, lui, se contentait d'observer son père avec de grands yeux verts interrogateurs, ignorant tout à fait de quoi ils parlaient tous avec autant de passion. Puis, laissé sans surveillance pendant quelques secondes, il fit tournoyer sa cuillère pleine de bouillon et éclaboussa tout le monde.

Les réponses que Katil avait obtenues de ses parents ne lui avaient apporté aucun réconfort. Elle s'isola dans la forêt les jours suivants pour écrire une longue lettre à son frère dans laquelle elle se plaignait de son indifférence à l'égard de son propre sang et le mettait en garde contre les pouvoirs apparemment captivants de cette prêtresse qu'il avait rescapée de la Forêt Interdite.

— Il faut insister davantage sur la proximité du château, conseilla Ramalocé, penché sur le parchemin où elle tentait d'exprimer son désarroi.

— Moi, je trouve sa missive suffisamment claire ainsi, s'opposa Urulocé.

— Avant d'aller plus loin, cet homme sait-il lire ?

— Évidemment qu'il le sait, affirma Katil. Il a étudié avec les magiciens du château.

— Encore ce château ! s'exclama Ramalocé, courroucé.

Elle dut faire la sourde oreille à toutes leurs recommandations pour achever sa lettre, et alla ensuite la porter chez Bergeau, à la ferme voisine, car il visitait souvent deux de ses enfants qui allaient à l'école au palais d'Émeraude. Le Chevalier pourrait donc la remettre à son frère lorsqu'il le croiserait à la forge, où ce dernier était apprenti.

Il ne se passa rien pendant plusieurs jours, et Katil commença à croire que son cri du cœur ne s'était pas rendu jusqu'à Liam. Puis, quelques jours avant le début de la saison des pluies, alors qu'elle ramenait un panier chargé de pommes des vergers, l'adolescente vit deux chevaux attachés près du puits. Elle connaissait toutes les montures des Chevaliers, mais ces bêtes lui étaient étrangères. Elle utilisa donc ses facultés surnaturelles pour sonder l'intérieur de sa demeure, au cas où ses parents auraient été en difficulté, mais elle y sentit plutôt une énergie très familière.

— Liam ! s'écria-t-elle en courant, malgré le poids de sa charge.

Elle déposa brusquement son panier à l'entrée de la maison et s'élança à l'intérieur. Le jeune Chevalier eut à peine le temps de se retourner qu'elle se jetait dans ses bras en le serrant très fort.

— Si j'avais su que mon éloignement te causait autant de peine, je serai passé par ici plus souvent, lui dit son grand frère pour la rassurer. Pourquoi n'as-tu pas communiqué avec moi par la pensée ?

— Parce que nous avons décidé de mener une vie normale, répondit Sanya. Il est donc défendu aux enfants de se servir de la magie.

Tandis qu'elle prononçait ces mots, derrière elle, Cléman faisait danser ses cubes de bois au-dessus de lui en riant.

— Je suis plutôt d'avis que lorsqu'on a reçu un talent aussi merveilleux, ce serait un sacrilège de ne pas en faire usage, répliqua Liam.

Katil se sentit aussitôt obligée d'intervenir pour que sa mère et son frère ne se querellent pas.

— Il y a deux chevaux dehors, indiqua-t-elle en se dégageant des bras de Liam. Où est Mali ?

— Elle est restée au château pour rencontrer le roi en privé, ce qui n'est pas une mince affaire ces jours-ci, expliqua son frère. Sa Majesté ne reçoit presque plus personne. En fait, le deuxième cheval, c'est pour toi.

— Vraiment ?

— Comme ça, tu pourras me rendre visite au lieu de te plaindre de mon absence. J'ai aussi retrouvé celui de papa sur les plaines d'Émeraude. Il a pris son temps pour rentrer à la maison, celui-là.

Liam se tourna ensuite vers son père.

— Y a-t-il de la bière, ici ? demanda-t-il joyeusement.

Katil comprit alors, en observant attentivement le visage de son frère, qu'il n'était plus l'adolescent dont elle se souvenait, mais qu'il était devenu un homme.

4

ENCLUME ET ENKIEV

À son retour d'Irianeth, Liam n'était plus le même. La guerre l'avait fait beaucoup mûrir et il se comportait davantage en homme qu'en adolescent, malgré ses dix-sept ans. Le fait aussi qu'il s'intéressait maintenant à une jeune femme y était évidemment pour quelque chose. La fin de la guerre signifiait qu'il devait prendre des décisions au sujet de son avenir. Au lieu d'accompagner son père dans la Forêt Interdite pour aller chercher sa mère, sa sœur et leur servante, il avait tout de suite fait comprendre à Jasson que son fils n'était plus un enfant. En effet, Liam avait préféré diriger ses pas vers celle qui avait conquis son cœur.

Après la grande fête donnée par le Roi Onyx pour célébrer la victoire de ses troupes, Liam avait sellé son cheval et hissé la prêtresse Mali derrière lui en lui disant qu'il l'emmenait visiter tous les royaumes dont elle avait si souvent entendu parler durant la guerre. Le couple ne se contenterait pas de les traverser, mais il s'arrêterait partout afin que la jeune femme s'imprègne de toutes les cultures d'Enkidiev. Ne demandant qu'à apprendre, Mali s'intéressait à tout. Elle s'émerveilla devant les fleurs géantes et les arbres de cristal du pays des Fées et passa des heures à observer le vol de délicates créatures aux ailes de libellule. Elle prit part aussi aux danses tribales de

Zénor et de Cristal et maîtrisa avec une facilité déconcertante quelques phrases en elfique.

La prêtresse tomba en pâmoison devant les étoffes chatoyantes de Fal et n'accepta de quitter l'étal du marchand que lorsque Liam lui en offrit quelques-unes. Même si les Royaumes de Turquoise et de Béryl n'avaient respectivement que des forêts à perte de vue et des rochers sans fin à offrir, la jeune femme leur trouva de belles qualités. La nature superstitieuse des Turquais les avait rendus très respectueux envers les arbres qu'ils ne coupaient jamais. Ils jouissaient donc de l'énergie pure qui émanait de ces sylves centenaires. Quant aux Bérylois, la rareté de l'eau avait fait d'eux le peuple le plus débrouillard du continent.

Mali avait beaucoup apprécié les manières raffinées de la cour du Roi de Jade. Elle avait aussi pataugé avec les villageoises dans les rizières, au grand découragement de Liam qui ne voyait pas l'utilité de vivre une telle expérience. Elle avait aimé le caractère jovial des Rubiens, malgré leur besoin inné de tuer les animaux de la forêt, contrairement à elle qui respectait la vie. À Opale, cependant, même si elle admirait la discipline des soldats et l'organisation efficace de la vie civile, elle déplora que les femmes n'y soient pas les égales des hommes. Au Royaume de Diamant, elle participa aux récoltes et apprit à tresser des paniers. À Perle, elle assista au dressage des oiseaux de proie et sur les plages du Royaume d'Argent, elle prit part à la pêche aux crevettes.

Plus Liam l'observait, plus il commençait à comprendre la véritable signification de la vie. L'homme n'était pas fait pour s'asseoir dans un coin et ignorer le reste de l'univers. Il avait été créé pour apprendre tout ce qu'il pouvait pendant sa courte existence et pour établir des liens d'amitié avec toutes les autres races. Malgré sa timidité, Mali allait volontiers vers les gens pour voir ce qu'ils pouvaient lui enseigner. Liam ne s'était jamais préoccupé de quoi que ce soit à part sa petite personne depuis qu'il avait quitté la maison de ses parents à l'âge de cinq ans pour aller étudier au Château d'Émeraude. Petit à petit, il réalisait que tous les êtres vivants étaient reliés et que le moindre geste d'un seul d'entre eux pouvait toucher tous les autres.

– C'est pour cette raison que nous devons toujours agir pour le bien commun, lui expliqua Mali tandis qu'ils rentraient à Émeraude.

– C'est facile pour une prêtresse qui le fait depuis sa naissance, répliqua Liam.

– Tout le monde peut être fiable, aimable et serviable. Tu te conduis déjà de cette façon au sein des Chevaliers d'Émeraude.

– Évidemment, puisqu'ils sont mes frères et mes sœurs d'armes.

– Les Elfes, les Fées et l'ensemble des habitants du continent le sont aussi. Savais-tu que le refus d'aider une personne en difficulté déclenche une série d'événements qui peuvent, au bout du compte, entraîner ta propre mort ?

– Tu dis ça sérieusement ? s'étonna le jeune homme.

– Mais oui ! C'est la loi de cause à effet. Elle existe depuis la nuit des temps.

— Pourquoi n'en ai-je jamais entendu parler ?

— Sans doute parce que tout le monde autour de toi était trop occupé à survivre. Heureusement, la guerre est terminée, alors nous allons rééduquer les gens.

— De quelle façon ?

— Je vais fonder une école à Émeraude où ils pourront venir apprendre les lois spirituelles qui devraient guider leur vie, peu importe leur âge. Pour une raison que je ne comprends pas, les prêtres et les prêtresses ont disparu d'Enkidiev au fil des ans, pour être finalement remplacés par des magiciens qui ne transmettent leur savoir qu'à leurs apprentis. Le temps est venu pour nous de rétablir les choses.

— Pourquoi dis-tu toujours « nous » ?

— Parce que tu vas m'aider, bien sûr.

— Je n'ai pas l'habitude de me mêler des affaires des autres.

— C'est justement ce comportement qu'il te faut changer, Liam. Ce monde n'a pas été façonné que pour toi. Il est temps que tu fasses ta part pour le rendre meilleur.

— En ce moment, je pensais davantage à trouver un métier qui nous permettra de manger et de nous loger.

— Cette activité ne t'empêchera pas d'ouvrir ton cœur à ton prochain, je t'assure.

Liam s'efforça de ne pas y penser, tandis qu'ils s'approchaient du Château d'Émeraude, mais le visage rayonnant de son amie lui fit vite comprendre qu'il ne s'en tirerait pas par une pirouette, cette fois-ci. Il n'était plus un enfant. En fait, il n'était même plus un adolescent. Quelque part, durant la guerre, il était devenu un homme et il devait apprendre à se comporter en adulte.

Après le départ de la plupart des Chevaliers pour d'autres contrées, leurs chambres attenantes au grand hall étaient devenues vacantes. Puisque Sa Majesté Émeraude Ier avait jadis accepté par décret de loger et nourrir les soldats dotés de pouvoirs magiques dans son château, Liam décida de s'y installer de façon temporaire, jusqu'à ce qu'il puisse se payer une maison dans l'un des nombreux villages dans le sud du royaume.

Il voulait gagner sa vie, comme tous ses amis, mais la culture du sol ne l'intéressait pas, ni l'engagement qu'exigeaient les arts de guérison. Ayant également vécu des épisodes traumatisants du côté de la magie, il préféra ne pas courir le risque de conseiller un roi en la matière. Mali lui demanda donc s'il voulait enseigner avec elle. Il refusa, car cela l'aurait obligé à lire plusieurs heures par semaine. Assise sur le lit de la chambre qu'elle avait entièrement décorée pour la rendre moins austère, la prêtresse se demandait quoi dire à ce jeune Chevalier qui ne semblait pas révéler le moindre talent.

– Heureusement que j'ai pris le temps d'étudier ton monde, déclara-t-elle au bout d'un moment, sinon je serais dans l'impossibilité de te venir en aide.

Liam se mit à tourner en rond devant la porte.

— Tu pourrais devenir palefrenier, suggéra Mali.

— J'aime les chevaux, mais pas toute la journée, grommela son ami.

— Commerçant ?

— Je ne serais jamais à la maison !

— Boulanger ?

— Je ne sais pas faire la cuisine.

— Serviteur au palais ?

— Ça, jamais !

— Artisan, alors ?

— Que font ces gens ?

— Ils façonnent les objets dont nous avons besoin dans la vie de tous les jours, comme des vêtements, des bottes, des ustensiles, des bols, des meubles…

— Des épées, aussi ?

— Elles sont devenues moins utiles, mais oui, des épées aussi. C'est le travail du forgeron. Je te ferai remarquer qu'il fabrique aussi des fers pour les sabots des chevaux, des tisonniers…

– Des poignards et des fers de lance ?

– Oui, affirma Mali, même si elle n'approuvait pas le port de ces armes.

– Je crois bien que ça me plairait.

Mali se demanda s'il pourrait tenir toute la journée un marteau beaucoup plus lourd qu'une épée et endurer la chaleur étouffante de la forge. Cependant, puisque c'était la première fois qu'il s'intéressait à autre chose que la guerre, elle n'allait certainement pas le décourager. Enthousiaste, Liam rendit donc visite à Morrison dans son antre torride. Le forgeron commença par éclater de rire lorsqu'il entendit la proposition du jeune homme, puis voyant qu'il restait planté devant lui, il comprit que ce n'était pas une plaisanterie.

– Je n'ai jamais enseigné mon art à quiconque n'étant pas déterminé à aller jusqu'au bout, l'avertit alors Morrison.

– Je vous jure de devenir votre élève le plus appliqué de tous les temps.

– De tous les temps, hein ?

Le pénible et difficile apprentissage de Liam d'Émeraude commença ce jour-là et dura cinq longues années. Ce ne fut que lorsqu'il forgea une épée parfaite que Morrison le nomma compagnon et commença à lui confier des tâches plus délicates. Pendant tout ce temps, Mali s'était taillé une place enviable comme préceptrice. Sous l'égide du Chevalier Bridgess, elle avait soigneusement élaboré un programme d'études spirituelles pour les différents âges des enfants qui fréquentaient le château. Ainsi, elle meublait leur imagination par des contes de son pays et leur enseignait la danse et le chant. À la fin de chaque journée de classe, avant leur retour à la maison, elle leur parlait aussi de l'importance de traiter les autres comme on voulait être traité soi-même ainsi que de l'effet que chacun de leurs petits gestes pouvait exercer sur le reste du continent.

Tandis que Liam commençait son compagnonnage à la forge, Mali poussa son besoin de réforme encore plus loin. Il avait été décidé, des centaines d'années auparavant, que toutes les divinités seraient honorées au Royaume d'Émeraude. La chapelle du château contenait un si grand nombre de statues hétéroclites qu'il y avait à peine assez d'espace pour réunir cinq personnes dans cette pièce. Elle voulut donc proposer du changement. Aussi demanda-t-elle une audience auprès du roi et attendit que ses conseillers lui répondent. Les jours passèrent sans que personne la convoque, alors elle prit les devants.

D'un pas décidé, elle se dirigea vers le grand hall, où elle apprit que Sa Majesté Onyx ne recevait personne, car son épouse avait accouché la veille d'une petite princesse. Les parents se reposaient à l'étage des chambres royales et ne voulaient pas être dérangés. Mali ne se découragea pas pour autant. Tous les jours, elle se présenta à la porte de la salle d'audience, jusqu'à ce que le monarque daigne y retourner. Elle n'était évidemment pas la seule à l'attendre. Toute menue, la prêtresse parvint néanmoins à se faufiler entre les paysans sans qu'ils s'en aperçoivent et à se placer parmi les premiers requérants.

Elle écouta les doléances et les réclamations de ceux qui la précédaient, puis s'avança lorsque le scribe en chef lui fit signe que le roi était prêt à l'entendre. Onyx était assis sur son trône, une jambe croisée sur son genou, le menton appuyé dans la main. Ses traits étaient tirés et son teint blafard. Le bébé le tenait probablement éveillé toutes les nuits depuis sa naissance.

– Votre Altesse, je tiens d'abord à saluer la nouvelle Princesse d'Émeraude, commença-t-elle.

– Je lui transmettrai vos vœux, promit Onyx, d'une voix terne.

– Je ne prendrai que très peu de votre temps, car plusieurs de vos sujets attendent depuis longtemps pour vous parler.

– Dites-moi quelque chose que je ne sais pas, grommela le roi.

Onyx n'aimait pas les créatures étranges. Pour lui, Mali n'était qu'une Enkiev au visage à demi tatoué, originaire de la Forêt Interdite. Il ignorait évidemment les efforts qu'elle déployait pour s'intégrer au monde moderne.

– J'aimerais porter à votre attention le fait que personne ne peut se recueillir dans la chapelle de votre palais, car elle est encombrée de statues qui ne devraient pas être là, laissa tomber la prêtresse.

Un murmure inquiet parcourut l'assemblée, car les habitants d'Émeraude abhorraient le changement.

– Et alors ? la pressa Onyx.

– Avec votre permission, j'aimerais renvoyer tous ces dieux et déesses dans les pays qui les adorent.

N'étant pas d'un naturel très religieux, Onyx n'avait jamais mis les pieds dans cet endroit qui faisait pourtant partie de sa demeure. Voyant qu'il ne répondait pas, l'un de ses principaux conseillers crut devoir intervenir.

– Majesté, ces statues ont été offertes à l'un des ancêtres du Roi Émeraude Ier, lui rappela-t-il. Elles font partie de notre patrimoine depuis des lustres.

– Soyez plus précis, exigea Onyx.

– C'est le Roi Jabe qui a instauré le culte de toutes les divinités dans ce pays.

La mention de cet ancien monarque fit immédiatement réagir Onyx qui l'avait connu personnellement, des centaines d'années auparavant. À son avis, Jabe avait été le pire roi à avoir gouverné depuis l'apparition des tout premiers royaumes.

– Débarrassez-moi la chapelle de toutes ces idoles, décida-t-il en se redressant de façon menaçante.

– Mais Majesté, protesta le conseiller en réponse à la réaction défavorable de l'assistance. Dois-je vous rappeler que notre royaume vénère le dieu Dressad ?

– Je n'aime pas me répéter, l'avertit le roi.

Il ne cacha pas non plus son agacement de voir l'Enkiev toujours debout devant lui.

– Y a-t-il autre chose ? demanda-t-il.

– En fait, oui, affirma Mali. J'aimerais instaurer à Émeraude le même culte qu'à Adoradéa.

– Libre à vous de faire de la chapelle ce que vous voudrez.

Un large sourire illumina le visage de la jeune femme tandis qu'elle se prosternait devant Onyx en le louangeant dans la langue des Anciens, que ce dernier comprenait fort bien.

– C'est flatteur, mais inutile, lui fit-il savoir.

Mali capta son regard impavide et rougit jusqu'aux oreilles. Elle s'inclina une dernière fois et quitta prestement la salle d'audience, heureuse d'avoir obtenu ce qu'elle désirait.

Au cours des semaines suivantes, les habitants du château virent les serviteurs charger quotidiennement les statues sur des charrettes conduites par des messagers spéciaux, commissionnés de les rapporter aux royaumes qui les avaient autrefois offertes au souverain d'Émeraude. Onyx se moquait pas mal de ce qu'en penseraient ses pairs. Il n'avait aucune notion de diplomatie, malgré tous les efforts qu'avait déployés son ami Hadrian pour lui en inculquer.

Mali fit ensuite nettoyer la chapelle de fond en comble, la préparant soigneusement pour le culte d'une divinité unique. Elle commanda à Morrison des plateaux de fer forgé sur pied ainsi que des chandeliers et les disposa le long des murs à gauche et à droite de l'entrée. Tout au fond, elle fit sculpter, derrière un immense rideau violet, la représentation de la déesse Kira qu'elle avait appris à servir depuis son enfance.

Cette opération dura plusieurs mois et personne ne se doutait de ce qui se préparait dans la chapelle, pas même Liam.

Tous les soirs, elle se recueillait devant la longue étoffe qui masquait la statue de sa protectrice. Elle s'agenouillait et appuyait le front sur le plancher de carreaux brillants en prononçant son serment dans sa langue maternelle. Elle ignorait qu'on l'épiait.

– J'espère que c'est mon visage qui se trouve derrière ce rideau, résonna soudain une voix masculine.

Mali sursauta et se retourna vivement. Le Roi Onyx se tenait à l'entrée de la chapelle, le bras gauche appuyé contre le chambranle de la porte, une coupe de vin dans la main droite. Il portait ses vêtements noirs habituels, mais ni couronne, ni bijou. La jeune prêtresse se contenta de hocher la tête négativement.

– Alors, de qui s'agit-il ?

– De la déesse que je vénère depuis toujours, répondit Mali d'une voix étouffée.

– Porte-t-elle un nom aussi bizarre que le tien ?

– Je m'appelle Maliaéssandara, qui signifie flamme violette. Je suis celle qui guidera les nouvelles générations pour qu'elles vivent en harmonie à jamais.

– Et que signifie mon nom à moi ?

– Il ne veut rien dire dans ma langue.

— Dans celle des mages, il signifie démon emprisonné dans la pierre. Je me demande bien à quoi pensait mon père quand il a choisi de m'appeler ainsi.

Onyx marcha jusqu'à la pièce de toile opaque, se servant de ses facultés surnaturelles pour deviner les contours de la sculpture. Il tenait sa main gauche contre sa poitrine, comme s'il tentait de la protéger.

— Vous souffrez, devina la prêtresse. Laissez-moi vous aider.

— Le vin se charge d'engourdir mon mal.

— Mais il ne l'enraye pas.

Le roi plongea son regard pâle dans les yeux sombres et profonds de l'Enkiev.

— Si tu as vraiment des dons empathiques, alors tu sais ce que je pense des gens qui ne sont pas nés ici.

— Il est normal de craindre ce qu'on ne connaît pas, répliqua Mali sans sourciller.

— Tu n'as pas peur de moi ?

— Je ne sens aucun démon emprisonné en vous.

La jeune femme, dont les longs cheveux noirs ressemblaient étrangement à ceux du souverain, se leva et s'approcha de lui.

— Montrez-moi vos doigts.

Onyx haussa les sourcils avec prétention. Voyant qu'il ne bougeait pas, Mali prit doucement sa main et la décolla de son corps. Elle remarqua aussitôt que le majeur, blanc comme neige, portait de curieuses petites marques rouges de chaque côté.

— C'est la griffe de toute puissance qui l'a paralysé, expliqua le roi avec un sourire désabusé.

— Ce qui nous cause de la douleur n'est pas tout à fait mort.

— Elle est bien plus supportable maintenant que Danalieth m'a repris le bijou qui ornait mon doigt.

— Pourquoi affectez-vous toujours l'indifférence, Majesté ?

Le visage d'Onyx sembla s'attrister.

— Je ne veux pas passer pour un faible.

— Cela ne risque pas d'arriver, si on se fie aux louanges que vous chantent les aèdes.

Mali caressa doucement les phalanges du médius que la griffe en forme de petit dragon argenté avait drainées de tout son sang. Onyx ne sut jamais si c'était l'effet anesthésiant de l'alcool ou son désir secret de guérir qui laissa la prêtresse manipuler ainsi son doigt. Possédait-elle vraiment des pouvoirs de guérison ? Au bout d'un moment, il crut ressentir un léger picotement autour de l'ongle, puis une grande chaleur réchauffa son majeur pourtant glacé depuis bien des années.

— Est-ce de la sorcellerie ? chercha-t-il à savoir.

— Non, car elle n'est pas permise chez les Enkievs. C'est une science beaucoup plus séculaire. Les Anciens croient que tout ce qui vit est composé d'énergie et que cette dernière ne demande qu'à être stimulée. J'ai simplement persuadé le sang de revenir dans votre doigt.

— C'est un talent rare, pensa tout haut Onyx, car les meilleurs guérisseurs de l'Ordre, y compris Santo, n'ont rien pu faire pour moi.

Mali mit fin à ses soins et recula de quelques pas. Elle était minuscule à côté de ce grand soldat devenu roi. Ce dernier leva sa coupe à sa santé et entreprit, d'un pas chancelant, de se rendre à la sortie.

— Nous verrons bien ce qu'en pensera la princesse rebelle, déclara-t-il en disparaissant dans le palais.

— Je suis certaine qu'elle appréciera ce geste de recon-naissance, répliqua Mali.

Onyx ne l'entendit pas. Il garda pour lui ce qu'il avait entrevu dans la chapelle et se fit un devoir d'assister au dévoilement de la statue, quelques semaines plus tard. La population ne fut pas invitée à cet événement, puisque la pièce sacrée ne pouvait contenir qu'une trentaine de personnes. Seuls les Chevaliers et leurs enfants qui habitaient au château furent conviés. Falcon, Wanda, Santo, Bridgess, Daiklan, Ellie, Mann, Swan, Onyx, Kira, Lassa et évidemment Liam se regroupèrent devant Mali, qui baignait dans un nuage bleuâtre d'encens odoriférant.

Vêtue de son costume cérémonial blanc et violet, la prêtresse attendit que l'assistance cesse d'échanger des commentaires avant de prendre la parole.

– Merci d'être ici en ce grand jour qui restera à jamais gravé dans nos mémoires, commença-t-elle.

Malgré l'inconfort que lui causait une autre blessure qui n'avait jamais guéri, Onyx se tenait debout derrière les autres, les bras croisés. «Ils ne s'en remettront jamais», songea-t-il en réprimant un sourire.

– S'il est vrai que Parandar règne sur toutes les divinités du ciel et qu'il a eu la bonté de donner à chaque peuple un protecteur ou une protectrice, il n'en demeure pas moins que certains méritent une place encore plus importante dans nos vies. Aujourd'hui, j'aimerais que vous réfléchissiez à la nécessité pour tous les royaumes d'Enkidiev de se regrouper sous l'aile d'une seule déesse.

La jeune femme fit signe aux serviteurs perchés sur des échelles de décrocher le rideau qui avait masqué le travail des sculpteurs durant les derniers mois. L'étoffe tomba sur le plancher dans un doux bruissement, révélant un personnage féminin taillé dans l'albâtre. Celui-ci semblait porter le même costume que Mali. Ses mains étaient posées sur une épée à la garde sertie d'améthystes, dont la pointe touchait le sol. Tous les invités, à l'exception d'Onyx, avaient écarquillé les yeux et ouvert la bouche sans arriver à émettre le moindre son. Le jeune Wellan, à peine âgé de sept ans, tira sur la manche de Kira.

— Maman, on dirait que c'est toi.

Onyx éclata d'un rire homérique, mais qui ne parvint toutefois pas à sortir Kira de sa stupeur.

— Les Enkievs ont vécu des années de félicité grâce à la bienveillance de la déesse, ajouta Mali.

— Je ne veux surtout pas rompre le charme de ce moment magique, hasarda Wanda, mais les dieux ne sont-ils pas, par définition, des entités immatérielles vivant dans un monde invisible où les humains n'ont pas accès ?

— On peut adorer qui on veut, laissa tomber Onyx en essuyant des larmes de plaisir.

— Au nom de tous les habitants d'Émeraude, enchaîna Swan, je remercie Mali d'avoir redonné à cette chapelle sa vocation originale. Maintenant, je vous demanderais tous de la laisser seule avec celle qui l'a inspirée.

Bridgess poussa les enfants dehors en leur proposant une activité récréative, mais Wellan résista. Lassa lui prit donc la main et l'entraîna à la suite de la marmaille. Onyx et Swan fermèrent la marche.

— Tu parles comme une vraie reine, la complimenta-t-il.

— Je l'ai fait pour que tu ne dises pas de bêtises, rétorqua-t-elle en refermant les portes de la pièce.

Mali se prosterna devant Kira qui n'avait toujours pas dit un mot.

– Si je vous ai offensée, déesse, je subirai le châtiment qu'il vous plaira de m'infliger, suffoqua-t-elle.

Kira s'agenouilla devant la jeune femme au bord des larmes. À la fin de la guerre, la princesse guerrière avait laissé pousser ses cheveux qui retombaient dans son dos en douces vagues. Ses yeux, qui jadis transperçaient ses ennemis, avaient acquis la douceur de ceux d'une mère qui regarde grandir ses enfants.

– Mali, je ne suis pas vexée, bien au contraire. Je comprends tes intentions, mais je ne me sens pas digne d'être ainsi vénérée, du moins pas de mon vivant.

– Vous ne pouvez pas mourir, déesse.

Kira caressa la joue de la prêtresse sans cacher son découragement. Comment lui faire comprendre que le culte que ses ancêtres vouaient à cette femme mauve, dont la magie les avait débarrassés des dragons carnivores, ne s'appliquait pas au présent?

– Je propose un compromis, suggéra-t-elle finalement. Au lieu de demander au peuple de me révérer, pourquoi ne pas l'inciter à adorer Parandar que je représente, car je suis en fait sa petite-nièce.

L'espoir renaquit sur le visage tatoué de Mali.

– Je crois que les gens comprendront, se réjouit-elle.

Mali retourna donc devant le Roi d'Émeraude pour qu'il transforme cette suggestion en proclamation officielle. Onyx commença par arquer un sourcil, puis il comprit que c'était la seule façon d'éviter que Kira le harcèle pendant des mois. Ayant obtenu ce qu'elle voulait, la prêtresse retourna dans la grande salle où Bridgess, Wanda et elle enseignaient aux enfants. Mali ne savait pas combien de temps encore elle demeurerait au palais, car une fois que Liam aurait terminé son compagnonnage auprès de Morrison, il voudrait certainement aller s'établir dans un village où il n'y avait pas de forgeron. Il était donc doublement important pour elle de laisser à tous ces gens une bonne impression d'elle. «Je veux qu'ils disent de moi que j'ai aidé mon roi à restaurer la paix et l'harmonie sur tout le continent», songea-t-elle en distribuant les ardoises aux élèves. «J'érigerai donc des statues de Kira partout où Liam et moi habiterons», décida-t-elle.

5

LE PRINCE ET L'ENCHANTERESSE

Ce jour de ses vingt-deux ans, Katil décida qu'il était temps pour elle de faire sa propre vie. Ses petits frères étaient maintenant suffisamment âgés pour aider leur père à la ferme. Contrairement à Liam, Carlo et Cléman adoraient le travail de la terre. Bien sûr, Katil aimait sa vie de famille, mais elle ne se voyait pas y finir ses jours. Elle avait beaucoup réfléchi à la contribution qu'elle désirait apporter à la société et aux nombreux talents qu'elle possédait. Étant donné qu'elle n'avait aucune envie de mettre des enfants au monde avant d'avoir vécu un peu, la jeune femme envisagea une profession qui lui permettrait d'aiguiser tous ses dons.

Même si elle avait secondé Mali et s'était occupée des élèves du château pendant quelque temps, et bien qu'elle ait aidé sa mère à élever ses frères, Katil avait rapidement compris que l'enseignement requérait une patience qui lui faisait défaut. Il lui fallait regarder ailleurs. Heureusement, la guerre était terminée depuis plusieurs années, alors personne ne lui en voudrait de ne pas considérer une carrière militaire.

« Je suis douce, compréhensive, attentive et je sais reconnaître les plantes médicinales », récapitula-t-elle. « Je possède aussi de grands pouvoirs magiques dont je ne me suis jamais vantée, mais dont mon père se doute depuis longtemps. » Elle se demanda de quelle façon elle pourrait utiliser intelligemment ses aptitudes afin d'aider les autres tout en éprouvant la plus grande satisfaction personnelle. « Il n'y a qu'une alternative, finalement », comprit-elle. « Je serai guérisseuse ou magicienne. » Il n'allait pas être facile de l'annoncer à sa mère, car peu importe la voie qu'elle choisirait, il lui faudrait quitter le nid.

Avant même de penser à partir, Katil devait toutefois s'assurer que quelqu'un protège ses deux amis qui vivaient sous la grange. Pourrait-elle les confier à ses frères ? Carlo était un petit garçon de onze ans plutôt terre à terre, probablement parce qu'il ne possédait aucune faculté surnaturelle. Puisqu'il avait une prédilection pour la chasse, Urulocé et Ramalocé risquaient de se retrouver en brochettes. Cléman était différent. Malgré ses sept ans, il affichait déjà la gentillesse simple et naïve de Jasson. Depuis qu'il avait compris que la magie ne devait être utilisée que pour faire le bien, l'atmosphère était devenue beaucoup plus agréable à la maison.

Alors, un matin, Katil prit Cléman par la main et l'emmena en direction du gros bâtiment en lui promettant une surprise.

— M'as-tu acheté un cheval ? demanda l'enfant.

— Tu en as déjà un, lui rappela Katil. Et d'ailleurs, avec quel argent pourrais-je t'en procurer un autre ?

— C'est quelque chose qui ne coûte rien ?

— L'amitié n'exige aucun paiement.

Cléman n'y comprenait plus rien. Comment sa sœur pouvait-elle lui offrir un présent sans avoir dépensé un seul Onyx d'or ? Au lieu d'entrer dans la grange, elle lui en fit faire le tour, ajoutant à sa consternation, puis lorsqu'elle le fit asseoir devant un buisson qui recouvrait une partie des fondations, à l'arrière, il crut qu'elle se payait sa tête. Soudain, un petit animal rouge feu jaillit avec enthousiasme d'un trou qui semblait avoir été creusé par une marmotte. En apercevant le gamin assis près de sa protectrice, Urulocé fit prestement demi-tour et plongea dans sa cachette.

— Qu'est-ce que c'était ? s'exclama Cléman, stupéfait.

— Un dragon.

— Comme celui de Nartrach ?

— Non, pas tout à fait. Il y a plusieurs types de dragons.

— Est-ce qu'il vole ?

— Non.

— Est-ce que c'est un bébé ?

— Pas du tout ! protesta Urulocé en montrant le bout de son nez.

— Il est âgé de plusieurs centaines d'années, ajouta Katil.

— C'est un vieux dragon ? s'étonna Cléman.

— Pas vieux, mais sage, le reprit l'animal.

— Nacarat, le dragon de Nartrach, ne parle pas, lui.

— Voilà donc une qualité que je possède de plus que lui.

Cléman étira le cou pour mieux voir la petite bête qui n'était pas plus grosse qu'un chat.

— Tu peux sortir, Urulocé, l'invita Katil. Mon petit frère ne te fera pas de mal.

— Ce n'est pas celui qui manie la lance comme un champion ? voulut s'assurer le dragon.

— Non, répondit lui-même l'enfant. Je n'aime pas les armes.

Non seulement Urulocé accepta de s'approcher lentement du jeune étranger, mais il fut suivi d'un deuxième dragon, tout bleu celui-là !

— Combien y en a-t-il ? s'étonna Cléman.

— Nous ne sommes que deux, répondit Ramalocé dont la voix était un peu plus aiguë.

— Ils n'ont certes pas la taille formidable de Nacarat, expliqua Katil à son petit frère, mais ils sont magiques. Ils peuvent faire apparaître tout ce dont ils ont envie.

— Sauf notre mère, précisa Ramalocé.

– Vous n'avez plus de parents ? se désola Cléman.

Les dragons hochèrent négativement la tête en même temps.

– C'est pour cette raison que je prends soin d'eux, ajouta la grande sœur. Personne ne doit être mis au courant de leur présence ici. Mais puisque je dois bientôt aller étudier au château, ils auront besoin d'un nouveau protecteur.

– Moi ?

– Lui ? firent les bêtes inquiètes.

– Ne vous fiez pas à sa taille. Tout comme vous, il se débrouille très bien avec ses pouvoirs surnaturels. Venez. Nous allons lui montrer où vous aimez jouer.

– Ils jouent ? se réjouit Cléman.

– Ils ont besoin de courir, de folâtrer dans le ruisseau et de se faire chauffer au soleil.

Les dragons prirent les devants, car ils connaissaient le chemin, mais ils firent bien attention de rester dans l'herbe haute, pour ne pas être aperçus par les autres humains qui travaillaient à la ferme de Jasson.

– C'est comme avoir un chien, en somme, raisonna l'enfant.

– À mon avis, c'est beaucoup mieux, puisqu'ils parlent, précisa Katil. Lorsqu'ils ont fini de s'amuser, ils viennent se coucher près de moi et ils me racontent des histoires extraordinaires.

— Depuis combien de temps vivent-ils dans la grange ?

— Tu n'étais pas encore né lorsque je les ai amenés ici.

Les dragons sautèrent dans l'eau sans la moindre crainte.

— Tu pourras même nager avec eux, si tu veux.

— Est-ce qu'ils mordent ?

— Non. Quand ils ont peur, ils préfèrent se cacher.

Ils s'installèrent sur le tronc d'arbre préféré de Katil. Celle-ci raconta à son frère tout ce qu'elle savait sur les Sentinelles de la Montagne de Cristal, puis elle lui fit ses recommandations sur la nourriture qu'il pouvait leur offrir, leur grand besoin d'air frais et l'importance de garder le secret.

— Mais surtout, il te faudra les protéger des prédateurs et des humains qui pourraient te les voler pour les vendre à de riches marchands.

— Et de Carlo.

— Surtout de lui. Il n'aime pas autant les animaux que toi.

Katil vit alors que les dragons étaient sortis de l'eau et qu'ils s'approchaient en traînant leur queue sur le sol.

— Que se passe-t-il ? s'inquiéta-t-elle.

— Pars-tu pour toujours ? hoqueta Urulocé.

— Non, je ne crois pas, les rassura Katil, mais je ne sais pas combien de temps requerront mes études. Surtout, ne craignez rien, si un jour Cléman ne pouvait plus prendre soin de vous, je viendrais vous chercher. Je vous en fais la promesse.

— Plus rien ne sera pareil sans toi, se désola Urulocé.

— Mais lui, il n'a pas encore entendu toutes nos histoires, tenta de le réconforter Ramalocé. On ne savait plus quoi inventer.

— Je suis certaine que vous vous entendrez bien, tous les trois.

Pour que Cléman commence à s'habituer à ses nouveaux amis, Katil les laissa ensemble. Elle ne possédait pas beaucoup d'effets personnels, mais il fallait tout de même les rassembler dans sa grande besace. À mi-chemin entre le ruisseau et la grange, elle tomba sur son père. Immobile, les mains sur les hanches, il la regarda approcher en plissant les yeux. « Ce n'est pas bon signe », se troubla Katil.

— Depuis combien de temps vivent-ils sous le bâtiment ? demanda-t-il, lorsque sa fille s'arrêta finalement devant lui.

— Depuis la fin de la guerre. Comment l'as-tu su ?

— Mais je sais tout ce qui se passe sur mon domaine, belle enfant. Pourquoi ne m'en as-tu jamais parlé ?

71

– J'avais peur de ta réaction.

– Mais tu me connais mieux que ça, voyons, Katil.

– Tu n'étais plus le même après la mort de ton ami Wellan. Et puis, je ne voulais pas t'embêter avec mes jeux d'enfant.

– Posséder un animal n'est pas un jeu d'enfant, ma chérie. C'est une très grande responsabilité. Inutile de te dire à quel point je suis fier de toi. Ces bêtes semblent vraiment heureuses.

– J'ai fait ce que j'ai pu, mais je suis loin d'être une experte en dragon. Je t'en prie, ne laisse pas Carlo leur faire un mauvais parti.

– Tu peux compter sur moi.

Jasson la raccompagna à la maison. À l'inverse de son époux, Sanya s'angoissa lorsque sa cadette lui annonça qu'elle partait pour aller étudier au château et commença à faire ses bagages.

– Contrairement à Liam, je reviendrai de temps à autre, affirma-t-elle en accrochant le sac à son épaule. Il est important que je devienne une adulte indépendante, maintenant.

– Surtout, ne réponds pas aux avances des hommes, l'exhorta sa mère.

– Belle comme elle est, je serais surpris qu'elle laisse les jeunes gens du château indifférents, lâcha Jasson.

– Elle n'y va pas pour trouver un prétendant.

– Ne vous querellez pas pour si peu, les arrêta Katil. Je ne me marierai jamais.

L'inquiétude de Sanya redoubla aussitôt, puisqu'elle avait dit la même chose à son père, qui n'avait pas hésité une seconde à la donner à un Chevalier d'Émeraude qui chassait près de leur village !

– Je ne vois pas ce que tu veux étudier, grommela sa mère en la suivant dehors. Tu sais déjà lire, écrire et compter.

– Je veux devenir magicienne.

Jasson et Sanya se figèrent sur place.

– Oubliez tout ce que je vous ai dit lorsque j'étais petite, poursuivit Katil en se mettant en selle. C'est apparemment mon seul talent.

La jeune femme ne put s'empêcher de sourire lorsqu'elle vit l'ébahissement se dessiner sur le visage de ses parents.

– Mais Émeraude a déjà un magicien, bafouilla Sanya. Lorsque tu auras terminé tes études, il est certain qu'ils t'enverront dans un autre royaume…

– Je viens de vous dire que je reviendrai toujours vous rendre visite.

– Personne n'écoute rien dans cette famille, plaisanta Jasson. Fais attention à toi, ma petite fleur.

– Je vais habiter une forteresse, papa. Que pourrait-il m'arriver ?

– Si tu savais, murmura-t-il en se rappelant son enfance.

– Ne laissez pas mes petits frères faire des bêtises, d'accord ?

Katil talonna son cheval et s'éloigna dans l'allée de peupliers qui menait à la maison. Elle se doutait bien que sa mère venait d'éclater en sanglots dans les bras de son père, mais il n'était plus question qu'elle remette sa vie à plus tard. Elle ne pressa nullement sa monture, contemplant les fermes des voisins et leurs grands champs cultivés. Il lui arrivait de rêver au Royaume de Saphir, la nuit. Si sa mère et leur servante avaient tremblé durant presque tout leur séjour dans la Forêt Interdite, Katil avait adoré ses aventures dans la jungle. « Sauf celle de l'alligator », se rappela-t-elle. Elle avait envie que la vie lui apporte de nouveaux défis.

Ses longs cheveux blonds ondulaient dans le vent, et des parfums de fleurs chatouillaient ses narines lorsqu'elle passait devant les jardins. Bientôt le Château d'Émeraude s'éleva à l'horizon, au pied de la majestueuse Montagne de Cristal qu'on pouvait voir peu importe où on se trouvait à Enkidiev. « Pourquoi certains hommes naissent-ils rois et d'autres paysans ? » se demanda-t-elle en s'approchant de plus en plus de la forteresse. Avant l'arrivée au pouvoir du Roi Onyx, le trône avait été obtenu de père en fils. On racontait que ce brillant soldat, fils de meunier, l'avait reçu en cadeau du peuple après qu'il l'eut sauvé d'une invasion d'horribles créatures volantes. « Peut-être m'arrivera-t-il la même chose », songea Katil. « J'aimerais bien me laver dans une baignoire en or. »

Lorsqu'elle atteignit le pont-levis, elle dut laisser passer plusieurs charrettes vides qui quittaient l'enceinte. Elle avait souvent visité cet endroit lorsqu'elle était petite et quand elle y venait avec son père, il la laissait fureter où bon lui semblait. Elle arrêta son cheval devant l'écurie et demanda aux palefreniers s'ils pouvaient le mettre avec les autres, car elle avait un important rendez-vous avec le magicien du château et ne savait pas combien de temps l'entretien durerait. Puis elle se dirigea vers le palais. Il contenait un grand nombre de chambres aussi grandes que la maison de ses parents. «Les gens s'y perdent-ils, parfois?» se demanda-t-elle.

Elle franchit les grandes portes vertes, qui n'étaient pas encore fermées à cette heure. Avec sa robe de paysanne et sa grosse besace, allait-on la prendre pour une servante? Elle releva fièrement la tête et demanda à voir maître Hawke. Une jeune femme, qui était certainement plus jeune qu'elle, la conduisit jusqu'à la tour où l'Elfe magicien habitait avec sa famille. Elle insista pour que Katil l'attende dans le couloir et grimpa les marches qui menaient à l'étage. Quelques minutes plus tard, ce fut Hawke lui-même qui les redescendit.

– Que puis-je faire pour toi? s'enquit-il avec un sourire aimable.

– Je veux devenir votre apprentie.

Sa requête prit le magicien par surprise, car il n'avait affiché nulle part qu'il avait besoin d'assistance.

– Je sais à quoi vous pensez, poursuivit la jeune femme.

– Dans ce cas, dis-le-moi.

– Si cela peut vous rassurer, je ne me suis pas enfuie de chez moi et je n'essaie pas d'échapper à un mari violent. J'ai quitté ma famille afin de devenir une personne importante, grâce à mon seul talent : la magie.

Elle avait saisi les interrogations de l'Elfe avec beaucoup de justesse.

– Mais tu n'as jamais étudié au château, sinon je me souviendrais de toi.

– Je suis Katil, fille de Jasson et de Sanya.

– Sœur de Liam…

– Mais beaucoup plus douée que lui !

– Je sens la même fougue en toi. N'as-tu pas eu envie de devenir Chevalier, comme ton frère, lorsque tu étais petite ?

– Non. Je déteste la guerre.

– Marchons, si tu le veux bien.

Hawke l'emmena dans le jardin intérieur, afin de profiter de sa fraîcheur, et il l'écouta parler de son enfance et de son adolescence. L'épisode dans le temple abandonné le fascina. Avait-elle renforcé ses facultés magiques dans cet endroit regorgeant de pouvoirs ? Katil lui expliqua qu'elle voulait faire son apprentissage à Émeraude, puis offrir ses services à un roi sans magicien.

– Je sais qu'il en reste, affirma-t-elle.

Sa grande détermination convainquit finalement l'Elfe de lui donner sa chance. Il la mit donc à l'épreuve, d'abord avec les forces de la nature, puisqu'ils se trouvaient à l'extérieur. Il s'émerveilla de la voir faire naître autour du jet unique de la fontaine, une multitude de petites gerbes d'eau auxquelles elle fit effectuer un gracieux ballet. Elle tendit ensuite la main et des oiseaux vinrent s'y poser sans la moindre crainte.

– Peux-tu les métamorphoser ? voulut savoir le magicien.

– Ce n'est pas permis, rétorqua-t-elle en les laissant s'envoler. Chaque créature obéit au code invisible de son espèce. Changer un oiseau en souris le désorienterait au point de le tuer, et je ne veux pas causer la mort.

– Bravo.

Toute la journée, il lui imposa des tests de plus en plus difficiles. Rien ne la découragea. Puisqu'il était tard, il l'invita à manger avec sa famille. Élizabelle se déclara heureuse d'avoir une autre femme à table. Elle avait donné naissance à des jumeaux, maintenant âgés de neuf ans, et n'avait jamais pu avoir d'autres enfants. Même si leur père était un Elfe, les garçons ne ressemblaient en rien aux gens de ce peuple. Ils promettaient d'être beaucoup plus costauds que le magicien et leurs cheveux légèrement bouclés étaient de la même couleur que ceux de leur mère.

– Puisque je dois m'acquitter d'une importante mission, commença Hawke, je ne pourrai pas être avec toi tous les jours.

Je te donnerai des ouvrages à lire et des exercices à effectuer en mon absence, et je vérifierai tes progrès plus tard.

— Cela me convient parfaitement, maître Hawke.

Après un repas qui calma son pauvre estomac qui n'avait reçu aucune nourriture depuis le matin, Katil prit congé de ses hôtes. Elle déclara qu'elle dormirait dans l'aile des Chevaliers. Elle longea le couloir qui traversait le palais d'un bout à l'autre et entendit des rires et des verres qui s'entrechoquaient dans le hall du roi. Tout le monde devait s'y trouver, car elle ne rencontra pas âme qui vive jusqu'au grand escalier. «Personne ne m'en voudra d'emprunter quelques ouvrages», songea-t-elle. Elle grimpa à la bibliothèque, dont les livres avaient enfin été indexés par l'ancien Roi Hadrian, et dénicha de petits traités très intéressants sur les potions, les plantes médicinales, les incantations et les envoûtements.

Se croyant encore seule à cet étage, elle sortit de la vaste salle sans regarder où elle allait et fonça droit sur un jeune homme qui, lui, voulait y entrer. Les livres volèrent dans les airs et s'éparpillèrent sur le plancher.

— Je suis vraiment désolé, s'excusa-t-il.

— Ce n'est pas votre faute. J'étais distraite.

Ils se penchèrent pour ramasser les ouvrages anciens et levèrent la tête en même temps pour se regarder. Katil se sentit alors défaillir. Jamais elle n'avait vu d'aussi beaux yeux de toute sa vie. Ils étaient du même bleu que le ciel…

– Arrivez-vous d'un autre royaume ? demanda l'étranger. Je ne vous ai jamais vue au palais avant ce soir.

– Non, je suis Émérienne, assura-t-elle. J'avais l'habitude de venir ici avec mes parents lorsque j'étais plus jeune.

– Cela m'étonne, car je me souviendrais de votre visage.

Les joues rouges de timidité, Katil se leva vivement en pressant ses livres contre sa poitrine.

– Il est dommage que vous connaissiez déjà le château, car je vous l'aurais fait visiter, déplora le jeune homme.

– Je suis certaine qu'il y a des recoins que je n'ai pas encore découverts.

Katil se reprocha aussitôt sa témérité. «Tu ne le connais même pas», constata-t-elle. Comme s'il avait entendu ses pensées, il se présenta.

– Je suis Atlance, pour vous servir. Laissez-moi porter vos livres.

Sans comprendre pourquoi, elle le suivit dans des couloirs qu'elle n'aurait jamais osé explorer d'elle-même. «Pourquoi y a-t-il une étrange lueur blanche autour de sa tête ?» se demanda-t-elle.

6

UN COUPLE EXEMPLAIRE

A son retour de la dernière bataille, Santo s'était tout de suite dirigé vers Émeraude avec ses compagnons. La guerre l'avait obligé à se concentrer sur la protection du continent, mais maintenant qu'elle était terminée, la tristesse s'emparait de lui. La femme qu'il avait appris à aimer vivait désormais dans les grandes plaines de lumière, mais avant de mourir, elle lui avait donné un fils.

Après que la divinité leur eut enlevé leurs bracelets magiques, les Chevaliers se dispersèrent. Santo apprit alors de Jasson qu'Armène gardait son fils. Il le trouva enfin dans la tour qu'elle avait faite sienne des années auparavant. Famire reposait sur un gros coussin, au milieu de la table de la cuisine, pendant que la gouvernante faisait chauffer du lait de chèvre.

– J'aimerais bien m'occuper moi-même de lui, mais je ne connais rien aux soins qu'il faut prodiguer aux enfants, avoua le Chevalier.

– Je peux vous enseigner tout ce que vous avez besoin de savoir. J'ai élevé bien des poupons avant lui. Comment s'appelle-t-il ?

– Famire.

Affamé, le petit agitait ses membres maigrelets en grimaçant. Né avant terme, il était loin d'avoir la taille des bébés normaux. Même ses pleurs et ses gémissements étaient à peine audibles. Armée de sa patience légendaire, la gouvernante montra au soldat comment nourrir son enfant. Assis dans la berceuse, Santo commença par se crisper, puis, en contemplant le visage comblé de son fils, il se détendit et se mit à le bercer en fredonnant une chanson de son pays natal.

– Famire... Est-ce un nom puissant qui lui assurera un bel avenir ? demanda Armène.

– C'est celui du premier Roi de Fal, qui a choisi l'emplacement de la forteresse sur la falaise et qui a transformé une bande de nomades en un peuple noble et sédentaire.

– Ce prénom lui ira très bien.

– Famire d'Émeraude, fils de Santo et de Yanné...

Des larmes tremblèrent dans les yeux du guérisseur.

– Elle n'a même pas eu le temps de voir son visage...

Armène laissa pleurer cet homme qui avait connu le plus grand de tous les malheurs. Il était important qu'il se vide de sa peine. Ce chétif poupon avait besoin d'un père fort, qui lui montrerait les beaux côtés de la vie.

– Pendant que vous vous réinstallez dans vos anciens appartements, confiez-le-moi, offrit la gouvernante.

Armène avait élevé presque tous les enfants du château, de Kira aux fils d'Onyx, et elle avait fait de l'excellent travail, aux dires de tous. Santo n'avait pas vraiment le choix, puisqu'il était ignorant en la matière. Il lui laissa donc son fils unique et déposa temporairement ses affaires dans la chambre qui fut sienne jadis dans l'aile des Chevaliers. Assis sur son lit, le dos appuyé contre le mur de pierre, il se remit à penser à sa situation. Il n'était plus obligé de se battre, car l'ennemi avait été anéanti. Il pourrait donc ranger ses armes jusqu'à la fin de ses jours.

De Sutton, il avait hérité d'un immense domaine dans le sud du royaume, mais il avait été dévasté par les imagos et les dragons. Sans doute pourrait-il reconstruire la maison et ensemencer de nouveau les champs, mais en avait-il vraiment envie ? Le moindre son, la moindre fleur de ce coin de pays lui rappelleraient la femme qu'il venait de perdre...

« Je ne peux plus retourner là-bas », comprit le Chevalier, au bout de sa longue réflexion. « De toute façon, je ne suis pas un fermier comme Jasson, Bergeau et Dempsey. Je suis un guérisseur et ma mission est de soulager la douleur des autres ». Il laisserait donc Famire chez Armène jusqu'à ce qu'il soit assez grand pour qu'il puisse s'en occuper lui-même. Il habiterait au château et recommencerait à visiter les villages d'Émeraude afin d'accomplir sa véritable mission. De cette façon, il pourrait revenir voir son fils aux deux ou trois semaines.

Le lendemain matin, il mit la gouvernante au courant de ses intentions et alla seller son cheval. Il manquait un grand nombre de bêtes à l'écurie, car plusieurs de ses compagnons avaient quitté la forteresse afin d'aller vivre dans d'autres royaumes. Il venait tout juste de serrer la dernière sangle lorsque Dempsey vint à sa rencontre.

— Comment vas-tu, Santo ?

Doté d'une grande sensibilité émotive, le guérisseur ressentit aussitôt l'inquiétude de son ami.

— Je tiendrai le coup, mon frère.

— Je viens d'acheter une grande terre au nord d'ici, près de la frontière du Royaume de Diamant, lui annonça Dempsey. Chloé et moi, nous nous demandions si tu accepterais de venir y vivre avec nous.

— Votre offre me touche beaucoup, mais, pour l'instant, je préfère n'habiter nulle part. Je veux recommencer à rendre visite aux malades et à soutenir ceux que je peux aider.

— Et ton fils ?

— Je l'ai confié à Armène.

Dempsey ne voulait pas perdre le contact avec les hommes qui avaient grandi avec lui au château. Il fit donc promettre à Santo de passer par sa ferme toutes les fois où il se rendrait dans cette partie du pays. Ils se serrèrent les bras à la façon des Chevaliers, puis le guérisseur quitta la forteresse. Durant les mois qui suivirent, il parcourut tous les villages du royaume et se présenta même dans certains hameaux de Perle. Tous les jours, il guérissait les malades et s'isolait ensuite pour reprendre des forces, exploitant à fond ce talent dont les dieux l'avaient gratifié.

Puis, un jour qu'il rentrait à Émeraude pour prendre des nouvelles de son fils qui allait bientôt célébrer sa première année de vie, Santo longea la rivière Wawki sans se presser. Il aimait cette transition qui s'opérait deux fois par année sur le continent entre la saison chaude et la saison des pluies. Conscients que les tempêtes allaient bientôt balayer le royaume, les Émériens profitaient des derniers jours de beau temps pour terminer leurs travaux à l'extérieur. Le guérisseur approchait de l'endroit où le cours d'eau se divisait en deux, à quelques kilomètres du château, lorsqu'il aperçut au loin une femme qui marchait au bord de la rivière. Une aura blanche l'enveloppait complètement. Le Chevalier talonna son cheval pour s'approcher d'elle et reconnut enfin les traits de Bridgess. Il arrêta sa monture et mit pied à terre, se rappelant soudain la promesse qu'il avait faite à Wellan de prendre soin d'elle après sa mort.

— Il y a longtemps que je ne t'ai vu, lui dit Bridgess avec un sourire triste.

Tout le monde l'avait cru forte, mais à la mort de son époux, la guerrière s'était effondrée et n'avait jamais pu prendre le commandement de l'armée à sa place.

— J'ai éprouvé le besoin de surmonter mon chagrin loin du palais, expliqua Santo.

— Il n'est pas facile d'oublier la personne qui a si longtemps partagé notre vie, n'est-ce pas ?

— Bridgess, j'ai longuement réfléchi et j'en suis venu à la conclusion que je voulais refaire ma vie en compagnie de la femme autour de laquelle je vois une magnifique lumière blanche.

— Je l'ai remarquée moi aussi, mais jadis, je ne savais pas qu'elle signifiait que tu étais mon âme sœur.

Avec douceur, il l'attira dans ses bras et l'embrassa.

— Est-ce une demande en mariage, Chevalier ?

Il hocha la tête affirmativement.

— Je me souviens d'un temps où toutes les femmes rêvaient de ton romantisme.

— J'ai perdu beaucoup de mes élans, avoua-t-il.

— Alors, je t'aiderai à les retrouver.

Le couple décida de se marier après la saison des pluies, lors des premières semailles, mais ils n'attendirent pas ce grand jour pour emménager ensemble dans les anciennes chambres des Chevaliers. Le jour, Bridgess s'acquittait de son nouveau travail d'enseignante auprès de tous les enfants qui venaient au château pour apprendre à lire et à écrire et, avant le repas du soir, elle allait chercher le petit Famire qu'elle gardait avec elle jusqu'au matin, pour qu'il s'habitue à sa présence dans sa vie.

Tous les Chevaliers convergèrent vers Émeraude pour la cérémonie qui allait enfin mettre un terme au deuil de ces deux grands soldats. D'ailleurs, de l'avis de plusieurs, ils auraient dû se décider plusieurs mois auparavant. C'est en tenue toute simple que Bridgess et Santo d'Émeraude unirent leurs vies dans le grand hall du Roi Onyx. L'événement ne fit que légaliser leur situation de couple et, le lendemain, ils poursuivirent leurs activités normales, après avoir dit au revoir à leurs frères et sœurs d'armes qui devaient retourner dans leurs royaumes respectifs.

Les nouveaux époux n'éprouvèrent aucun besoin de modifier leur routine, jusqu'à ce que le petit Famire atteigne l'âge de sept ans. En fait, leurs rares distractions se résumaient à quelques visites par année à leurs amis Dempsey, Bergeau, Jasson et Falcon. Le meilleur ami de Famire était le jeune Wellan, le fils aîné de Kira, qui avait son âge. Même si ce dernier se souvenait fort bien de sa vie antérieure, il faisait de gros efforts pour ne pas entretenir de relations intimes avec ceux qui lui avaient été chers jadis. S'il s'était lié d'amitié avec Famire, c'est que celui-ci lui rappelait énormément Santo. Les deux garçons passaient presque tout leur temps ensemble, aussi bien en classe qu'après les heures d'étude. Ils se passionnaient pour l'histoire, l'astronomie et la géographie et voulaient devenir de grands explorateurs, dès que leurs mères leur en donneraient la permission.

Quelques jours après l'anniversaire de Famire, Bridgess découvrit qu'elle était enceinte. Elle avait rêvé d'enfanter depuis son premier mariage et, maintenant qu'un petit être commençait à se développer dans son ventre, elle ne savait plus si elle devait s'en réjouir. Santo était parti depuis plusieurs jours. Bridgess aurait pu, bien sûr, communiquer avec lui à l'aide de ses facultés télépathiques et lui annoncer la nouvelle, mais elle voulait d'abord comprendre les curieuses émotions qui se bousculaient dans son cœur. Désirant plus que tout au monde donner un fils à son défunt mari, elle avait jadis échoué, malgré toute sa bonne volonté. « J'ai l'impression de trahir Wellan... », comprit-elle enfin. Pourtant, il avait fait jurer à Santo de prendre soin d'elle s'il devait lui arriver malheur...

La future maman attendit le retour de Santo pour révéler son secret à sa petite famille. Elle servit le repas du soir et s'assit à sa place. En observant les visages de son époux et de leur fils de sept ans, elle se demanda si son bébé leur ressemblerait. Ils avaient tous les deux une belle chevelure noire bouclée et des yeux aussi sombres que la nuit.

– Un bébé ? s'égaya Santo en lisant dans ses pensées.

– On ne peut vraiment rien te cacher, le taquina Bridgess.

Fou de joie, le guérisseur l'avait serrée dans ses bras pendant de longues minutes, dissipant ainsi toutes les craintes de sa femme. Quant à Famire, il ne savait pas encore très bien s'il voulait avoir un petit frère, car aux dires de Wellan qui en avait deux, ces derniers passaient leur temps à faire des coups pendables. Il fut donc soulagé lorsque sa mère mit une petite fille au monde au beau milieu d'un orage qui secouait tout le château. Elle fut prénommée Djadzia en l'honneur d'une princesse de Fal qui avait contribué à y faire reconnaître les droits des femmes, quelques centaines d'années auparavant.

Deux ans plus tard, Bridgess donna naissance à une deuxième fille. Elle lui donna le nom d'Élora. L'accouchement fut si difficile que Santo décida de ne plus avoir d'autres enfants. Jenifael demeura au chevet de sa mère adoptive, effrayée de la voir si blême. Même si les Chevaliers d'Émeraude possédaient de puissants pouvoirs de guérison, ils ne pouvaient redonner aux blessés le sang qu'ils perdaient. La jeune femme garda la main glacée de Bridgess dans la sienne jusqu'au lendemain, lui insufflant de petites doses de sa propre force vitale à toutes les heures.

Lorsque le soleil se faufila enfin par la fenêtre de la chambre, Bridgess battit des paupières. Son teint était terne et ses yeux profondément cernés, comme si elle s'était battue contre des hommes-insectes pendant toute une semaine. Jenifael l'embrassa sur le front en lui jurant de rester avec elle jusqu'à ce qu'elle soit parfaitement rétablie.

– Je veux voir mon bébé, lui dit Bridgess dans un souffle.

– Il est chez Armène, la rassura sa fille.

Santo entra dans la pièce, car il avait senti que son épouse s'était réveillée. Il s'agenouilla de l'autre côté du lit et lui caressa le visage.

– Est-ce qu'elle te ressemble ? voulut savoir Bridgess.

– Non. Celle-là sera tout ton portrait.

En raison de sa faiblesse, Bridgess ne vit ses petites que quelques minutes par jour, puisque Armène se faisait un devoir de lui rendre visite avec Djadzia et Élora. La maman les embrassait et caressait leur visage sans pouvoir les serrer dans ses bras, mais elle ne perdait pas espoir de reprendre bientôt des forces. Santo lui prodiguait quotidiennement des soins et Jenifael s'occupait de Famire, le conduisant à l'école tous les matins et le faisant manger le soir.

Lorsque Kira apprit par Wellan, son fils aîné, que Bridgess ne se relevait pas de couches, elle se précipita vers l'aile des Chevaliers et fonça dans les appartements de son ancien maître pour lui venir en aide. Elle savait que certaines femmes n'avaient aucune difficulté à enfanter, mais que d'autres en mouraient. Elle s'arrêta près du lit où Bridgess reposait. Santo était aussi pâle qu'elle, craignant de perdre encore une fois un être cher. Il s'efforçait de conserver un air de bravoure, mais tout le monde pouvait sentir son désarroi.

– Bridgess, es-tu consciente? demanda Kira.

La nouvelle maman ouvrit à peine les yeux.

– Reculez, ordonna Kira à Santo et à Jenifael.

Tout comme elle l'avait fait autrefois, lorsque Bridgess avait été mordue par un dragon, la princesse rebelle plaça les mains au milieu du corps de sa sœur d'armes et lui transmit une dose massive de sa propre énergie. Les deux femmes furent enveloppées d'une vive lumière mauve pendant plusieurs minutes, puis, affaiblie, Kira mit fin au traitement. Elle tituba en reculant, fixant intensément le visage de Bridgess. Comme rien ne semblait se produire, Santo passa la main au-dessus du corps de sa femme.

– Elle va beaucoup mieux, découvrit-il avec un regain d'espoir.

Jenifael voulut aider Kira à s'asseoir, mais celle-ci recula.

– Dans un instant, un cocon lumineux se formera autour de moi, expliqua la princesse mauve. Surtout n'y touchez pas.

Exactement comme elle l'avait annoncé, une belle aura violette l'entoura. Le phénomène dura plusieurs heures, ce qui permit à Bridgess de reprendre des forces. Lorsque Kira émergea de la transe, elle constata avec plaisir que son intervention avait porté ses fruits.

– On dirait bien que ton destin est de me sauver de la mort, lui fit remarquer Bridgess.

– Je serai toujours là pour vous aider, toi et ta famille, affirma la princesse.

Armène ramena Djadzia et Élora chez leurs parents lorsque leur mère fut suffisamment forte pour s'occuper d'elles. Durant les années qui suivirent, les petites passèrent presque tout leur temps avec Bridgess dans le hall des Chevaliers où elle enseignait aux enfants qui s'y présentaient non seulement à lire, à écrire et à compter, mais aussi à vivre selon les valeurs de l'Ordre. Djadzia était le portrait de son père avec ses longs cheveux bouclés et ses yeux noirs, tandis que la petite Élora ressemblait à sa mère avec ses cheveux blonds à peine ondulés et ses yeux bleus. Toutes les deux possédaient des facultés magiques qu'il leur faudrait apprendre à maîtriser en grandissant.

Bientôt, même les troubadours se mirent à louanger dans leurs chansons ce couple de Chevaliers dont le mari soignait les malades, même au-delà des frontières de son propre royaume, et dont la femme ouvrait l'esprit des jeunes afin qu'ils deviennent des adultes courageux, respectés et intègres.

7

LES ÂMES SŒURS

Une fois que la déesse Fan eut fait disparaître leurs brace-lets magiques, Dempsey et Chloé comprirent que la guerre était bel et bien finie. Comme tous leurs compagnons d'armes, ils ne possédaient rien, sauf leurs chevaux, leurs armes et leurs vêtements. Ils ne savaient pas encore comment ils gagneraient leur vie désormais. Alors, afin d'y réfléchir sagement, ils quittèrent Émeraude quelques jours plus tard pour rendre visite à leurs parents respectifs. Sans se presser, ils dirigèrent d'abord leurs pas vers Béryl, pour voir s'ils aimeraient s'y établir, mais Chloé n'entrevit aucun avenir pour eux sur cette terre rocheuse. Tout comme elle, Dempsey avait renoncé à la succession royale. Puisqu'il ne pourrait jamais devenir roi, le Chevalier devrait se contenter d'une vie ordinaire, et les métiers étaient rares dans ce royaume.

Le couple remonta alors vers le nord afin d'aller passer quelque temps avec le frère de Chloé, le Roi Kraus et son épouse Saramarie. La femme Chevalier avait reçu plusieurs missives de la part de Kraus, lui annonçant la naissance de ses deux enfants, mais elle ne les avait lues qu'à son retour de la guerre. Elle avait vraiment hâte de faire la connaissance de son neveu et de sa nièce.

Lorsqu'il apprit que Chloé et Dempsey venaient d'arriver chez lui, Kraus ordonna à ses serviteurs de préparer un festin et il dévala les marches du grand escalier pour aller lui-même à leur rencontre. Le palais de Diamant ressemblait en tous points à celui d'Émeraude, sauf que le bleu nuit y remplaçait le vert. Le roi étreignit sa sœur en pleurant de joie.

– Es-tu venue m'annoncer que tu rentres enfin chez nous ? jubila-t-il.

– Nous n'en savons rien encore, répondit Chloé en haussant les épaules. Tout est possible, en ce moment.

– Alors, laissez-moi vous convaincre qu'il fait bon vivre au Royaume de Diamant !

Dempsey les suivit jusqu'au salon privé de Kraus. Il devait reconnaître que la terre était certainement plus fertile ici. Le roi leur fit servir du vin et leur demanda de s'asseoir.

– C'est vraiment curieux de vous voir sans vos armures, observa-t-il.

– Au début, nous avions l'impression qu'il nous manquait quelque chose, admit Dempsey, mais nous apprécions notre nouvelle liberté.

Kraus fit quérir son épouse et ses enfants, dont Chloé ne connaissait que les noms. Saramarie les poussa devant elle. La femme Chevalier ne put s'empêcher de remarquer qu'ils étaient la copie conforme de Kraus et de leur sœur Bela lorsqu'ils étaient jeunes. Tous deux avaient les cheveux noirs et les yeux gris tirant sur le bleu de leurs ancêtres.

– Voici mon fils Haïdar et ma fille Noélia, les présenta le roi. Maintenant, c'est à votre tour d'assurer votre descendance.

– Cela fait partie de nos plans, le rassura sa petite sœur.

Les Chevaliers profitèrent de l'hospitalité de la cour de Diamant pendant quelques semaines, puis poursuivirent leur pèlerinage jusqu'au Royaume d'Opale, où la Princesse Bela avait épousé le Prince Humey. Incapable de régner depuis son terrible accident de chasse, le Roi Nathan avait remis sa couronne à son fils, si bien que la sœur de Chloé était devenue la Reine d'Opale. Durant leur court séjour sur ces terres septentrionales d'Enkidiev, Dempsey étudia la possibilité de s'établir à Opale. De par la loi, tous les habitants devaient vivre à l'intérieur des interminables murailles qui encerclaient presque le tiers du pays. Le Chevalier y préféra les grands espaces des terres de Diamant. Pour cette raison, il y acheta un lopin près de la frontière d'Émeraude et commença aussitôt à construire son nid.

Habituée à travailler aussi fort que les hommes, Chloé mit la main à la pâte et aida Dempsey à préparer le ciment et à aligner les pierres les unes sur les autres jusqu'à ce qu'elles atteignent la hauteur choisie pour le toit. Prévoyant avoir beaucoup d'enfants, le couple érigea une demeure presque aussi grande que le hall du Roi Onyx. Au fur et à mesure que la famille s'agrandirait, des divisions de bois y seraient ajoutées. Le couple passa toute la saison chaude à édifier sa maison. Informé que sa sœur et son beau-frère n'avaient donc pas eu le temps de cultiver la terre, Kraus leur fit livrer suffisamment de vivres pour tenir pendant le temps des pluies. Chloé tomba enceinte l'année suivante et, à sa grande surprise, elle mit au monde des triplets ! Ils prénommèrent les deux garçons Youva et Romin, en l'honneur des premiers monarques de Béryl. Quant à leur fille, ils choisirent pour elle le nom de Kaishann, une souveraine de Jade qui avait contribué à l'épanouissement des arts dans son royaume.

– On dirait que les dieux nous font reprendre le temps perdu, plaisanta la nouvelle maman en serrant les trois poupons contre elle.

Ses nouvelles responsabilités l'empêchèrent de donner un coup de main à son mari aux champs, mais Dempsey se débrouillait fort bien. La déesse Fan n'avait retiré aux commandants que leurs bracelets magiques. Ils possédaient encore tous leurs pouvoirs. Le Bérylois ne se gêna pas pour les employer sur ses terres afin qu'elles lui procurent de bonnes récoltes avant la saison des tempêtes. Lorsqu'il rentrait à la maison, Dempsey donnait un coup de main à son épouse, car il n'était pas facile de prendre soin de trois bébés à la fois.

Les années passèrent sans que le couple ne parle d'avoir d'autres descendants, mais Dempsey avait encore l'intention de remplir sa grande maison d'une ribambelle d'enfants. Les nombreuses tentatives du couple demeurèrent toutefois infructueuses et, à son grand désarroi, le ventre de Chloé demeura stérile.

– Trois, c'est déjà beaucoup, se consola-t-elle en se blottissant dans les bras de Dempsey, assis devant l'âtre.

Les triplets dormaient à poings fermés, à quelques pas d'eux, tandis que la pluie et le vent fouettaient la maison.

– Je demande aux dieux toutes les nuits qu'ils nous donnent une douzaine d'enfants, avoua Dempsey.

– Une douzaine ! s'exclama Chloé en riant. Dis-leur aussi que ce ne doit pas être à coup de trois !

Les supplications du Chevalier demeurèrent cependant sans réponse pendant plusieurs années, alors il cessa de prier. Ses enfants, tous blonds comme les blés, grandissaient en force et en sagesse. Chloé remercia secrètement le ciel de ne pas en avoir eu aux deux ans, comme Catania, car elle n'aurait jamais pu profiter de ses aînés. Elle consacra tout son temps à leur éducation tout en leur transmettant les belles valeurs qu'elle avait reçues au même âge. Dempsey et son épouse incluaient les triplets dans toutes leurs activités, que ce soit le travail de la terre, l'élevage des animaux, la fabrication d'outils ou de meubles ou encore la préparation des repas. Ils étaient d'avis que les enfants devaient apprendre à se débrouiller le plus rapidement possible, car le destin était imprévisible.

Au moins une fois par mois, durant la saison chaude, les Chevaliers emmenaient Youva, Romin et Kaishann en pique-nique dans une région différente du royaume pour développer leur sens de l'orientation. Seule leur fille possédait des pouvoirs magiques, mais elle ne les utilisait jamais. Déjà à six ans, les petits maîtrisaient leurs montures comme des adultes. Ils se pourchassaient dans la plaine, sans perdre leurs parents de vue, et se présentaient toujours aux repas avec des centaines de questions sur ce qu'ils avaient vu. Ce jour-là, ils étaient partis tous ensemble en excursion.

– Pourquoi y a-t-il une seule montagne ? voulut savoir Kaishann en s'asseyant près de son père.

– Il n'y en a qu'une que tu peux voir, mais ce n'est pas la seule, répondit ce dernier.

Chloé distribua les tartines recouvertes de miel et trancha les fruits.

– Là-bas, derrière la forêt, il y a une chaîne de volcans, poursuivit Dempsey.

– Les volcans sont des montagnes ? demanda Youva.

– Ce sont des montagnes en formation. C'est la pression à l'intérieur de la terre qui les fait émerger du sol.

Dempsey en fit la démonstration avec sa propre gaufre, sous les yeux ébahis des triplets.

– Il pourrait donc en pousser n'importe où ! conclut Romin.

– Seulement aux endroits où la croûte terrestre est mince, le renseigna Dempsey.

– Et le processus dure des milliers d'années, ajouta Chloé. Aucun humain n'a jamais assisté à la naissance d'une montagne.

Après le repas, les enfants capturèrent des insectes et insistèrent pour que leurs parents les identifient avant de les relâcher. Le soleil commençait à décliner, alors Chloé rangea la nappe, les pots et les ustensiles dans les sacoches de cuir de sa selle. Dempsey fit remonter la marmaille sur les chevaux et céda à leurs demandes incessantes de trouver un autre chemin pour rentrer à la maison. «Leur curiosité est insatiable», se réjouit intérieurement le père. Il prit donc les devants, choisissant un sentier qui contournait une immense chênaie.

– Ces arbres sont très vieux, leur fit remarquer Chloé. Quelqu'un peut-il me dire comment je le sais?

– Leur tronc est aussi large que notre puits, répondit Kaishann.

– C'est exact.

– Et lorsqu'on coupe un arbre, on peut découvrir son âge en comptant les anneaux à partir de son centre, renchérit Dempsey.

Ils entendirent alors une plainte aiguë. Instinctivement, Chloé regroupa ses enfants près d'elle pendant que son époux tendait l'oreille.

– Est-ce un animal? chuchota Youva.

– Je n'en sais rien, avoua la mère. Mais peu importe ce que c'est, votre père le trouvera.

Dempsey mit pied à terre et tendit ses rênes à sa femme.

– Restez ici, ordonna-t-il.

Chloé hocha la tête pour indiquer qu'elle veillait sur les enfants.

Le Bérylois pénétra dans la forêt et, bientôt, sa famille ne vit plus que son ombre qui disparut finalement entre les troncs. Dempsey était l'un des meilleurs pisteurs d'Enkidiev, mais au lieu de se fier à ses yeux et aux empreintes sur le sol, il s'en remit plutôt à son ouïe et à ses facultés magiques. Plus il se rapprochait de la source du gémissement, plus il avait la certitude qu'il n'émanait pas d'une bête. Au bout de quelques minutes, il déboucha dans une clairière où se dressait une toute petite maison en bien piteux état. Il n'y avait aucune lumière à l'intérieur.

Il entendit une autre plainte : elle provenait de la chaumière ! Il s'approcha prudemment et sentit l'odeur de la mort avant de trouver les cadavres. Se servant de sa magie, il alluma ses paumes et éclaira l'intérieur du taudis. Un homme gisait sur le plancher. Il se pencha sur lui, mais constata hélas que la vie l'avait quitté depuis un certain temps. Dempsey illumina tous les coins de la pièce et trouva une femme effondrée dans une berceuse, à deux pas d'un berceau. Le Chevalier se hâta jusqu'à elle, mais elle était décédée, elle aussi. Il perçut alors un mouvement dans le petit lit. Un très jeune bébé s'agitait dans ses langes. Sans hésitation, Dempsey fit disparaître la lumière de ses mains. Il cueillit l'enfant dans ses bras et le transporta à l'extérieur de la maison. « Depuis combien de temps n'a-t-il pas reçu de soins ? » se demanda-t-il.

Il rebroussa chemin, marchant le plus rapidement possible sur le sentier qui le conduirait à sa famille. Il n'avait pas parcouru la moitié de la distance qu'un craquement de branche l'arrêta net. La dernière chose qu'il voulait, c'était d'affronter un chat sauvage. Pour effrayer le prédateur, il libéra un de ses bras et projeta un éclairage aveuglant droit devant. Quel ne fut pas son étonnement de trouver devant lui une fillette qui ne devait pas avoir plus de deux ans, vêtue de loques, les cheveux en bataille et les yeux rougis par les larmes.

– Maman…, geignit-elle, effrayée.

Dempsey éteignit sa paume lumineuse et souleva la petite malgré ses cris de protestation. Y avait-il d'autres enfants abandonnés dans cette forêt ? Il courut entre les arbres et déboucha enfin devant les chevaux.

– Que se passe-t-il ? s'alarma Chloé. Qui sont ces enfants ?

– Leurs parents sont morts dans leur maison. Ces pauvres petits ont peur et ils ont faim.

Il tendit le bébé à son épouse et remonta en selle en serrant la petite fille contre lui.

– Rentrons ! ordonna-t-il à sa famille. Je reviendrai demain pour tenter de comprendre ce qui s'est passé.

Ressentant l'urgence de la situation, les triplets obéirent sans répliquer et galopèrent à fond de train derrière leurs parents. Lorsqu'ils arrivèrent chez eux, les enfants s'occupèrent des chevaux pendant que Dempsey et Chloé fonçaient dans la maison. Ils allumèrent toutes les lampes et déshabillèrent les petits pour voir s'ils étaient blessés. Ils étaient sales et amaigris, mais il n'y avait pas une seule marque d'abus sur leurs corps. Avant de les laver, les Chevaliers leur donnèrent à manger. Chloé avait conservé ses vieux biberons, au cas où les dieux auraient exaucé son mari. Elle en remplit un de lait chaud et nourrit le nouveau-né pour arrêter ses pleurs. De son côté, Dempsey développa les galettes qu'ils n'avaient pas emportées. Avant qu'il puisse en offrir une à la fillette, cette dernière grimpa sur la table comme un petit animal et s'élança sur la nourriture. Elle avala le petit gâteau en fermant les yeux, son cœur battant la chamade dans sa poitrine.

— Dès qu'il fera jour, je passerai la forêt au peigne fin pour voir s'il s'y cache d'autres enfants, annonça Dempsey.

— Ils vivaient à une heure d'ici et nous n'en savions rien ? s'étonna Chloé.

— C'étaient des gens très pauvres, à en juger par ce que j'ai vu. Ils ne voulaient peut-être pas qu'on les découvre. Je me demande d'ailleurs comment ils sont morts.

Pendant que la petite fille terminait son repas, Dempsey fit chauffer de l'eau et la versa dans une cuvette.

— Nous allons jouer au petit canard dans l'étang, s'exclama-t-il joyeusement.

Il la déposa dans l'eau sans qu'elle se débatte.

— Chaud ? s'étonna-t-elle.

— Tu parles déjà ?

Elle hocha fièrement la tête.

— Je me demande si tu pourrais nous raconter ce qui s'est passé dans ta maison.

L'enfant écarquilla les yeux, signe évident qu'elle ne comprenait pas ce qu'il voulait dire.

– Elle est peut-être assez vieille pour parler, mais je doute qu'elle soit capable de nous décrire l'incident, fit remarquer Chloé. J'essaierai d'aller le voir dans sa tête lorsqu'elle dormira.

Dempsey lava la bambine de la tête aux pieds en inventant des jeux destinés à la faire rire, puis il l'enveloppa dans un drap de bain, juste au moment où les triplets revenaient enfin de l'écurie. Kaishann alla tout de suite s'asseoir près de sa mère pour examiner le visage du minuscule bébé, tandis que ses frères rejoignirent leur père près de l'âtre où il frottait la fillette pour la sécher. Une fois propres, ses cheveux brun sombre étaient devenus châtain doré. Ses grands yeux noisette examinèrent les garçons avec intérêt.

– Comment s'appelle-t-elle ? voulut savoir Youva.

– Mia ! s'écria la rescapée.

– Quel âge a-t-elle ? demanda Romin.

Mia dégagea un de ses bras et lui montra trois doigts. Dempsey l'avait crue beaucoup plus jeune lorsqu'elle lui était apparue dans la forêt.

– Le bébé a-t-il un nom ? poursuivit Romin.

La fillette haussa les épaules. Ses parents n'avaient sans doute pas eu le temps de lui en donner un.

— Est-ce qu'elle peut dormir avec moi ? implora Kaishann.

— Seulement si tu la gardes près de toi durant toute la nuit, l'avertit la mère.

Folle de joie, Kaishann emmena Mia dans son lit où elle l'assit pendant qu'elle enfilait sa robe de nuit. L'enfant se mit à regarder autour d'elle avec curiosité. Elle ne savait pas où on l'avait emmenée, mais la nourriture et la chaleur avaient eu raison de ses craintes.

Dempsey borda ses fils et vint ensuite aider sa femme à laver le bébé qui, repu, s'endormit au milieu de son bain. Ils dépoussiérèrent l'un de leurs berceaux et l'installèrent entre le feu dans la cheminée et leur lit.

— Si le poupon était à moi, je l'appellerais Cedval, comme le héros de Diamant dont on nous racontait les exploits quand j'étais très jeune, déclara Chloé.

— Ne t'attache pas trop vite à lui. Il a peut-être de la famille quelque part.

— Wellan ne disait-il pas que rien n'arrive jamais sans raison ?

— Je suis d'accord avec lui, mais les dieux ont peut-être mis ces enfants sur notre route pour que nous les rendions à leurs grands-parents.

Le lendemain matin, Dempsey laissa la marmaille aux soins de son épouse et retourna dans la chênaie pour tenter de

104

comprendre comment les paysans étaient morts et découvrir un indice sur leur identité. Après avoir rapidement examiné les deux corps, car l'odeur de leur décomposition devenait de plus en plus forte, il les incendia en recommandant leur âme aux dieux. Puis, il fouilla la cabane de fond en comble sans découvrir la moindre trace de leur parenté et scruta la forêt. Il n'y trouva pas d'autres enfants. Il poursuivit donc sa route jusqu'au village le plus proche et demanda à tous ceux qu'il rencontrait s'ils connaissaient le couple qui vivait dans la forêt. Ils secouèrent tous la tête négativement.

Puisqu'il ne se décourageait pas facilement, le Chevalier se rendit au château et trouva le recenseur. Ce dernier n'avait pas encore dénombré toute la population de Diamant depuis la fin de la guerre, mais peut-être savait-il quelque chose. L'homme aux longs cheveux gris sortit une carte du royaume d'une grosse malle et la déroula sur sa table. Il demanda à Dempsey de lui indiquer l'endroit où il avait trouvé la cabane. Doté d'une grande facilité à s'orienter, le Chevalier posa l'index sur l'endroit exact où elle se dressait.

— Je suis désolé, sire Dempsey, soupira le recenseur. La dernière fois où mes hommes sont passés par là, personne n'habitait cette clairière. Voulez-vous que l'État se charge de leurs obsèques ?

— Cela ne sera pas nécessaire. Je m'en suis occupé moi-même. Merci pour votre aide.

Dempsey rentra chez lui bredouille pour découvrir que Chloé avait eu plus de succès que lui. Grâce à ses facultés magiques, elle s'était doucement infiltrée dans les souvenirs de Mia. Si elle n'avait pas été capable non plus de déterminer l'identité des parents de la petite, elle avait au moins appris ce qui leur était arrivé. Tandis que les triplets amusaient Mia devant la maison et que le bébé dormait dans son berceau, Chloé alla aux devants de son époux qui dessellait son cheval.

— Les parents des enfants se sont empoisonnés, raconta-t-elle à son époux.

— Volontairement ?

— Non, je ne le crois pas. La mère a préparé le repas à partir d'une farine dont l'apparence n'était pas normale. Mia a fait sa mauvaise tête ce soir-là et a refusé de manger. C'est pour cette raison qu'elle est encore en vie.

— Quelle tragédie…

— As-tu retracé des membres de sa famille ?

— Aucun. Personne ne savait qu'ils vivaient dans la forêt.

Un radieux sourire illumina le visage de Chloé.

— Oui, nous pouvons les garder, confirma Dempsey.

Elle lui sauta au cou et parsema son visage de baisers.

— Mais je suggère que nous attendions qu'ils soient grands pour leur raconter comment ils se sont greffés à notre famille, d'accord ?

— Cela va de soi.

Ils élevèrent donc les deux orphelins comme s'ils étaient leurs propres enfants, leur montrant tout ce qu'ils savaient et leur racontant les exploits des Chevaliers d'Émeraude. Mia avait six ans et Cedval quatre ans lorsque la famille reçut une illustre délégation. Dempsey était en train de soigner les bêtes avec les garçons lorsque Kaishann et Mia revinrent de la forêt en courant.

– Papa, papa! s'écrièrent-elles en chœur. Il y a des gens qui viennent par ici!

Dempsey sortit de l'étable et s'assura que tous les membres de sa famille étaient derrière lui. Il n'y avait eu aucune hostilité à Enkidiev depuis la fin de la guerre, mais il jugea que son réflexe protecteur était justifié. Chloé avait pris Cedval dans ses bras en priant le ciel qu'on ne lui enlève pas ses petits derniers. Lorsqu'un sourire de joie se dessina sur le visage de son époux, elle se détendit d'un seul coup. Les cinq hommes qui approchaient étaient originaires de Béryl et le Roi Wyler marchait en tête.

– Père, que venez-vous faire ici? s'enquit le Chevalier.

– Je suis venu te faire signer un document.

– En personne?

– J'aurais pu dépêcher l'un de mes meilleurs conseillers, mais il était important que je voie tes héritiers de mes propres yeux.

Le couple servit d'abord à boire aux voyageurs qui arrivaient de loin, puis il aligna les enfants devant leur grand-père.

– Lequel est l'aîné ? voulut savoir Wyler.

– Les triplets ont le même âge, mais j'imagine que le plus vieux est celui qui est né le premier, répondit Dempsey. Ce sera donc Youva.

Le garçon de neuf ans fit un pas en avant pour permettre au monarque de l'identifier, car il ressemblait comme deux gouttes d'eau à son frère Romin.

– Alors, ce sera lui ! se réjouit Wyler.

– Je ne suis pas sûre de comprendre ce qui se passe, intervint Chloé, inquiète.

– Puisque Dempsey est mon fils unique et qu'il a renoncé au trône de mon royaume en devenant Chevalier d'Émeraude, lorsque je mourrai, votre fils aîné prendra ma place.

– Moi ? s'étonna Youva.

Le roi fit signe à son scribe de sortir le parchemin de la boîte de bois qu'il transportait sur son dos.

8

LA TRIBU

Celui parmi les Chevaliers qui fut le plus heureux de reprendre la vie normale fut sans doute Bergeau. Bien sûr, il savait que sa femme Catania était parfaitement capable de faire fructifier ses terres sans lui, mais, à son avis, la place d'un homme n'était pas à la guerre. Elle était auprès de sa famille. Bien décidés à repeupler Enkidiev, les époux avaient recommencé à avoir des enfants aux deux ans. Cela impliquait évidemment un agrandissement constant de la maison qui commença bientôt à avoir la taille d'un palais !

Ainsi naquirent Kieran, Shade, Katrine, Dieter, Matthias, Gunther et Domenka, respectivement âgés de quatorze, douze, dix, huit, six, quatre et deux ans. Luca, qui avait été longtemps le bébé, était maintenant un beau jeune homme de dix-sept ans, qui aidait son père dans ses incessants travaux de construction.

Au début, Proka et Broderica, les jumelles aînées, avaient aidé Catania à prendre soin de tous ces nouveaux frères et sœurs, mais quelques années après le retour de leur père, elles décidèrent de prendre elles-mêmes époux et de fonder leur propre famille, si bien que Bergeau devint grand-père d'enfants qui avaient le même âge que les siens !

Tous les deux ans, après la naissance d'un nouveau bébé, la famille se rendait à Zénor pour aller passer du temps avec leur parenté du côté maternel. Ce n'était pas une mince affaire de déplacer tout le clan pour un voyage qui durait parfois une semaine, en raison des nombreuses rivières qu'il fallait franchir. Bergeau avait fabriqué une roulotte tirée par quatre chevaux dans laquelle il pouvait transporter les enfants et les vivres requis pour les nourrir. Malgré les embûches imprévues, tous avaient hâte de partir pour cette belle aventure.

Catania, qui ne souhaitait pas encourager la magie dans sa maison, fut bien contente de découvrir que seuls trois de ses enfants possédaient des facultés surnaturelles, soit Kieran, Matthias et Domenka. Danitza, qui était devenue la plus âgée des filles de la tribu, après le départ des jumelles, les enviait beaucoup. Elle avait pris la relève de ses sœurs, mais, à sa manière, car elle était plus rêveuse. Ce qu'elle aimait le plus au monde, c'était d'écrire des poèmes sur la nature et sur les créatures magiques. Lorsqu'elle avait terminé ses corvées à la maison, elle s'isolait sur le toit avec une plume, de l'encre et des parchemins pour laisser libre cours à son imagination. Une fois à Zénor, quand toutes ses tantes s'occupaient des plus jeunes, elle était enfin complètement libre de faire ce qu'elle voulait.

La forêt zénoroise étant sans danger, elle s'y enfonçait de plus en plus profondément, lors de chaque visite, et découvrait des ruisseaux, des clairières, des labyrinthes entre les buissons et même des ruines très anciennes qui remontaient certainement à l'époque des Enkievs. Elle affectionnait particulièrement ce site et tentait d'imaginer ce que les Anciens avaient bien pu y faire. Elle s'assoyait sous l'arche d'une vieille porte en pierre, sans même se soucier que celle-ci puisse lui tomber sur la tête, et écrivait sur le papyrus tout ce que seuls ses yeux d'écrivaine pouvaient voir.

C'est ainsi que prit forme l'histoire d'une princesse Enkiev, qui ressemblait en tous points à Mali, enfant unique d'un vieux roi qui lui cherchait un mari parmi les colonies voisines. Plusieurs prétendants s'étaient présentés dans la cité oubliée, tous aussi charmants les uns que les autres, pour réclamer la main de cette beauté, mais cette dernière n'avait vu en eux aucune des qualités qu'elle recherchait chez un partenaire. Danitza avait choisi le nom de Tifana pour son héroïne, à laquelle elle s'identifiait de plus en plus avec le temps. Bergeau n'avait pas encore invité les jeunes hommes d'Émeraude à la maison pour lui choisir un époux, mais la jolie rêveuse savait bien qu'elle serait bientôt en âge de partir, alors elle tentait de forcer un peu le destin en dictant ses préférences à la princesse inventée.

« Il ne sera ni trop grand, ni trop petit », songea-t-elle en mordillant le bout de sa plume, le regard perdu dans les vestiges qui s'étendaient devant elle. « Ses cheveux seront sombres et ses yeux de la même couleur que les feuilles des arbres. Ses bras seront musclés, mais ses caresses seront douces comme la brise. Sa voix autoritaire saura aussi bien donner des ordres que réciter les plus beaux poèmes. Le sang qui coulera dans ses veines proviendra d'une longue lignée de souverains justes et bons. Il possédera aussi des pouvoirs surnaturels qu'il n'utilisera que pour faire le bien. Mieux encore, sa destinée sera celle du plus grand de tous les héros. » Danitza savait bien que la liste des qualités qu'elle recherchait chez un homme était impossible à remplir, mais c'était là la véritable magie de l'écriture : elle pouvait façonner son futur mari à son gré.

Cette année-là, sa famille était arrivée à Zénor depuis deux jours seulement lorsqu'elle déjoua la surveillance de la tribu. La jeune femme se rendit directement aux ruines de l'ancienne cité, où elle se sentait chez elle. Sans perdre un instant, elle avait écrit tout un chapitre sur les exploits de celui qui faisait battre le cœur de la Princesse Tifana. Le temps passait si vite lorsqu'elle s'abandonnait à ses fantasmes. Une goutte de pluie s'écrasa soudain sur le bout de son nez, la ramenant brutalement à la réalité. Elle protégea aussitôt le fruit de son travail en enfouissant les fascicules dans la sacoche de cuir que son père lui avait confectionnée.

Danitza se trouvait beaucoup trop loin du village natal de sa mère pour y retourner sans échapper à l'ondée. Elle s'enfonça donc plus profondément parmi les ruines et s'abrita sous un coin de maison qui tenait encore debout. «J'espère que ce n'est qu'une averse, car j'ai vraiment envie de terminer cette partie de mon récit», pria-t-elle silencieusement. Or, la pluie continua de tomber, drue et froide. La jeune femme regretta de ne pas avoir apporté sa cape, comme sa mère le lui avait recommandé. Elle s'appuya le dos contre la pierre et se mit à rêver à la suite des aventures de Tifana. C'est alors que le craquement sec d'une branche lui rappela qu'elle s'était considérablement éloignée de la civilisation. Son père lui avait pourtant dit qu'il n'y avait aucun gros prédateur à Zénor. Tous les scarabées avaient été anéantis durant la guerre, même les larves qui se déplaçaient sous terre. «Est-il possible que certaines d'entre elles leur aient échappé?» se demanda Danitza. Un autre bruit sec la fit sursauter.

«Je suis la fille d'un Chevalier», se rappela-t-elle. «Je ne suis pas censée connaître la peur.» Elle cacha sa sacoche derrière une grosse pierre pour aller voir ce qui s'approchait ainsi des ruines. « Je pourrai sans doute l'ajouter à mon œuvre », songea-t-elle. En resserrant ses jupes autour d'elle, elle marcha sur la pointe des pieds jusqu'au bord du repli pierreux qui la protégeait des éléments. Elle n'eut pas besoin d'aller plus loin : une silhouette venait de disparaître derrière la tremblaie. Ce n'était pas un animal ni un insecte qui rôdait dans la vieille cité, mais bel et bien un être humain !

Puisque le village le plus proche était celui de sa mère, il y avait fort à parier que cette personne faisait partie de son clan et qu'elle chassait le petit gibier. Danitza hésita un moment avant de l'interpeller et, au moment où elle se décida à en avoir le cœur net, une main se posa sur son épaule. Son cri de terreur résonna dans les ruines. Elle fit volte-face, espérant que ce soit Luca, mais découvrit, tout près du sien, le visage du prétendant de Tifana !

— Comment est-ce possible ? s'étrangla-t-elle.

— Je regrette infiniment de vous avoir effrayée, s'excusa le jeune homme aux cheveux bruns et aux yeux bleus.

— Êtes-vous un fantôme ? se risqua-t-elle.

L'étranger éclata d'un rire franc qui la rassura un peu.

— Pour être un fantôme, il faut être mort, répliqua-t-il une fois qu'il eut ri tout son soûl. Personne n'est plus vivant que moi sur tout le continent.

— Êtes-vous le prince d'une contrée lointaine ? continua de le questionner Danitza.

– Si vous considérez que le Royaume des Elfes est complètement au nord et que vous habitez le sud, alors oui… d'une certaine façon.

– Êtes-vous à la recherche de la Princesse Tifana ?

– Je ne sais pas qui c'est.

– Dans ce cas, que faites-vous aussi loin de chez vous ?

– De temps à autre, j'aime me soustraire à mes obligations royales. Alors, je saute dans la première embarcation que je trouve et je me laisse emporter par le courant de la rivière Mardall.

Sa réponse parut décevoir la jeune femme.

– Mais je peux devenir qui vous voulez, pour un jour, ajouta-t-il.

– Commencez donc par me dire qui vous êtes vraiment.

– Je m'appelle Cameron, fils du Chevalier Nogait d'Émeraude et de la Princesse Amayelle des Elfes.

Danitza se pencha légèrement sur le côté afin de distinguer les oreilles du jeune homme dans sa chevelure trempée. Pour lui rendre les choses plus faciles, Cameron les dégagea de ses mèches brunes. Elles étaient bel et bien pointues ! « Le prétendant de Tifana serait donc venu tout droit d'Osantalt ! » comprit-elle.

– Mes ancêtres y habitaient, précisa le demi-Elfe. Je suis né à Émeraude.

– Vous lisez dans les pensées ?

– Ce n'est que l'un de mes dons.

– Parlez-moi des autres.

Elle prit ses mains et le tira plus loin sous l'abri de pierre, où elle le fit asseoir.

– Pourrais-je d'abord savoir votre nom ? demanda-t-il avec un sourire irrésistible.

– Je m'appelle Danitza.

– Je suis vraiment enchanté de faire votre connaissance, milady.

– Parlez-moi de vos pouvoirs magiques.

Cameron lui expliqua qu'il avait hérité de divers talents de la part de son père humain et de ses ancêtres Elfes. Il pouvait communiquer par la pensée tant avec les humains qu'avec les représentants des autres races d'Enkidiev. Il était aussi en mesure de déplacer les objets sans les toucher, guérir les blessures en y appliquant ses paumes, lire un livre en passant la main sur sa couverture et se rendre invisible.

– C'est vraiment fascinant…

– Et pourtant, toute ma vie, j'ai rêvé d'être un homme ordinaire.

– Réjouissez-vous plutôt d'avoir reçu tous ces cadeaux du ciel.

– Dois-je en conclure que vous ne possédez aucune faculté surnaturelle ?

– Rien du tout. Alors, pour compenser, j'écris des histoires où je m'imagine être une personne différente.

– Vous êtes pourtant très bien telle que vous êtes.

Danitza baissa la tête en rougissant.

– Me feriez-vous lire ces récits ? poursuivit le demi-Elfe.

En fait, Danitza ne les avait jamais montrés à qui que ce soit. Cameron était un étranger qu'elle venait à peine de rencontrer et, pourtant, elle sentit qu'elle pouvait lui faire confiance. « Est-il en train d'agir sur ma volonté ? » s'alarma-t-elle.

– Je n'ai pas ce pouvoir, hélas, assura-t-il.

– Il va vraiment falloir que je fasse attention à mes pensées.

Elle sortit le manuscrit de sa cachette et le lui tendit en précisant qu'elle n'en avait pas encore terminé l'écriture.

– Je ne sais pas si vous aurez le temps de tout lire.

– Je le prendrai.

Il saisit le document avec une grande douceur, comme s'il s'agissait du bien le plus précieux du monde, et dévora chaque page. Sans dire un seul mot, Danitza se délecta des émotions qui se succédaient sur son visage. Lorsqu'il arriva au dernier feuillet, l'obscurité avait commencé à envelopper la forêt. Sans lever les yeux du texte, Cameron alluma sa paume pour éclairer les pages.

— Réussira-t-il à conquérir le cœur de la princesse ? voulut-il savoir lorsqu'il eut terminé sa lecture.

— Je n'en sais rien encore.

— Il serait bien malheureux qu'il n'y parvienne pas au bout de tous ses efforts.

— Il arrive que certains récits ne se terminent pas de façon heureuse, vous savez.

— Mais la fin n'est pas encore écrite. Vous avez encore le temps de faire le bonheur de l'héroïne.

— Est-ce si important pour vous ?

— Mon vœu le plus cher serait que tout le monde soit heureux dans la vie.

— C'est facile à dire pour un prince qui peut faire ses propres choix.

— N'allez surtout pas croire que ma vie est plus simple que celle d'un paysan. Il y a des décisions que je ne peux prendre par moi-même.

— Comme choisir votre épouse, par exemple ?

— J'aimerais bien que ce soit la Princesse Tifana, mais elle est morte depuis bien longtemps, n'est-ce pas ?

— Elle hante encore ces lieux, affirma Danitza.

— Si je reste suffisamment longtemps ici, la verrai-je ?

— Avec tous vos pouvoirs, ce n'est pas impossible.

La jeune femme constata alors qu'il faisait presque nuit. « Mes parents doivent être morts de peur ! » s'affola-t-elle.

— Laissez-moi vous raccompagner jusqu'à votre village, offrit Cameron.

— Surtout pas ! S'ils apprenaient que j'ai passé la journée avec un inconnu dans la forêt, ils me retireraient ma liberté.

— Saurez-vous retrouver votre chemin dans le noir ?

— Je sillonne cette forêt depuis que je suis jeune.

— Si j'avais su, je m'y serais aventuré avant maintenant.

— Serez-vous ici, demain ?

— Seulement si vous le voulez.

— Vous n'avez pas besoin de lire mes pensées pour connaître ma réponse, Prince Cameron.

Avant qu'il puisse la supplier de ne pas utiliser son titre, Danitza s'était élancée dans la forêt, emportant son trésor avec elle. Lorsqu'elle arriva finalement en vue du village, elle aperçut des dizaines de torches qui dansaient entre les arbres. Tout son clan était à sa recherche.

— Je suis ici ! cria-t-elle.

Deux de ses oncles convergèrent vers elle, soulagés de la trouver saine et sauve. Ils signalèrent aux autres membres de la famille qu'ils l'avaient enfin repérée. Quelques minutes plus tard, son père et son frère Luca les rejoignaient.

— Mais où étais-tu passée ? explosa Bergeau, en colère.

— Je me suis perdue.

— Ici ? en douta Luca.

— Je me suis aventurée sur un sentier que je n'avais jamais vu auparavant et il m'a menée beaucoup plus loin que je le croyais. Je suis vraiment désolée que vous vous soyez inquiétés de la sorte.

— C'est fini pour toi les escapades dans les bois, jeune fille, l'avertit son père.

— C'est la première fois que je m'égare ! protesta Danitza. Et ces forêts ne sont même pas dangereuses. C'est toi qui passes ton temps à me le répéter.

— Pas en pleine nuit.

L'écrivaine garda le silence jusqu'à ce qu'on la ramène finalement à sa mère. Catania n'eut pas besoin d'étudier longtemps l'air sur son visage pour comprendre que sa fille avait vécu quelque chose de merveilleux durant la journée. Elle attendit que les chercheurs rentrent tous chez eux et que Bergeau se charge de mettre les plus jeunes au lit avant de questionner Danitza.

— On dirait qu'il t'est arrivé quelque chose d'exceptionnel aujourd'hui, fit la mère en ramassant les jouets de bois.

— J'ai écrit le plus beau chapitre de mon histoire…

— D'abord sous la pluie, puis dans l'obscurité la plus complète ?

— Non. Je me suis aventurée un peu plus loin et j'ai mis plus de temps à rentrer. Je ne vois pas pourquoi mon retard met la famille entière dans tous ses états.

— Tu aurais pu tomber dans un trou et t'évanouir.

— Vous me connaissez mieux que ça. Je suis chez moi dans la forêt.

De peur que sa mère ne finisse par percer son secret, Danitza alla se coucher chez sa tante, car sa famille était si nombreuse qu'il fallait répartir les enfants un peu partout entre les chaumières du clan. Au matin, elle s'acquitta de ses tâches et, dès que tout le monde cessa de la surveiller, elle prit la clé des champs pour aller retrouver Cameron dans les vestiges de la cité Enkiev, en se promettant de rentrer plus tôt. Ce manège dura pendant tout son séjour à Zénor et, le dernier jour, elle annonça avec tristesse qu'elle devait retourner à la ferme de son père à Émeraude.

– Je dois aussi rentrer au Royaume des Elfes, annonça Cameron. Mais les rivières mènent partout sur le continent. Je vous retrouverai où que vous soyez.

Il déposa sur les lèvres de Danitza un baiser timide et recula en souriant avant de disparaître dans la forêt. «Il me retrouvera», s'encouragea la jeune femme amoureuse.

9

LE DRAGONNIER

En revenant d'Irianeth, après la destruction de l'empire des Tanieths, les Chevaliers Bailey et Volpel avaient ramené un bien curieux butin sous la forme d'un petit dragon rouge qu'ils avaient aussitôt offert au jeune Nartrach, car ce dernier venait de perdre son meilleur ami ailé. En effet, Stellan s'était sacrifié pour sauver la vie de son maître. L'enfant avait beaucoup pleuré, ce qui avait évidemment poussé les deux soldats à ramener la petite bête qu'ils avaient trouvée à proximité du quai de l'empereur, alors qu'elle était à la recherche de nourriture.

Nartrach avait donné à son nouveau dragon le nom de Nacarat, en raison de sa couleur. Même s'il avait côtoyé Stellan pendant un long moment, le garçon ne connaissait rien à l'élevage de ces monstres. La seule personne qui aurait pu l'aider avait choisi de vivre au pays des Fées avec son mari. Nartrach avait donc essayé de convaincre ses parents de l'y emmener, mais ceux-ci avaient d'autres projets pour leur avenir. Ils en avaient d'ailleurs longuement discuté, assis de chaque côté de la longue table dans le hall des Chevaliers, pendant que leur fils faisaient connaissance avec Nacarat dans la cour.

Même s'il était de la grosseur d'un chien, les paysans savaient trop bien qu'il finirait par atteindre la taille d'un palais et que c'était d'abord et avant tout un prédateur. Ils en parlèrent entre eux et, bientôt, tout le royaume fut au courant de la terrible menace qui planait sur lui. Du balcon de l'étage royal, Onyx surveillait lui aussi les jeux du fils de Falcon. Il savait mieux que quiconque ce dont était capable ces formidables machines de guerre qui avaient fait un grand nombre de victimes lors de la première invasion. Le mieux serait sans doute de le mettre à mort dès maintenant...

Au bout de quelques jours de discussions, Falcon et Wanda décidèrent d'abord de rendre visite à leurs familles dans leur royaume de naissance, puis de voir s'ils pourraient y trouver une terre riche et fertile où passer le reste de leurs jours en paix. Wanda embrassa son mari et lui prit la main, l'entraînant vers leur chambre, afin d'annoncer la nouvelle à Nartrach. C'est alors qu'une grande clameur s'éleva à l'extérieur. Leurs réflexes de soldats refirent aussitôt surface et ils se précipitèrent à la défense du château de leur souverain. Quelle ne fut pas leur surprise, en poussant la porte, de trouver la cour bondée de paysans qui brandissaient fourches et faux en scandant des menaces à l'intention du dragon de leur fils !

Onyx, les mains appuyées sur la balustrade de son balcon, les écoutait sans afficher ses intentions. Il attendit de longues minutes que la foule se calme, en vain. Les plus véhéments alimentaient sans cesse la colère des autres. Des Chevaliers apparurent à toutes les portes du palais et du hall, mais ils attendirent les ordres du roi.

– Silence ! ordonna-t-il finalement en amplifiant sa voix.

La magie eut l'effet d'une onde de choc parmi les protestataires. Secoués par sa puissance, ils finirent tous par se taire.

– De quel droit venez-vous perturber la paix de mon château ?

– Nous savons que vous cachez un dragon ! cria un homme. Nous voulons que vous le détruisiez !

– J'ai une salle d'audience pour ce genre de requête.

Les paysans échangèrent des regards honteux.

– Retournez chez vous et laissez-moi régler ce problème à ma façon.

Craignant une intervention surnaturelle plus persuasive de la part du souverain, la foule se retira de la cour par le pont-levis. Dès que le dernier paysan l'eut franchi, Onyx d'un geste de la main, ferma sèchement les grandes portes, même si le soleil était encore très haut dans le ciel. Il descendit le grand escalier en se rappelant qu'autrefois il le dévalait plus cavalièrement. Les deux personnes à qui il voulait parler venaient justement à sa rencontre, dans le couloir qui menait au hall.

– Où est votre fils ? gronda Onyx, comme un fauve.

– Il est dans sa chambre, l'informa Wanda.

– Ai-je vraiment besoin de vous convaincre que son nouvel animal de compagnie pourrait bien tous nous dévorer dans quelques années ?

— En fait, nous ignorons tout des dragons, avoua Falcon.

— Raison de plus pour nous en débarrasser maintenant.

— Il ne faudrait pas oublier l'aspect humain de la question non plus, s'interposa Wanda. Nartrach est un petit garçon très sensible qui vient de perdre son meilleur ami.

— Son meilleur ami ? répéta Onyx, incrédule. Suis-je le seul à me rappeler que Stellan s'en est déjà pris aux Chevaliers d'Émeraude ?

— Pourrions-nous trouver une solution au lieu de nous disputer ? suggéra Falcon.

— Je vous écoute ! lâcha le roi en se mettant les mains sur les hanches.

— En ce moment, ce dragon n'est qu'un bébé qui n'arrive même pas à voler ou à se nourrir par lui-même. Il ne représente aucun danger pour qui que ce soit. Si nous devons séparer Nartrach de cet animal, il ne faut pas que ce soit parce que le peuple lui a fait des menaces.

— Pourtant, le peuple a raison.

— Nous en sommes conscients, ajouta Wanda. Mais l'équilibre mental de notre enfant est tout aussi important que les demandes de vos sujets, Majesté. Il faut prendre le temps de lui expliquer ce qui attend son dragon, s'il le garde.

— Allons-y tout de suite, alors.

– Il faudrait aussi que cette explication émane d'une personne neutre.

– Vous n'allez pas encore importuner mon ami Hadrian, qui est allé méditer avant de refaire sa vie ?

– Nous pensions plutôt à quelqu'un qui connaît bien les dragons, expliqua Falcon.

– Pas l'un de ces horribles petits insectes jaunes qui les dressent, j'espère.

– Non, le rassura Wanda. Elle a la peau bleue et elle en a déjà dressé un.

– Nous pourrions nous rendre au pays des Fées avec…

Falcon n'eut pas le temps de terminer sa phrase que son roi disparaissait devant lui. Quelques secondes plus tard, il se matérialisait en tenant Éliane par le bras.

– Mais qu'est-ce qui vous prend ? s'exclama la Fée azurée.

– Nous avons besoin de vous, se contenta de répondre Onyx en l'entraînant dans le corridor.

Falcon et Wanda s'empressèrent de les suivre jusqu'à l'aile des Chevaliers. Les sens magiques du souverain lui indiquèrent dans quelle chambre se trouvait l'enfant. Wanda se précipita devant la porte pour barrer le chemin à Onyx.

– Ne le brusquez pas ou vous aurez affaire à moi, l'avertit-elle.

Wanda était toute menue, mais lorsqu'il était question de la sécurité de sa progéniture, elle pouvait devenir aussi féroce que Swan.

– J'aimerais bien savoir ce que vous attendez de moi, se hérissa Éliane.

– Il y a dans cette pièce un gamin qui a reçu en cadeau un bébé dragon, la renseigna Onyx. Il faut lui faire comprendre la menace qu'il représentera dans quelques années.

– Si ce n'est que cela...

– Ouvrez la porte, ordonna le roi, qui n'entendait pas à rire.

Wanda poussa un soupir de contrariété, mais fit tout de même ce qu'il demandait. Onyx entraîna la Fée à l'intérieur. Assis sur son lit, Nartrach ne sembla pas surpris de voir arriver la délégation d'adultes. À ses pieds, la petite bête écarlate dressa son long cou et montra les crocs. Pendant une fraction de secondes, Onyx eut l'idée de régler le problème sur-le-champ en lui arrachant sa petite tête.

– Ce qu'il est mignon ! s'exclama Éliane en s'approchant du lit.

Elle émit un son qui ressemblait beaucoup au ronronnement d'un chat. L'attitude de Nacarat passa instantanément du chien de garde au petit toutou affectueux. Il se mit à sautiller sur le matelas en poussant des cris aigus jusqu'à ce que la Fée lui caresse enfin le museau.

– C'est mon dragon ! l'avertit Nartrach, sur un ton possessif.

– Elle n'est pas ici pour te le prendre, mon chéri, affirma Wanda.

– En fait, Éliane a accepté de te rencontrer pour te dire à quel point il deviendra dangereux, ajouta Falcon.

– Accepté, c'est un bien grand mot, grommela la Fée qui venait d'être kidnappée.

Elle replaça les voiles de sa robe en décochant un regard courroucé à Onyx, puis se tourna vers l'enfant.

– En réalité, il ne sera pas capable de chasser avant cinq ou six ans, déclara-t-elle. Quant à ses ailes, elles n'atteindront leur pleine maturité que dans une dizaine d'années. D'ici là, il aura surtout besoin d'une discipline stricte, comme n'importe quel animal domestique.

Exaspéré, Onyx la fit disparaître, ce qui provoqua de nouveaux grognements de la part du dragon.

– Ce que personne n'est capable de te dire, précisa-t-il, c'est que dans quelques années, ton dragon va se nourrir de nos troupeaux de chevaux, de vaches et de moutons, et que le peuple me demande de faire quelque chose pour que cela n'arrive jamais.

Nartrach agrippa Nacarat par-derrière et le serra contre lui.

– Vous voulez le tuer ? s'étrangla-t-il.

– Il ne sentira rien.

– Majesté ! protesta Wanda qui voyait les yeux de son fils se remplir de larmes.

– Éliane vient de nous apprendre qu'il ne pourra pas se nourrir seul avant plusieurs années, intervint Falcon. Est-il vraiment nécessaire de prendre cette décision ce soir ?

– Je veux bien vous accorder quelques jours de réflexion, mais ma sentence est sans appel.

– Je porterai ma cause à la plus haute instance ! s'écria le gamin.

– Malheureusement pour toi, c'est moi, lui rappela Onyx avant de se dématérialiser.

– Je suggère que nous mettions nos plans à exécution, malgré ce qui vient de se passer, déclara Wanda en levant un regard insistant sur son époux.

La famille fit donc ses bagages, sella ses chevaux et se mit en route. La monture de Nartrach commença par refuser de porter sur son dos le petit dragon dont la tête se balançait de gauche et de droite pour tout voir, alors Falcon installa des œillères sur la bride, ce qui régla temporairement le problème. Toutefois, tandis qu'ils se dirigeaient vers les terres de Diamant, où Wanda avait vu le jour, le père se mit à la recherche de solutions plus permanentes. Ils ne demeurèrent pas longtemps dans ce pays voisin d'Émeraude, puisque les paysans les chassaient de tous les endroits où ils s'arrêtaient.

Ils descendirent donc jusqu'au Royaume de Turquoise, lieu de naissance de Falcon, mais partout où ils passaient, les Turquais leur claquaient la porte au nez dès qu'ils apercevaient Nacarat.

– Nous ne pourrons plus jamais rester nulle part, déplora Nartrach, alors que la famille avait dressé un campement dans une clairière, au milieu de la forêt ancestrale.

– Sauf à Irianeth, précisa Wanda qui voyait toujours le bon côté des choses.

– J'y réfléchis depuis quelques jours, avoua Falcon. Il nous faudrait habiter une terre éloignée de tous les villages, où ton dragon serait bien accueilli.

– La Forêt Interdite ? grommela l'enfant.

– Jasson y a aménagé un temple, à ce qu'on m'a dit, se rappela Wanda.

– Je n'ai aucune envie de m'exiler, les avertit Falcon.

À court d'idées, sa femme et son fils attendirent qu'il livre enfin le fond de sa pensée.

– J'adore les chevaux et, toute ma vie, j'ai rêvé d'avoir mon propre haras. Au nord-est de la Montagne de Cristal, les chevaux-dragons de Kira paissent sans surveillance. À mon avis, il est grand temps que quelqu'un les dresse et assure leur survie.

— Quelle merveilleuse idée, mon chéri ! s'exclama Wanda. Nous serions tout près du château, mais suffisamment loin pour n'importuner personne.

— En rentrant, je m'informerai de la disponibilité de ces terres.

Le petit dragon rouge se mit à sautiller autour du feu en essayant de happer des lucioles.

— Ne sont-ils pas censés avoir peur des flammes ? s'étonna la mère.

— Je vous ai dit qu'il n'était pas comme les autres dragons, soupira Nartrach.

— Il faudrait bien que j'aille chasser si tu veux le nourrir, annonça le père.

— Ce ne sera pas nécessaire.

L'enfant sortit un gros morceau de fromage des sacoches de sa selle. Nacarat cessa immédiatement ses jeux et galopa jusqu'à lui en couinant.

— Il mange du fromage ? s'étonna Falcon.

Le dragon arracha la nourriture des mains de son jeune maître et alla se coucher près d'un tronc d'arbre pour s'en délecter en paix.

— Il adore aussi les carottes, le chou, les concombres…

— Ce ne sont pas les cheptels qu'il risque de faire disparaître, mais les jardins, le taquina Wanda.

Ils revinrent donc à Émeraude, mais pour ne pas indisposer le Roi Onyx, Falcon laissa sa femme et son fils chez Bergeau, où le petit dragon fit évidemment sensation. C'était vraiment curieux de le voir chercher et rapporter les bouts de bois que les enfants lui lançaient. Cependant, même Bergeau était d'avis qu'éventuellement ses instincts de prédateur finiraient par se manifester. Tandis que son frère d'armes veillait sur sa famille, Falcon retourna au Château d'Émeraude et rencontra Kira en privé.

Depuis qu'elle était devenue mère, elle n'avait pas eu le temps de s'occuper du troupeau de juments noires que son étalon-dragon avait volé à leurs ennemis sur les plages de la côte. Elle laissait Hathir s'y rendre quand il en avait envie, mais elle n'y était pas retournée elle-même depuis qu'elle avait offert Virgith à Kevin. Elle écouta attentivement la proposition de son frère d'armes et l'autorisa à exploiter cette ressource du royaume. Une fois dressées, ces bêtes pourraient certainement rendre de fiers services aux humains. Avant de retourner auprès de sa famille, Falcon se rendit sur la grande plaine où les chevaux-dragons vivaient. Le Chevalier pourrait bâtir sa maison au pied de la montagne qui la protégerait des vents d'ouest. Elle se situerait donc à mi-chemin entre le château et la prairie.

Lorsqu'ils apprirent ce que Falcon projetait de faire, ses compagnons d'armes qui habitaient dans le royaume vinrent l'aider à construire sa maison en pierre ainsi que des enclos. Pendant plusieurs mois, la vie de la famille fut douce et agréable.

Comme l'avait indiqué Éliane, le dragon ne grossissait pas très rapidement et, à la grande surprise des parents de Nartrach, il continuait de préférer les légumes à la viande. En plus de s'occuper des chevaux, Wanda et Falcon enseignaient à leur fils le maniement des armes, au cas où, un jour, il aurait à se défendre. Au bout d'un moment, Wanda eut envie de voir du monde, alors elle retourna au château et découvrit que Bridgess enseignait aux enfants qui s'y présentaient. Avec l'accord de Falcon, la femme Chevalier commença une nouvelle carrière d'enseignante. Nartrach était maintenant assez grand pour se débrouiller et, de toute façon, son père veillait sur lui.

Puis, un matin, il se produisit un événement extraordinaire qui allait exaucer le rêve le plus secret de Wanda. Puisqu'il y avait apparence de pluie, elle avait quitté la maison plus tôt qu'à l'accoutumée. À son arrivée, elle trouva le hall des Chevaliers désert et alluma un feu pour chasser l'humidité. C'est alors qu'elle entendit une plainte sourde. Utilisant aussitôt ses sens invisibles, elle détecta une présence sous ses pieds. Elle n'avait visité les catacombes qu'une seule fois durant sa vie au château, mais elle ne craignait pas les endroits sombres. Elle se rendit donc au pied du grand escalier, s'empara d'une torche et descendit les marches usées en tendant l'oreille.

Arrivée dans l'ossuaire, elle constata que la grande cavité devant elle recelait tous les tombeaux des rois d'Émeraude, mais que, derrière elle, un couloir avait été creusé. Elle s'y aventura, tous ses sens en alerte. Les lamentations se firent encore entendre, mais, cette fois, elles étaient beaucoup plus nettes. Wanda accéléra le pas et aboutit dans une vaste pièce, qui se situait en effet juste sous le hall des Chevaliers. Grâce à sa magie, elle amplifia la lumière de la torche et aperçut un homme couché sur le dos, agité par des convulsions. N'écoutant que son cœur, la guerrière se porta à son secours. Elle jeta le flambeau sur le sol, posa les mains sur les joues du blessé et le tourna vers elle.

— Mann ? s'étonna-t-elle.

— Ne me touche pas ! hurla-t-il, terrifié.

Ses boucles blondes étaient collées sur son crâne par la sueur et son visage était tordu par la douleur. Faisant fi de son avertissement, Wanda alluma ses paumes et les passa au-dessus de son corps pour découvrir la source de son mal.

— Non ! Va-t-en ! Ne reste pas ici !

Il se débattit et parvint à se retourner sur le ventre. Sans avertissement, il bondit vers le fond de la pièce.

— Mann !

— Ne me suis pas ! Je suis maudit !

Wanda n'allait certainement pas abandonner un frère à son sort. Elle s'élança donc à sa poursuite, mais se heurta à une porte close. Elle eut beau tirer sur l'anneau en métal, celle-ci refusa de s'ouvrir. Elle eut donc recours encore une fois à la magie et parvint à l'arracher de ses gonds. Il faisait noir comme la nuit dans ce nouveau couloir. Après être retournée chercher la torche, Wanda s'y aventura, pour découvrir, au bout de longues minutes, qu'il aboutissait dans la forêt, derrière la forteresse. Mann n'était nulle part. Elle le chercha avec ses sens télépathiques, sans le trouver. Elle revint donc au château en courant et signala l'incident à Bridgess. Les deux femmes reportèrent les cours à plus tard et réunirent les Chevaliers qui se trouvaient dans le hall, soit Jenifael, Daiklan, Ellie, Lassa, Kira et Liam pour leur expliquer ce qui venait de se passer.

Tout l'avant-midi, ils parcoururent les forêts avoisinantes à cheval sans repérer leur camarade en détresse. Jenifael alerta donc les Chevaliers qui habitaient la campagne et les pays voisins, et ils se mirent eux aussi à la recherche de Mann. Ce dernier ne fut trouvé qu'au début de la soirée par le Chevalier Kerns, qui vivait au Royaume de Jade. Il avertit aussitôt ses compagnons de cesser de s'inquiéter, car il ramenait le pauvre homme chez lui pour le soigner.

Wanda ne comprit l'avertissement de Mann que quelques mois plus tard, lorsque d'importants changements se produisirent dans son corps. Son ventre se mit à grossir, comme si elle était enceinte, mais, pourtant, on lui avait dit qu'elle ne pourrait plus jamais enfanter après la naissance difficile de Nartrach. Elle décida donc de consulter Santo, lorsqu'il revint de sa tournée à travers le royaume. Le guérisseur ne fit que confirmer ce dont elle se doutait déjà. Elle attendait un enfant !

– Comment est-ce possible ? demanda Wanda.

– Il arrive que le corps se répare de lui-même, avec le temps, lui apprit Santo.

– Cette grossesse miraculeuse pourrait-elle aussi avoir un rapport avec mon intervention auprès de Mann ?

– Ce n'est pas impossible. Nous ne connaissons pas encore l'étendue de tous ses nouveaux pouvoirs.

– Il m'a dit qu'il était maudit, alors peux-tu t'assurer que l'enfant que je porte est normal ?

– Je ne sens rien de maléfique en toi, Wanda.

Après son incroyable découverte sous le Château d'Émeraude, la jeune femme avait en effet subi d'étonnantes transformations. Wanda cessa enfin de chercher la cause de sa nouvelle fertilité et se prépara à la venue de son deuxième enfant. Au grand bonheur de Falcon, elle mit au monde une fille en parfaite santé qu'ils prénommèrent Aurélys. Comme l'attention de ses parents était surtout dirigée sur la nouvelle addition à la famille, Nartrach commença à jouir d'une plus grande liberté.

Tous les jours, il s'exerçait à l'épée, à l'arc et à la lance, puis il passait plusieurs heures à dresser son dragon. Il était important, s'il voulait lui sauver la vie, que Nacarat affiche la même docilité qu'un chien. La plupart du temps, le petit animal faisait de gros efforts pour plaire à son jeune maître, mais bien souvent, il ne voulait que jouer et faisait la sourde oreille. Malgré tout, l'enfant refusait de se décourager.

Lorsque Nacarat se mit finalement à grandir, Nartrach venait tout juste d'avoir quinze ans. « Dans cinq ans, ses ailes commenceront à se développer », se rappela-t-il. Le Roi Onyx n'était pas revenu à la charge, mais on disait au château que le souverain était souffrant. Sans doute avait-il oublié l'existence du petit monstre rouge qu'il tenait tant à mettre à mort.

L'adolescent redoubla d'efforts pour rendre son meilleur ami aussi inoffensif qu'un agneau, malgré ses pattes qui devenaient de plus en plus musclées. Nacarat arrivait même à rattraper le cheval-dragon de Nartrach lorsque ce dernier le faisait galoper dans la prairie. Heureusement, les juments noires ne percevaient pas le jeune dragon encore comme une menace, ce qui permettait à Nartrach de l'emmener avec lui lorsqu'il s'occupait du troupeau.

Durant les mois suivants, toutefois, Nacarat atteignit la taille des poulains d'un an. Il débordait de son lit de bois, mais refusait de dormir ailleurs, même lorsque Falcon lui en construisit un plus gros.

– Je pense qu'il n'accepte pas de vieillir, commenta le père.

– Espérons qu'il restera comme ça, pria Nartrach.

Le dragon conserva son tempérament enjoué même lorsqu'il devint aussi gros qu'une maison. Ses ailes se mirent dès lors à allonger et à se raffermir. Instinctivement, Nacarat les faisait battre plusieurs fois dans la journée, créant des tourbillons de poussière sur la plaine. « Nous sommes en train de devenir des adultes en même temps », constata Nartrach qui avait maintenant dépassé la vingtaine. Heureusement, le régime alimentaire de l'animal n'avait pas encore changé. « Ai-je réussi à le transformer en herbivore ? » se demanda le jeune homme. Il n'y avait qu'une seule façon de le savoir : consulter la seule experte en dragon qu'il connaissait. Éliane habitait toutefois à l'autre bout du continent. Nartrach ne pouvait pas confier Nacarat à ses parents tandis qu'il se rendait chez les

Fées, car ils ne connaissaient pas les habitudes de son animal, et il ne pouvait certainement pas traverser tous ces royaumes sans causer un grand émoi. À moins que...

— Nacarat, viens ici, ordonna-t-il.

Le dragon s'approcha en faisant trembler la terre et pencha sa petite tête triangulaire jusqu'à ce que ses yeux soient à la hauteur de ceux de son maître.

— Je vais te montrer un autre jeu. Accroupis-toi sur tes pattes de devant.

Ravi à l'idée d'apprendre quelque chose de nouveau, l'animal lui obéit sur-le-champ. Nartrach grimpa doucement sur son dos, à la base de son cou. Nacarat tourna la tête pour voir ce qu'il faisait là.

— Bats des ailes.

La bête les agita doucement, craignant de blesser cet humain si cher à son cœur.

— Plus vite !

Les membranes se tendirent entre les extrémités de ses membres et émirent un bruit sourd chaque fois qu'ils redescendaient. Lorsque ses pattes se soulevèrent du sol, Nacarat poussa une plainte de frayeur et s'immobilisa.

— C'était magnifique ! l'encouragea Nartrach.

Il sauta à terre et tendit la main vers le ciel. Le dragon y posa aussitôt le menton.

– Regarde les oiseaux. Ils ont des ailes, comme toi. Tu es capable de voler, toi aussi.

De jour en jour, Nacarat s'élevait de plus en plus haut, mais les atterrissages demeuraient catastrophiques. «S'il arrive chez les Fées de cette façon, il va complètement changer la géographie de leur pays», se découragea le jeune homme.

Puis, un matin, lorsqu'il se réveilla, Nartrach découvrit avec joie que son ami écarlate effectuait de grands cercles au-dessus de la maison en émettant des sifflements joyeux. Plus étonnant encore, il se posa devant lui en maîtrisant sa vitesse de descente.

– Mais comment est-ce possible? se réjouit le jeune homme.

Nacarat se jeta sur le dos, faisant semblant de dormir, puis s'agita en poussant de petites plaintes.

– Tu as fais un rêve?

Le dragon ouvrit ses yeux rouges et hocha vivement la tête.

– Tu as rêvé que tu volais?

Nacarat se releva, saisit Nartrach par le col de sa chemise et le déposa à la base de son cou, comme Stellan le faisait jadis.

– Est-ce que tu as rêvé qu'un autre dragon te montrait quoi faire ?

Pour signaler qu'il avait enfin trouvé la bonne réponse, l'animal se mit à trépigner de joie. Puis, il prit son envol. Nartrach se cramponna, heureux de ressentir de nouveau le sentiment de liberté qu'il avait partagé avec son dragon précédent. Les premiers vols de Nacarat ne durèrent pas très longtemps, car il s'épuisait rapidement, mais, au bout de quelques mois, son endurance augmenta considérablement. Il était enfin prêt pour une excursion à l'extérieur du Royaume d'Émeraude.

Nartrach avertit donc ses parents qu'il serait absent pendant quelques jours, car il voulait en apprendre davantage sur les dragons. Wanda, Falcon et la petite Aurélys, maintenant âgée de douze ans, le regardèrent décoller vers l'ouest, en lui souhaitant qu'il trouve les réponses qu'il cherchait. Le jeune homme avait oublié à quel point il faisait froid dans le ciel. Heureusement pour lui, Nacarat était rapide, alors il atteignit le pays des Fées quelques heures plus tard. Nartrach repéra une clairière suffisamment vaste pour que l'animal s'y pose, mais ce dernier venait d'apercevoir l'océan. Puisqu'il n'avait jamais rien vu de plus grand qu'un lac, il manifesta tout de suite son intérêt pour tous les petits diamants qui scintillaient sur les flots.

« Je peux bien satisfaire sa curiosité », songea Nartrach. « Rien ne presse. » Il lui permit de descendre sur la plage de galets, à proximité des énormes menhirs qui formaient une barrière infranchissable devant le Royaume des Fées. Lorsque la vague toucha ses pattes, Nacarat fit un bond vers l'arrière en poussant un cri de surprise.

— C'est seulement de l'eau, froussard.

Le dragon baissa son long cou et voulut flairer le liquide, mais ce dernier se retira sur les petites roches. La vague suivante, un peu plus importante, lui submergea la tête. Il se redressa en s'ébrouant, obligeant son jeune maître à s'accrocher fermement.

— Tu vois bien que ce n'est pas dangereux.

Nacarat l'avait en effet très bien compris. Sans avertissement, il sauta dans l'eau en couinant de plaisir. Son cavalier n'eut pas le temps d'éviter la baignade. Sentant que le dragon allait rouler sur lui-même, Nartrach gagna la plage.

— Depuis quand les dragons aiment-ils l'eau ? s'étonna-t-il.

— Les anomalies font partie de la nature, lui répondit une voix féminine.

Nartrach fit volte-face et ne vit pas tout de suite la jeune femme perchée sur un rocher. Elle était vêtue d'une robe constituée d'une multitude de voiles vert tendre. Ses longs cheveux noirs cascadaient en boucles souples jusqu'à sa taille.

— Qui es-tu ? s'enquit le dragonnier.

— Je ne suis pas censée parler aux étrangers.

— Bon, d'accord. Je m'appelle Nartrach, fils des Chevaliers Falcon et Wanda d'Émeraude. Cela suffit-il pour que tu me révèles ton identité ?

— Je suis Améliane, fille du capitaine Kardey d'Opale et du Chevalier Ariane d'Émeraude.

— Tu es donc une Fée !

— C'est exact. Quelle est cette bête étrange ?

— C'est un dragon.

Le beau visage de la Fée se crispa.

— Il n'est pas dangereux, car je l'ai élevé moi-même. En fait, si tu fais pousser des carottes, il deviendra ton meilleur ami.

— Vraiment ?

Améliane se laissa glisser sur le sol et s'approcha de lui, regardant sa manche vide.

— Pourquoi n'as-tu qu'un seul bras ?

— Un homme-insecte me l'a arraché lorsque je n'avais que trois ans.

— Quand repoussera-t-il ?

— Probablement jamais… même si je croyais le contraire, quand j'étais petit.

— Je connais quelqu'un qui pourrait t'aider.

Nartrach haussa un sourcil avec incrédulité.

– La seule façon de savoir si je dis la vérité, c'est de me suivre, le défia Améliane.

– Nacarat, viens ! ordonna le jeune homme.

À regret, l'énorme animal sortit de l'eau et se secoua, éclaboussant l'humain et la Fée.

10

PEUPLE DES FORÊTS

En rentrant à Émeraude, après la bataille finale au cœur même de l'empire des Tanieths, Nogait remisa ses armes et se laissa cajoler par son épouse qu'il n'avait pas vue très souvent depuis leur mariage. Il profita aussi de ce repos bien mérité pour écouter les propos de Cameron, leur fils de neuf ans, sur les événements qu'il avait manqués au château.

Amayelle attendit quelques mois avant d'annoncer à son mari qu'il était temps pour eux de retourner au Royaume des Elfes.

– Quoi ? s'étonna Nogait. Tu ne m'as jamais parlé de cette condition à notre mariage avant aujourd'hui ?

– Mon père l'a pourtant clairement mentionnée le jour de notre union, *anyeth*.

– Je ne m'en souviens vraiment pas.

– Moi, si. Alors, j'ai fait préparer nos bagages. Nous partons demain.

– Mais que fais-tu de mon confort ? protesta Nogait.

— Insinues-tu que mon peuple sera incapable d'assurer notre bien-être ?

— Bien sûr que non. J'essaie seulement de te dire que je suis habitué à certaines choses que je ne retrouverai pas nécessairement là-bas.

— Comme de la viande, par exemple ?

— Entre autres.

— Les Elfes savent préparer les fruits et les légumes de façon à ce qu'ils comblent tous les besoins nutritionnels de l'organisme.

— Mais je ne suis pas un Elfe.

— Tu apprendras à le devenir, tout comme j'ai fait l'effort de m'adapter à la vie des humains. En d'autres mots, mon cher mari, c'est à ton tour.

Elle retourna à ses tâches dans leurs appartements, le laissant pantois, et n'en reparla pas avant le jour suivant, lorsque toutes leurs affaires furent chargées sur une charrette. Cameron avait fait ses adieux à ses amis Atlance et Fabian en leur promettant de leur rendre visite aussi souvent qu'il le pourrait. Ces derniers l'enviaient de pouvoir partir ainsi à l'aventure dans une autre pays, car le roi, leur père, les gardait jalousement près de lui.

Il était très important pour Nogait de ne pas perdre la face devant tout le monde, alors, il rejoignit sa famille dans la cour. Amayelle était déjà assise sur le banc du charretier. Leur fils se jucha sur les nombreuses malles.

— Tu ne t'attends pas à ce que je conduise les chevaux, tout de même, déclara-t-elle à Nogait.

— Évidemment pas. Je tiens à ce que nous nous rendions à bon port.

Il grimpa près d'elle et secoua les rênes sur le dos des chevaux, qui se mirent en route. Les serviteurs saluèrent la princesse qu'ils connaissaient mieux que le Chevalier jusqu'à ce que les voyageurs quittent l'enceinte.

— C'est de quel côté ? demanda alors Nogait.

Amayelle soupira avec découragement, mais lui pointa tout de même la bonne direction. Après avoir traversé la partie nord du Royaume d'Émeraude et tout le Royaume de Diamant, la famille pénétra dans le Royaume d'Opale où les attendait une délégation d'Elfes. Puisqu'une voiture ne pouvait pas circuler entre les rangées d'arbres de leur pays, on transporta tous les effets des arrivants à pied. Nogait voulut relâcher les chevaux, mais Cameron insista pour leur faire traverser la rivière Mardall à gué, afin de pouvoir les garder.

— On ne sait jamais quand nous en aurons besoin, insista l'enfant.

L'un des Elfes, qui connaissait bien la région, lui fit emmener les chevaux plus loin. Nogait voulut les accompagner, mais Amayelle le rappela aussitôt près d'elle.

— Chez les Elfes, il faut vivre comme les Elfes, le sermonna-t-elle. Il faudra lui accorder beaucoup plus de liberté, à présent.

Toutefois, le Roi Hamil exprima un avis fort différent lors de leur premier repas avec tout le clan. Il avait veillé à ce que sa fille et son mari soient installés dans une grande hutte et leur avait même permis de conserver tous les biens qu'ils avaient acquis à Émeraude. Il attendit que tous aient reçu leur écuelle en bois remplie de légumes odorants avant de prendre la parole.

— Comme vous le savez tous, les dieux ont repris mon fils à la fin de la saison des pluies, commença-t-il.

Les Elfes baissèrent la tête en signe de respect pour le défunt, mais Nogait écarquilla plutôt les yeux, car c'était la première fois qu'il entendait parler de ce décès.

— Les dieux de la rivière l'ont emporté avec eux, car c'était son destin, poursuivit Hamil. Il n'avait pas encore d'enfants, alors je dois donc me tourner vers ma fille afin d'assurer ma succession. À partir de ce jour, je proclame devant mon peuple tout entier que mon petit-fils Cameron sera le prochain Roi des Elfes.

— Mais il a du sang humain ! protesta l'un des conseillers.

— C'est précisément cette particularité qui nous aidera à survivre dans le monde moderne.

Même Amayelle était en état de choc, car son père avait jadis refusé sa main à Nogait justement parce qu'il était humain ! Que s'était-il passé pour qu'il change à ce point ? Elle avait vécu suffisamment longtemps auprès de son peuple pour savoir qu'elle ne devait pas questionner le souverain pendant un repas officiel, alors elle attendit que tous soient rentrés chez eux avant de le retrouver devant la hutte royale.

— Je sais déjà ce que tu vas me demander, la devança Hamil.

— Alors expliquez-moi pourquoi vous venez de balayer du revers de la main l'une de nos plus importantes traditions, insista sa fille.

— J'ai fait de curieux songes ces derniers mois.

Il l'invita à entrer chez lui où la Reine Ama se préparait à se coucher. Amayelle la salua en inclinant la tête et prit place sur le tapis de jonc tressé.

— Tes manières se sont grandement améliorées depuis ton départ, la taquina Hamil.

« Il fait même de l'humour », s'étonna la princesse.

— J'étais jeune et rebelle, s'excusa-t-elle.

Ama ne put retenir un sourire évocateur. Hamil s'installa devant sa fille.

— Parlez-moi de ces songes qui vous ont apparemment ébranlé, le pria Amayelle.

— Un homme m'est apparu à plusieurs reprises pour me dire que les Elfes disparaîtraient de la surface d'Enkidiev s'ils n'acceptaient pas de se mettre en harmonie avec leur nouvelle réalité. J'ai déjà vu le visage de cet homme dans le passé, mais je n'arrive plus à me rappeler qui il est. Ce qui est le plus frappant chez lui, ce sont ses yeux. Ils semblent n'avoir aucune couleur. C'est comme si ses pupilles flottaient au milieu de deux miroirs.

Cette description rappela aussitôt à l'esprit d'Amayelle les traits de Sage, mort à Irianeth peu de temps auparavant. Elle préféra ne pas faire part de ses soupçons au Roi des Elfes avant d'avoir vérifié auprès de son mari l'étendue des pouvoirs de l'hybride.

— Il ne vous a donc fait aucune menace, lui dit-elle plutôt.

— Non et son ton n'était nullement intimidant. Il semblait même se soucier de notre avenir. Ses paroles m'ont beaucoup secoué.

— Je comprends mieux vos intentions, maintenant.

— Tu n'iras pas à l'encontre de ma volonté ?

— Non, père. Je vous laisserai préparer Cameron à son rôle comme bon vous semblera.

— Et s'il s'avérait aussi insoumis que toi ?

— Alors, je m'en mêlerai.

— Mon petit-fils a presque dix ans, Amayelle. Il est temps de m'en donner un autre.

— J'y pensais aussi.

Les efforts du couple pour concevoir un éventuel héritier du trône, au cas où il arriverait malheur à Cameron, aboutirent deux ans plus tard, mais c'est à une fille que la Princesse Amayelle donna naissance. Et chez les Elfes, les femmes ne possédaient aucun pouvoir politique, alors elles ne pouvaient pas gouverner. Il faudrait donc que le roi attende encore dix ans avant d'avoir un second petit-fils.

Amayelle choisit pour son deuxième enfant le prénom de Malika, qui signifiait « immortelle » dans sa langue. Tout comme son frère aîné, la petite afficha des talents magiques dès le berceau, mais, en grandissant, elle devint beaucoup plus puissante que Cameron. À sept ans, elle commandait déjà les éléments.

Si les femmes Elfes n'avaient aucun avenir en tant que chef de clan, en revanche, le domaine de la magie ancestrale leur était strictement réservé. Chaque clan comptait une enchanteresse qui conservait un lien privilégié avec les Anciens d'Osantalt, en plus de veiller à ce que tous les membres de son village soient en parfaite santé et vivent aussi vieux que possible. Amayelle ne fut donc pas surprise de voir arriver Sélène chez elle, car elle surveillait Malika de loin depuis sa naissance.

— Elle a le don, confirma la magicienne en entrant dans sa hutte.

La princesse savait trop bien que sa fille ne connaîtrait jamais une existence normale, ni chez les Elfes, ni chez les humains. La seule façon pour elle d'avoir une vie riche était de devenir enchanteresse. Elle accepta donc que Sélène l'instruise dans les arts des Anciens, mais insista pour que Malika revienne à la maison le soir.

Lorsque vint le temps pour Amayelle d'enfanter une troisième fois, sa fille lui apprit, à son grand étonnement, qu'il existait une méthode pour s'assurer du sexe du bébé. Puisqu'elle désirait concevoir un fils, la Princesse des Elfes se soumit volontiers au premier sortilège jeté seul par Malika. Quel ne fut pas son bonheur, quelques mois plus tard, de mettre au monde un beau petit garçon qui ressemblait à son frère aîné. Ils le prénommèrent Alkar, le glorieux.

Cameron s'était montré plutôt docile durant son adolescence, écoutant les légendes de son peuple et apprenant les rouages du gouvernement elfique, mais, lorsqu'il passa le cap de la vingtaine, une grande nostalgie s'empara de lui. Hamil s'en rendit compte, au bout d'un moment, et voulut savoir ce qui se passait dans son âme. Cameron lui avoua qu'il avait abandonné de bons amis en s'installant chez les Elfes avec ses parents et qu'il ressentait le besoin de les revoir. Son grand-père lui accorda donc la permission de s'absenter de temps à autre, à condition de toujours revenir au pays.

Le Prince des Elfes rendit d'abord visite aux fils du Roi Onyx à Émeraude. Ils étaient tous devenus des adultes, même le petit Maximilien qui avait dix-neuf ans ! Ils échangèrent des confidences autour d'une table, dans une auberge située à quelques lieues du château, en buvant de la bière. Après leur avoir raconté son aventure au pays de ses ancêtres maternels, Cameron écouta les Princes d'Émeraude lui parler de la naissance de leur petite sœur qui monopolisait le peu de temps que leur père arrivait à passer hors de son lit, car son mal s'était aggravé. Ils parlèrent ensuite de l'avenir qu'ils entrevoyaient pour le continent et du rôle qu'ils seraient tous appelés à jouer.

Cameron dormit dans les appartements royaux du Château d'Émeraude et alla chasser avec Fabian le lendemain, car

Atlance, peu habile, était une véritable menace avec une arme dans les mains. Pendant toute une semaine, il s'amusa comme un jeune humain de son âge avant de reprendre le chemin du pays maternel. Plus les mois passèrent, plus il ressentit le besoin de s'évader régulièrement, si bien qu'il finit par emprunter les petites embarcations elfiques pour aller explorer le sud du continent.

Chaque fois qu'il revenait, il semblait emballé de poursuivre son éducation auprès de son grand-père, jusqu'au lendemain de ses vingt-quatre ans. Il s'absenta pendant tout un mois, car s'était rendu jusqu'au Royaume de Zénor. À son retour, sa famille sentit tout de suite qu'il était changé, mais ce fut sa mère qui comprit enfin pourquoi. Elle ne confronta toutefois pas son fils devant les autres et attendit de pouvoir lui parler seule à seul, ce qui se produisit peu de temps après. Elle trouva Cameron dans la forêt, assis sur une grosse pierre, en train de regarder la lune par une trouée dans les hautes branches. Il tenait un petit objet dans la main, mais Amayelle fut incapable de le discerner en raison de la semi-obscurité des lieux. Lorsqu'il aperçut sa mère, le jeune homme fit prestement disparaître son trésor dans sa ceinture.

— Tu veux m'en parler ? demanda Amayelle sur un ton affectueux.

— Je crois que ce sera mieux pour moi. Avec ce pouvoir que possèdent les Elfes de déchiffrer les émotions des autres, vous allez finir par le découvrir de toute façon.

— Es-tu amoureux ?

Le sourire qui illumina le visage de son grand garçon le lui confirma.

– Est-ce une jeune Elfe que tu as rencontrée durant tes nombreux voyages ?

– Non. Elle est humaine et elle n'a même pas de pouvoirs magiques.

L'expression de déplaisir qui se peignit sur le visage d'Amayelle mit immédiatement Cameron en garde.

– Tu as toi-même épousé un humain, se défendit-il.

– Je n'étais pas le prince héritier de tout un royaume. Tu sais aussi bien que moi que les femmes, même de sang royal, ne valent pas grand-chose ici. Ton grand-père est en train de te choisir une épouse parmi l'une des familles les plus anciennes, Cameron.

– Je n'ai pas fait exprès de tomber amoureux, mère, mais je ne peux pas nier mes sentiments.

– Si tu te soucies vraiment de ton peuple, tu l'oublieras et tu feras ton devoir.

– Je ne peux pas croire que ce conseil vienne de vous.

Cameron sauta sur le sol et disparut dans la forêt. S'il avait accepté de gouverner les Elfes à la mort de Hamil, il n'avait certainement pas prévu épouser une princesse pour laquelle il n'éprouvait rien. Les Elfes étaient de très belles femmes, mais dénuées d'émotions. Elles faisaient leur devoir, que cela leur plaise ou non, et ne révélaient jamais le fond de leur pensée. «Je ne veux pas passer toute ma vie avec une épouse qui ne m'aime pas», décida-t-il.

Avant que la nouvelle n'arrive aux oreilles de son grand-père, le jeune homme se faufila jusqu'à la rivière et détacha une yole qu'il poussa silencieusement dans l'eau. Il lui fallait retrouver celle qui faisait battre son cœur et s'assurer qu'elle ressentait la même chose que lui. Ce n'était pas vraiment dangereux de voguer sur les rivières en pleine nuit à l'ouest d'Enkidiev, car les meutes de loups sillonnaient davantage les pays de l'est.

Il tira l'embarcation sur la rive, non loin du Château d'Émeraude, et se rappela les paroles de sa belle. Elle habitait la première ferme sur le chemin qui partait de la forteresse et qui descendait vers le sud. Ses parents n'étaient peut-être pas au courant de leurs rencontres secrètes dans la forêt de Zénor, alors, il jugea plus prudent de ne pas aller frapper à la porte de sa maison. Il marcha dans la nuit, sans se presser, et localisa finalement l'exploitation agricole qu'il cherchait, puis s'enfonça dans la forêt derrière les bâtiments. Grâce à ses sens invisibles, il capta la même énergie qu'il avait extraite du pendentif et la suivit dans le sol jusqu'à une petite clairière. «C'est ici qu'elle aime s'isoler», conclut-il.

Ses longues années au pays des Elfes lui permirent de passer le reste de la nuit en toute sécurité dans un arbre. Le chant du coq le réveilla quelques minutes avant le lever du soleil. La maison de Bergeau commença à s'animer. Des enfants allèrent chercher de l'eau au puits, tandis que d'autres nourrissaient les poulets. Les parents se mirent à faire cuire le pain, et à ouvrir les jarres d'huile et les pots de confiture. Il régnait une joie tangible dans cette famille nombreuse. Lorsque Danitza sortit enfin de la maison, le cœur de Cameron se mit à battre plus fort.

Il assista au repas sans même se sentir tiraillé par la faim. «Mes yeux me procurent tout ce dont j'ai besoin pour survivre», songea-t-il. Il attendit tout l'avant-midi que la jeune femme termine ses corvées. C'est alors qu'elle s'enfonça dans les bois, avec son cahier et sa plume. Elle vint s'asseoir au pied du chêne où Cameron était perché et se mit à écrire. Envoûté, ce dernier observa son travail un long moment avant de descendre de son juchoir. Il se pencha doucement au-dessus de l'épaule de l'écrivaine.

— Suis-je le sujet de ce long paragraphe? chuchota-t-il à son oreille.

Elle sursauta et faillit alerter toute la région par un cri d'effroi, mais Cameron avait prévu le coup et il mit rapidement ses mains sur sa fine bouche. Elle tourna le regard vers son agresseur et le reconnut. Le jeune homme la libéra et lui donna le temps de déposer son matériel sur le sol avant de l'étreindre passionnément.

— Mais que faites-vous ici? demanda-t-elle après plusieurs longs baisers.

— Il fallait que je vous revoie. Ma vie en dépend.

— Vraiment?

– Je meurs un peu plus tous les jours loin de vous, Danitza.

Le visage de sa belle s'assombrit.

– Vous ne m'aimez pas ?

– Au contraire… mais j'étais en train d'écrire un passage sur l'impossibilité d'aimer quelqu'un qui reste à l'autre bout du continent.

– Moi ?

– J'habite Émeraude et vous…

Il s'empara de nouveau de ses lèvres pour ne pas entendre la suite de sa phrase.

– Rien n'est impossible à un cœur qui a trouvé le véritable amour, la corrigea-t-il enfin.

Ils entendirent alors les rires des plus jeunes membres de la famille.

– Venez, murmura Danitza.

Elle rangea ses affaires dans son sac de cuir, passa la bandoulière par-dessus sa tête et prit la main de son beau prétendant. Ils s'enfoncèrent davantage dans la forêt, vers l'ouest.

– Vous connaissez d'autres ruines ? la taquina Cameron.

— Il y a des cercles de pierres un peu partout dans ces bois, mais aussi une chute derrière laquelle nous pourrons nous cacher.

Il se laissa entraîner sur ces terres qu'elle connaissait beaucoup mieux que lui et s'écrasa contre la surface rocheuse de la petite falaise, pour la suivre derrière le rideau liquide. Il dissimulait en effet une petite caverne suffisamment grande pour trois ou quatre personnes. Danitza laissa tomber son sac sur le sol et passa les bras autour du cou de Cameron. Dans la lumière tamisée de la grotte, ils échangèrent des baisers moins pressés et se regardèrent longuement dans les yeux.

— Votre père a-t-il déjà choisi votre futur mari ? s'enquit le jeune homme.

— Ce n'est heureusement pas une coutume dans ma famille. Nous sommes libres d'épouser la personne de notre choix.

— Même un homme aux oreilles pointues ?

Elle repoussa ses mèches brunes pour les contempler.

— Mon père et ma mère ont l'esprit très ouvert.

— Même si notre union devait causer un incident diplomatique ?

— Y a-t-il quelque chose que vous avez oublié de me dire, Cameron ?

— Je suis le prince héritier du Royaume des Elfes.

— Et je ne suis qu'une simple paysanne…

— Ce qui ne m'empêchera pas de demander votre main à votre père, même si cela doit faire de moi un hors-la-loi parmi les miens.

— Vous renonceriez à une vie somptueuse pour moi ?

— À moins que vous me chassiez à tout jamais, à cet instant même.

— Vous chassez ? s'exclama Danitza. Vous êtes l'inspiration de mon nouveau récit !

— Est-ce tout ce que je suis pour vous, un héros de légende qui ne prend vie que par l'encre de votre plume ?

— Jusqu'à ces aveux, je rêvais que vous veniez m'enlever dans mon lit, mais, maintenant, je ne suis pas certaine de vouloir compromettre votre avenir.

— Je marcherai jusqu'à l'océan pour m'y noyer si vous me renvoyez chez moi sans me promettre que je serai votre époux.

— Il faudra que je retienne cette phrase…

— Arrêtez de me traiter comme l'un de vos personnages et regardez dans mon cœur. Votre nom y est gravé.

— Votre déclaration d'amour est très touchante, Prince des Elfes.

– Jurez-moi que c'est moi que vous épouserez et que vous m'aimerez jusqu'à la fin de vos jours.

– Je vous le jure.

Ils s'embrassèrent jusqu'à ce qu'ils entendent les jeunes frères et sœurs de Danitza appeler son nom.

– Je dois y aller, chuchota-t-elle. Rentrez chez vous, Cameron, et revoyons-nous à la fin de la saison, au moment des récoltes.

– Vous pouvez compter sur moi.

– Attendez ici encore quelques minutes. Je vais emmener ces petits curieux ailleurs pour qu'ils ne vous voient pas.

Cameron fit ce qu'elle demandait. Lorsqu'il se risqua hors de sa cachette, il n'y avait plus personne dans les environs. Il revint sur ses pas jusqu'à la rivière Wawki. À sa grande surprise, trois de ses amis Elfes l'y attendaient.

– Te voilà enfin, Cameron, le salua Sakari.

– Vous étiez à ma recherche ? demanda le prince, contrarié.

– C'est le devoir de tout le peuple de te protéger, lui rappela Niilo.

– Le roi m'a pourtant affirmé que je pouvais aller où bon me semble.

– Il est inquiet, Cameron, tenta de l'apaiser Jalmari.

– Je ne suis pas allé explorer le Désert ou les Territoires Inconnus. Je me suis arrêté à Émeraude.

– Il veut savoir ce qui t'y attire, expliqua Sakari.

– Vous ne m'avez pas suivi, au moins.

– Il n'était pas nécessaire de marcher dans ton ombre pour apprendre ce que tu es venu faire ici. N'importe quel Elfe à proximité pouvait ressentir tes élans de tendresse.

– Je n'en vois que trois et ils sont très loin de chez eux, ronchonna Cameron en poussant sa yole à l'eau.

– Tu es notre futur roi.

Cameron cessa de les écouter et s'éloigna d'eux en remontant le courant. Les trois Elfes échangèrent un regard découragé et le suivirent.

11

À TIRE-D'AILE

Kevin et Maïwen furent parmi les derniers à rentrer au château après la guerre. Après les réjouissances organisées par le Roi Onyx, ils avaient pris le chemin de leur ferme. Laissée à l'abandon tandis qu'ils se battaient à l'étranger, tout y était à refaire. Les animaux avaient mangé les fleurs et les plantations, et les oiseaux avaient pris possession de la maison. En apercevant le découragement sur le visage de son époux, la Fée glissa ses doigts entre les siens.

— Nous l'avons mise sur pied une fois, alors nous pouvons le refaire, déclara-t-elle.

Ils commencèrent par nettoyer leur demeure et leurs meubles. Il n'y avait plus rien dans le garde-manger et la saison était plutôt avancée pour trouver des fruits sauvages. Ils se virent donc forcés de demander du secours à leur voisin Bergeau. Ce dernier leur donna volontiers tous les vivres dont ils auraient besoin pour survivre jusqu'à la prochaine saison chaude et plus encore. Il leur promit même de venir les aider à ensemencer leurs champs. Tout ce que Kevin pouvait faire, avant les pluies, c'était de débarrasser la terre des mauvaises herbes et de la retourner.

Le couple profita de son isolement des premiers jours de tempête pour se rapprocher, mais peu importe ses efforts amoureux, il était tout simplement impossible pour un humain et une Fée de concevoir des enfants ensemble. Leur constitution respective était trop différente. Une seule alternative s'offrait à eux : ou bien Kevin acceptait d'être transformé en Fée, ou bien ils choisissaient un père porteur.

— Je t'aime plus que tout au monde, Maïwen, mais j'ai subi suffisamment de transformations physiques durant cette vie. Je n'ai plus envie d'être autre chose qu'un humain.

— Je comprends ce que tu ressens, alors promets-moi que tu ne feras aucune scène de jalousie au Royaume des Fées pendant les quelques semaines où un homme de ma race portera notre enfant.

— Es-tu en train de me dire que tu devras aussi le concevoir avec lui ?

— Non, ce n'est pas ce que j'essaie de t'expliquer, Kevin. Les Fées n'ont pas la même conformation anatomique que les humains. Le bébé est d'abord conçu dans le corps de la femme, puis déplacé lors de relations subséquentes dans le corps de l'homme, qui le porte pendant un certain temps. Dans notre cas, puisque tu n'es pas une Fée, le bébé s'accrocherait en moi et mourrait. Il n'ira que vers un homme-Fée, qui possède ce qu'il faut à l'intérieur de son corps pour le nourrir.

— C'est vraiment compliqué…

— Pas pour nous. Laisse-moi terminer mon explication. Lorsque le fœtus a atteint une certaine taille, le Roi des Fées va le chercher magiquement en passant par le nombril du père. Il a alors la même taille qu'un petit chat naissant et il est tout aussi vulnérable. Les parents doivent alors le nourrir aux deux heures du nectar d'une fleur qui ne pousse que dans mon pays. Puis, au bout de quelques mois, s'il survit, le bébé Fée peut se mettre à manger n'importe quoi.

— Autrement dit, si nous voulons des enfants, nous allons être obligés de passer beaucoup de temps chez les Fées.

— Alors, pourquoi ne pas partir maintenant? Le père pourrait porter le bébé durant la saison des pluies et nous pourrions le récupérer juste avant la saison des semailles.

Kevin, issu d'un peuple qui ne se compliquait jamais la vie, soupira profondément. Il n'avait pas vraiment le choix. Ils se mirent donc en route pour le Royaume des Fées et entreprirent de trouver un homme-Fée qui accepterait de porter leurs enfants. Maïwen était très jeune lorsqu'elle quitta son pays, alors elle n'avait pas eu le temps de forger des liens avec ses semblables. Heureusement, Éliane était retournée vivre parmi les siens et connaissait presque tous les habitants du royaume. Elle lui conseilla évidemment de choisir un célibataire plutôt qu'un homme marié, pour éviter les crises de jalousie.

Maïwen passa tous les candidats en revue avant de se fixer sur Oli, un harpiste de grand talent, qui ne s'était jamais attaché à personne. Il avait les cheveux dorés et des yeux turquoise hypnotiques. Leurs moments intimes furent plutôt courts, mais Maïwen rougit en pensant que si un jour son mari devait mourir, elle irait sûrement se consoler dans les bras d'Oli. Le couple fit appel à ce dernier deux fois de suite et mena à terme deux magnifiques petites filles blondes qui furent prénommées Maiia et Opaline.

Quelques années passèrent, et la ferme de Kevin devint l'une des plus multicolores d'Émeraude. Tandis que le Chevalier cultivait des légumes et des fruits pour assurer la subsistance de sa famille, sa femme et ses filles faisaient pousser des fleurs absolument partout. Au contact des petites, Maïwen oubliait qu'elle avait été soldat et redevenait une Fée insouciante. Elle gambadait avec elles autour de la maison et participait à leurs créations de plus en plus colorées en les instruisant sur la nature, les animaux et les étoiles. Elle ne leur racontait pas d'histoires de guerre, car elle était persuadée qu'il n'y en aurait plus jamais à Enkidiev.

Petit à petit, Kevin s'était réconcilié avec la partie humaine de son âme. Du sang d'insecte avait si longtemps circulé dans ses veines qu'il avait été difficile pour lui de modifier son comportement animal. Malgré leur jeune âge, ses filles l'avaient harcelé jusqu'à ce qu'il arrête de chasser et qu'il adopte une alimentation végétarienne. Il avait cédé devant leur insistance et avait remarqué avec satisfaction qu'il s'en portait beaucoup mieux.

Le Royaume des Elfes ne se situait qu'à quelques jours à cheval du Royaume d'Émeraude. Alors, au moins deux fois par année, Kevin emmenait sa famille chez son ami Nogait. Le couple de Chevaliers était toujours bien reçu par le peuple de la forêt, car ils étaient les héros de la dernière guerre contre les insectes. Ils passaient plusieurs jours chez les Elfes, puis revenaient à la maison, contents d'avoir vécu une autre belle aventure en famille. Ces fréquents séjours avaient permis à la fille de Nogait et à celles de Kevin de tisser une belle amitié. Chaque fois qu'elles se fréquentaient, elles échafaudaient des plans d'avenir ensemble, mais ces derniers ne devinrent plus sérieux que lorsque Malika et Maiia fêtèrent leurs treize ans.

Il ne restait que quelques jours avant le début de la saison des pluies quand Kevin, Maïwen est les petites arrivèrent enfin dans la clairière où Nogait et Amayelle habitaient avec leurs enfants. Un feu magique brûlait devant leur hutte, car les Elfes respectaient beaucoup trop les arbres pour les réduire en cendres. Malgré leur nature surnaturelle, les flammes émettaient tout de même une bienfaisante chaleur qui chassait l'humidité. Maiia et Opaline, respectivement âgées de treize et douze ans, descendirent du cheval qu'elles partageaient et allèrent étreindre leur amie Malika et son petit frère Alkar, qui n'avait que deux ans. Elles avaient évidemment tourmenté leurs parents pour avoir un petit frère, elles aussi, mais Kevin voulait attendre quelques années avant de revoir un homme porter l'un de ses enfants.

– J'ai quelque chose à vous montrer ! lança Malika.

– Ne vous éloignez pas, les filles, les avertit Amayelle, qui préparait le repas du soir.

– Je les emmène seulement à mon étang, mère.

Elles s'enfoncèrent dans la forêt en courant, comme des dryades.

– Je me demande bien ce qu'elles se disent lorsqu'elles s'isolent ainsi, s'inquiéta Nogait.

— Elles ne se sont pas vues depuis des mois, alors elles se racontent probablement tout ce qui s'est passé depuis leur dernière rencontre, avança Maïwen.

— Il est bien connu que les Fées et les Elfes ont beaucoup de points en commun, ajouta Amayelle. Je crois qu'elles sont en train de les explorer, instinctivement.

— Ce qu'elles se confient ne nous regarde pas, fit remarquer Kevin en s'appuyant le dos à un arbre. Ce sont des affaires de filles.

Pendant que leurs parents tentaient de comprendre leur puissante amitié, les trois filles atteignirent un endroit dans la forêt où un étang limpide s'était formé sur le parcours d'un ruisseau. De l'autre côté du petit lac, un héron releva la tête et examina les nouvelles venues. Il demeura parfaitement immobile jusqu'à ce que les deux Fées et l'Elfe se débarrassent de leurs vêtements et sautent dans l'eau. Jugeant plus prudent de revenir plus tard, il déploya ses ailes et s'envola vers la cime des arbres.

— L'eau est toujours plus froide ici que chez nous, grelotta Opaline.

— C'est normal, puisque le Royaume des Elfes est plus au nord que le Royaume d'Émeraude, lui expliqua Malika. Mais sa particularité la plus frappante, c'est qu'elle est magique.

— Pourquoi ?

— Il y a fort longtemps, nos ancêtres ont jeté un sort aux plans d'eau des terres où ils avaient choisi de s'établir.

— Un bon sort ? s'inquiéta la plus jeune.

— Penses-tu que Malika nous ferait plonger dans un étang maléfique ? la taquina Maiia.

— Mais que nous arrivera-t-il maintenant que nous y sommes ?

— Cette eau va renforcer vos talents naturels d'enchanteresses, leur apprit la jeune Elfe.

— Est-ce une bonne chose ? se troubla Opaline.

— C'est une excellente chose.

Elles nagèrent en rond, puis poursuivirent de petites grenouilles sous l'eau et, finalement, allèrent se sécher sur de grandes pierres plates, avant que leurs parents ne les rappellent auprès d'eux.

— Ce soir, c'est l'*aequinox*, chuchota Malika pour que seules ses amies l'entendent. Habituellement, vous êtes toujours reparties lors de cet important moment de l'année. Mais cette fois-ci, je vais pouvoir vous initier.

— Tu vas nous changer en Elfes ? demanda Opaline.

— Moi, j'aimerais ça, avoua Maiia.

— Votre transformation ne sera pas physique, assura Malika. Surtout, n'en parlez pas à vos parents, sinon ils nous empêcheraient de sortir, cette nuit.

Plus craintive que son aînée, Opaline n'aimait pas l'idée de quitter la sécurité de la hutte d'amis pour aller se balader dans la forêt, mais puisque sa sœur n'y voyait pas d'objection, elle ne leur fit pas part de ses réticences.

Pour ne pas éveiller les soupçons de leurs parents, les trois amies reprirent le chemin de la maison. Elles arrivèrent devant le feu au moment même où leurs mères commençaient à servir les jardinières de légumes. Elles prirent place avec les adultes et mangèrent en écoutant leur conversation qui, immanquablement, tournait autour des récoltes et le temps morne qui allait bientôt s'abattre sur la région.

Lorsque l'obscurité enveloppa la forêt, tous se retirèrent dans leur hutte. Maiia fit semblant de dormir, mais elle avait l'oreille tendue, épiant la respiration de ses parents. Lorsqu'elle fut bien certaine qu'ils avaient sombré dans le sommeil, elle secoua doucement sa petite sœur, s'empara de leur tunique et se faufila dehors. Les jeunes Fées enfilèrent leurs vêtements en frissonnant. Les forêts des Elfes étaient particulièrement froides, la nuit. Quelques secondes plus tard, Malika les rejoignit et leur remit des capes d'un tissu très mince, mais qui protégeait bien du vent.

– Suivez-moi, leur dit-elle, tout bas.

Si Opaline était angoissée à l'idée de participer à une cérémonie secrète en pleine obscurité, Maiia, elle, trépignait d'impatience. Toute sa vie, sa mère lui avait répété que les Fées étaient magiques, mais tout ce qu'elle lui avait enseigné, c'était à faire pousser les fleurs qui apparaissaient dans son imagination.

Elles n'empruntèrent pas le sentier qui menait à l'étang, mais s'enfoncèrent dans une partie de la forêt que les Elfes ne fréquentaient pas, car elle cachait un ancien cercle de pierres, qui avait été érigé bien avant leur arrivée à Enkidiev. Très sensibles, les descendants d'Osantalt percevaient l'énergie qui continuait de circuler entre les pierres et ils s'en méfiaient. Seule l'enchanteresse du village s'y rendait souvent pour renforcer ses pouvoirs.

— J'ai déjà vu des pierres semblables à Émeraude, chuchota Maiia lorsque les filles arrivèrent en vue du cromlech.

— Il y en a partout, l'informa Malika.

— Appartiennent-elles aux Elfes ?

— Non. On dit qu'elles ont été dressées par les Enkievs.

— Où habitent-ils ? demanda innocemment Opaline.

— Dans la Forêt Interdite. Mais, autrefois, ils vivaient partout sur le continent. Maintenant, assez de questions. Nous n'avons pas beaucoup de temps.

Malika prit les mains de ses amies Fées et les entraîna au milieu du monument mégalithique.

— Je sens comme un vent qui tourne autour de nous, remarqua Maiia.

— Nous ignorons si les Anciens ont édifié cette structure sur un point d'énergie ou si ce sont eux qui ont insufflé cette magie dans les pierres, relata Malika. Tout ce que nous savons, c'est que cet endroit accroît les facultés surnaturelles à certains moments de l'année.

— Comme ce soir ?

Entre deux menhirs, dissimulée par la noirceur, Sélène, l'enchanteresse du village, observait les filles avec satisfaction. Elle enseignait depuis longtemps son savoir à la jeune Malika, mais ce qu'elle voulait voir se développer chez elle, c'étaient son sens de l'initiative et son intelligence. Sélène ne connaissait pas l'effet de ces cercles sur les Fées, mais elle était sur le point de le découvrir.

Malika fit mettre Maiia et Opaline à genoux de façon à ce qu'elles forment toutes les trois un triangle, puis fit apparaître une petite étoile qu'elle déposa sur le sol au milieu de la figure géométrique.

— À partir de cette nuit, nous partagerons un lien que rien ni personne ne pourra jamais dissoudre, poursuivit la jeune Elfe.

— Comme celui des sœurs ? voulut savoir Maiia.

— Plus inébranlable encore. Nos destins seront liés à jamais.

— Même si nous habitons très loin de toi ? demanda Opaline.

— Même si vous habitiez sur Irianeth.

Les petites Fées n'en avaient jamais entendu parler, mais elles se doutèrent que c'était beaucoup plus loin qu'Émeraude.

– Lorsque vous sortirez de ce cercle, vous ne serez jamais plus les mêmes.

Opaline avala de travers.

– Tenons-nous par la main.

La puissance du vortex se manifesta aussitôt. Un vent s'éleva autour des fillettes, faisant voler leurs longues chevelures blondes vers le ciel.

– Sommes-nous en danger ? s'agita Opaline.

– Pas du tout, tenta de la rassurer Malika. Laissez l'énergie pénétrer votre corps et vous rendre aussi lumineuses que les étoiles.

Opaline serra très fort les doigts de sa sœur.

– N'aie pas peur, lui sourit Maiia.

– Dieux et déesses, vous qui avez créé l'univers, écoutez-moi ! les invoqua l'Elfe. Nos cœurs et nos intentions sont purs. Tout ce que nous désirons, c'est de protéger à jamais la paix qui règne en ce moment dans notre monde.

Des voix se mirent à murmurer autour d'elles dans une langue qu'elles ne connaissaient pas.

– Aidez-nous à comprendre vos paroles, implora Malika.

Opaline voulut lâcher les mains de ses compagnes, mais elles étaient soudées ensemble par une force inconnue.

– Tiens bon, Opaline ! l'encouragea sa sœur.

Un banc de brouillard se forma à l'extérieur du cromlech, le rendant invisible au reste du monde. Tout autour de la petite étoile brillante, la terre s'illumina de l'intérieur et la lueur se propagea graduellement pour combler tout le cercle. Lorsqu'elle atteignit les genoux des fillettes, elles ressentirent une grande chaleur les envahir. Un craquement sourd signala une nouvelle phase du phénomène. Tout le cercle rocheux sembla s'élever dans les airs. Malika vit les arbres devenir de plus en plus petits entre les menhirs, puis le cromlech se mit à tourner sur lui-même et les voix des Enkievs devinrent de plus en plus fortes. Un éclair fulgurant illumina la nuit, arrachant un cri de terreur à Opaline. Il fut aussitôt suivie d'un retentissant coup de tonnerre. Les trois petites magiciennes perdirent instantanément connaissance.

Lorsqu'elle revint à elle, Maiia battit des paupières pour protéger ses yeux de la lumière du soleil. Elle se redressa d'abord sur ses coudes. Tout son corps la faisait souffrir. Sa petite sœur et son amie Elfe étaient couchées sur le sol à l'endroit où elles s'étaient agenouillées avant de s'évanouir. Maiia se traîna jusqu'à sa sœur et la secoua pour qu'elle ouvre les yeux.

– Opaline, est-ce que ça va ?

– J'ai mal à la tête…

Elle réveilla aussi Malika, qui eut peine à s'asseoir.

– Que s'est-il passé ? demanda Maiia.

– Je crois que tout a bien fonctionné, finalement, répondit l'Elfe.

– Nous étions censées défaillir ?

– La quantité de pouvoirs que nous avons reçue était immense, Maiia. Nous n'avons pas la constitution des adultes, alors, elle nous a secouées.

Opaline parvint à se mettre debout, malgré ses jambes chancelantes. Elle tourna lentement sur elle-même en fronçant les sourcils. Quelque chose avait changé, et ce n'était pas à l'intérieur de son corps.

– Où sommes-nous ? se troubla-t-elle.

Les aînées se levèrent à leur tour et constatèrent aussitôt qu'il n'y avait plus d'arbres derrière les pierres gigantesques. On y voyait le ciel tout bleu ! Malika s'approcha prudemment du bord du cercle et découvrit que le cromlech était juché sur une falaise. Il surplombait une immense forêt qui n'était pas celle des Elfes.

– Je n'en sais rien…, bafouilla-t-elle.

– Je veux voir maman, pleura Opaline.

– Ça ne sert à rien de paniquer, se reprit Malika. Nous sommes désormais de redoutables enchanteresses.

– De quelle façon devons-nous utiliser nos pouvoirs pour comprendre où nous sommes ?

– *En unissant vos forces,* chuchota une voix.

Les fillettes firent volte-face, mais elles étaient seules dans le cercle de pierres. Opaline s'accrocha à la main de sa sœur, en déplorant de ne pas encore avoir d'ailes.

– Qui êtes-vous ? demanda bravement Malika.

– *Je veille sur les femmes et les petites filles magiques.*

– Montrez-vous.

Un harfang des neiges immaculé se posa sur l'un des menhirs.

– C'est un oiseau ? s'étonna Opaline.

Le rapace déploya ses larges ailes et se laissa tomber dans le vide. En touchant le sol, ses serres se transformèrent en pieds nus. Le corps du harfang se mit à grandir et se métamorphosa en une femme vêtue d'une tunique recouverte de plumes blanches et de petits diamants. Elle referma ses ailes dans son dos et s'approcha des enfants. Instinctivement, les trois filles reculèrent d'un seul bloc, jusqu'à ce qu'Opaline se sente écrasée contre l'une des grosses pierres.

– *Vous m'avez demandé d'insuffler ma magie dans vos cœurs et, maintenant, vous me craignez ?* s'étonna l'apparition céleste.

– Nous ne savons pas qui vous êtes, avoua Malika.

– *Je suis Orlare, fille de Lycaon.*

Malika avait appris beaucoup de choses auprès de Sélène, mais jamais elle n'avait mentionné ces noms.

— *Ne connaissez-vous pas vos dieux ?*

— Seulement Parandar et Vinbieth, bredouilla Opaline.

— *Les ghariyals, donc.*

Les fillettes haussèrent les épaules pour signifier qu'elles n'en savaient rien.

— *Ils ont la fâcheuse habitude de ne révéler à leurs créatures que la moitié de toute l'information. Mais maintenant que vous avez manifesté votre dévotion aux aucellus, vous êtes en droit de tout savoir.*

— Nous ne sommes que des enfants, se risqua Maiia.

— *Aux yeux des mortels, mais pas aux nôtres. L'âme n'a pas d'âge, mes poussins. Je ferai jaillir dans vos esprits la lumière de la vérité.*

— Est-ce que ce doit obligatoirement être aujourd'hui ? gémit Opaline. Parce que nos parents doivent être très inquiets en ce moment.

— *Les dieux ne sont pas insensibles aux besoins de leurs serviteurs, alors soit. Je reviendrai vers vous en d'autres circonstances. Mais sachez, dès maintenant, que je serai toujours avec vous.*

La divinité reprit son apparence de rapace et s'envola en poussant un cri aigu. Elle n'avait pas atteint le sommet des menhirs qu'elle se dématérialisa.

– Ils ne nous croiront jamais, s'étrangla Maiia, au bord de la panique.

Maiia! Opaline! les appelèrent Maïwen et Kevin par télépathie. Malika reçut le même appel de la part non seulement de Nogait et d'Amayelle, mais de tout le peuple des Elfes.

Nous ne savons pas où nous sommes, maman! répondit aussitôt Opaline.

Cessez de vous inquiéter, elles sont à Turquoise, se fit entendre une voix d'homme que les petites Fées ne reconnurent pas. Les parents le sommèrent aussitôt de s'identifier. *Lorsque nous étions en guerre, nous arrivions pourtant à tous nous reconnaître,* répondit le Chevalier. *Hettrick?* se risqua Nogait. *C'est exact. J'habite non loin d'un cercle de pierres très ancien, où se trouvent actuellement trois petites filles blondes qui ne devraient pas y être.*

Comment se sont-elles rendues à Turquoise en une seule nuit? s'étonna Kevin. *Il y a eu beaucoup d'activité lumineuse sur la falaise cette nuit,* expliqua Hettrick, *et puisque, contrairement à la majorité des Turquais, je ne suis pas superstitieux, je me suis mis en route pour faire ma propre enquête.*

Il offrit de ramener les filles chez lui, sur les berges de la rivière Wawki, en attendant qu'on vienne les chercher. Les Elfes mirent aussitôt leurs yoles à l'eau afin de guider les parents empressés de retrouver leur progéniture. Même en profitant du courant des rivières Mardall et Wawki, ils n'arrivèrent à la chaumière de leur sauveteur que deux jours plus tard. Les petites Fées sautèrent au cou de Maïwen qui les serra très fort dans ses bras. Plus réservée, Malika baissa la tête en se présentant devant son père et sa mère.

— Tout ceci est ma faute, avoua-t-elle.

— Qu'as-tu fait ? demanda son père, sur un ton autoritaire.

— J'ai utilisé ma magie.

— Nous en reparlerons à la maison, trancha Amayelle qui n'aimait pas régler ses affaires de famille devant tout le monde.

Les deux couples remercièrent Hettrick avec effusion d'avoir secouru leurs enfants, puis ils remontèrent dans les embarcations. Le retour vers le nord requit plus de temps, car ils naviguaient à contre-courant. Ils s'arrêtèrent d'abord à Émeraude pour laisser débarquer la famille de Kevin et en profitèrent pour se délier les jambes. Malika fit ses adieux à ses jeunes amies. Elle tendit la main, et Maiia et Opaline mirent les leurs par-dessus. De minces filaments d'énergie jaillirent du bout de leurs doigts, s'enroulèrent autour de leurs poignets et disparurent dans leurs bras. Heureusement, les adultes ne furent pas témoins de la scène.

— Nous sommes unies pour la vie, murmura la jeune Elfe.

— Je sais…, répondit Maiia avec un sourire complice.

Malika rejoignit ses parents qui remontaient dans la yole et agita la main pour dire au revoir aux petites Fées. Elle demeura silencieuse pendant tout le reste du voyage, évitant le regard sévère de sa mère. Ce n'est qu'une fois de retour au village des Elfes qu'Amayelle lui témoigna son déplaisir.

– Tu as mis la vie de ces enfants en grand danger, lui reprocha-t-elle.

– C'était un jeu, mère. Je ne savais pas ce qui allait se passer.

La fillette lui expliqua qu'elles étaient entrées dans le cromlech pour tenter d'imaginer ce que les Enkievs y faisaient, jadis.

– J'ignore comment nous nous sommes retrouvées ailleurs…

– Je ne veux plus que tu t'approches de ces pierres, l'avertit Amayelle. Est-ce que je me fais bien comprendre ?

– Parfaitement bien.

– Si tu me désobéis, je t'interdirai la magie à tout jamais.

Elle lui donna la permission de quitter la hutte, à condition de rester dans les environs. Malika ne se le fit pas dire deux fois. Elle courut jusqu'à son étang qui lui apportait toujours beaucoup de réconfort. Sélène se tenait debout entre les branches du saule pleureur.

– Je suis très fière de toi, déclara-t-elle.

Elle tourna les talons et disparut dans la forêt. « Quelqu'un apprécie mes efforts au moins », se consola Malika en s'allongeant sur la mousse.

12

L'AUGURE

Comme beaucoup de Chevaliers, Mann ne savait pas très bien ce qu'il allait devenir après la guerre. Toute sa vie, il avait manié les armes et repoussé l'envahisseur. À son retour au Château d'Émeraude, il avait longuement réfléchi à ses talents et à ses préférences. Il avait une très belle voix, possédait suffisamment de vocabulaire pour écrire de touchants poèmes et jouait de la harpe avec beaucoup de sensibilité. Tout comme Santo, ses mains semblaient dotées d'un pouvoir de guérison supérieur à celui de ses compagnons magiciens. Alors, il décida de devenir lui aussi guérisseur, mais au lieu de parcourir le pays pour prodiguer ses soins à ceux qui en avaient besoin, il décida de se spécialiser dans le traitement des maladies par les plantes. Il se rappelait avoir vu quelques traités sur le sujet dans la grande bibliothèque d'Émeraude et se mit à leur recherche. Heureusement pour lui, Hadrian d'Argent avait entrepris de cataloguer tous les ouvrages, alors durant les deux premières années, il assista l'ancien roi dans cette tâche titanesque.

Mann fut bien heureux, lorsque la classification fut enfin terminée, de découvrir une bonne vingtaine de documents sur les effets miraculeux des plantes. Il étudia donc tous ces livres, afin d'en faire une synthèse qui lui permettrait de trouver facilement les végétaux qui poussaient à Enkidiev. Quant aux autres, il les noterait dans une section distincte et partirait certainement un jour à leur recherche.

Un soir qu'il travaillait très tard à la bibliothèque, il entendit le bruit sourd d'un objet qui venait de tomber sur le plancher. Intrigué, il marcha le long des sections de bois et aperçut un petit livre à terre. Il le ramassa en se demandant comment il avait réussi à se dégager des autres. Pourtant, il n'y avait aucun espace dans l'étagère de laquelle il semblait s'être libéré. Mann regarda au plafond et ne vit pas de trou où il aurait pu passer. «Les souris, peut-être ?» songea-t-il.

Cette partie de la bibliothèque contenait les ouvrages impossibles à classer, car ils étaient écrits dans des langues inconnues, même du grand érudit qu'était Hadrian. Au lieu de remettre le livre avec les autres, Mann l'emporta à sa table de travail et l'examina à la lueur des chandelles. Il était très vieux, semblait traiter de magie et ses pages minces allaient bientôt s'effriter. On y voyait à peine l'écriture à l'encre ocre. Le Chevalier le déposa près de lui et poursuivit son travail encore quelques heures, puis alla le reporter dans sa section en même temps qu'il rangeait les autres ouvrages qu'il avait empruntés. C'est alors qu'une feuille pliée en deux se détacha et tomba sur le sol.

«Décidément, tu as quelque chose à me dire, toi», pensa Mann en dépliant le papier ancien. Il y trouva, sur une moitié, un plan avec quelques mots et, sur l'autre, un dessin du château ! «Mais si la forteresse existait déjà, ce livre ne devrait pas être écrit dans une langue que personne ne peut lire», raisonna-t-il. «À moins que ce plan n'y ait été glissé que plus tard…». Mann replaça le vieux grimoire parmi les autres, mais conserva le plan.

Il n'étudia sérieusement les croquis que quelques jours plus tard et comprit qu'ils représentaient la même chose. Il déchira la feuille en deux et mit les deux plans l'un sur l'autre. En les observant devant une chandelle, il découvrit que le premier représentait le sous-sol du château. Incapable de déchiffrer cette langue, il ne pouvait pas savoir où menait toutes les petites flèches, alors, il décida de mener sa propre enquête à la première heure, le lendemain.

Plusieurs entrées secrètes conduisaient au soubassement, mais depuis que Kevin s'y était perdu, plus personne ne voulait les utiliser. Il y en avait une autre dans la tour qu'habitait jadis Farrell et où le magicien Hawke donnait maintenant ses cours de magie, l'autre tour lui servant d'habitation pour sa famille. Il était également possible d'y accéder à partir des catacombes, par une porte sous le grand escalier.

Sans parler à personne de son projet, car il ne voulait surtout pas qu'on se moque de lui si cette carte menait tout droit à des ossements, Mann se munit d'un flambeau et descendit dans les entrailles du palais. Il n'aimait pas particulièrement l'odeur de la mort et préférait de loin celle de la vie, mais il n'avait pas le choix. Pour atteindre la porte qui se trouvait au bout d'un long couloir, il devait passer par une section où se trouvaient les sépultures. Il ralentit le pas sur les dernières marches. Cet homme, qui avait combattu des centaines de créatures monstrueuses durant sa vie de soldat, entendit son cœur battre à tout rompre lorsque la lumière de sa torche éclaira les caveaux funéraires. Tous les monarques d'Émeraude reposaient sous le château. La généalogie découverte par Hadrian dans le fouillis de la bibliothèque révélait qu'il y en avait eu quinze.

Il obliqua immédiatement dans le corridor qui partait en direction opposée. Soudain, à sa droite s'ouvrit une grande salle qui, selon le plan, se situait directement sous le hall des Chevaliers. C'était à cet endroit que conduisaient les flèches. Il y entra en se demandant à quoi il avait bien pu servir autrefois, car, aujourd'hui, il ne contenait ni meuble ni artefact. Il y avait par contre sur les murs d'anciens crochets qui avaient soutenu des flambeaux, prouvant que la salle avait bel et bien eu une utilité.

Mann consulta encore une fois le dessin. Le petit «x» indiquait un emplacement directement devant lui. Il avança donc lentement en promenant la torche de gauche à droite pour voir où l'emmenait la petite carte. Il n'y avait qu'un mur! Ce qu'il cherchait se trouvait légèrement à droite du centre. Peut-être y avait-il une ouverture quelque part. Il scruta donc la surface et remarqua de fines lignes creusées dans la pierre. «C'est là!» se réjouit-il. Il ne s'agissait pas d'un huis par lequel pouvait passer un homme, mais plutôt d'une petite porte derrière laquelle on aurait plutôt caché un trésor.

Il retira son poignard de l'étui qui pendait à sa ceinture et fit pénétrer la lame dans un interstice. Avec douceur, il fit suffisamment avancer la fausse pierre pour pouvoir ensuite la saisir avec ses mains. Il s'étonna de sa lourdeur, car elle avait à peine la taille d'un gros livre, mais en la déposant sur le sol, il constata qu'elle avait été recouverte d'un autre matériau grisâtre. Il éclaira ensuite l'intérieur de la cavité, elle aussi tapissée de la même pierre inconnue. Au centre reposait un coffret de porphyre. D'une main tremblante, il s'en empara et recula de quelques pas. Il avait trouvé son trésor!

Mann s'assit en tailleur sur le sol froid et déposa le flambeau ainsi que la petite boîte rouge foncé. Pourquoi quelqu'un l'avait-il enfermée là avec autant de précaution. Était-ce le revêtement étrange de sa cachette qui avait empêché les Chevaliers de capter sa présence sous leurs pieds chaque fois qu'ils se réunissaient dans le hall ? Sa curiosité l'emporta et il souleva le couvercle. Un vent glacé s'échappa du coffret, frappant Mann en plein visage. Il se mit aussitôt à tousser violemment.

— *Ce pouvoir ne sera jamais octroyé à un homme !* résonna une voix masculine dans la grande pièce.

Le Chevalier s'empara de la torche pour voir qui l'avait surpris et constata avec stupeur qu'il ne s'agissait pas de l'un de ses compagnons. Le corps de celui qui se trouvait devant lui était transparent comme une aile de libellule. De grande taille, il portait une tunique ornée de pierres scintillantes et un diadème ceignait son front.

— Qui êtes-vous ? lui demanda Mann.

— *Les sorciers n'ont pas leur place dans mon royaume !* poursuivit l'apparition sans même jeter un regard sur le Chevalier.

— Quels sorciers ?

— *Vous serez dépossédé et votre savoir sera enfermé à tout jamais par mon magicien sous mon château ! Par tous les pouvoirs que me confère mon titre, moi, Lynotrach, Roi d'Émeraude, je vous condamne à l'exil !*

Mann comprit alors qu'il ne s'adressait pas à lui. Ce qui se jouait sous ses yeux était une scène du passé. Il se contenta donc d'écouter les propos du souverain afin d'en apprendre davantage sur le contenu de la boîte.

– *Faites, Anthel !*

Un autre homme apparut près de Lynotrach, probablement le magicien. Il prononça des mots dans une langue inconnue, avec un air menaçant sur le visage. Mann sentit alors une douleur foudroyante dans son abdomen, comme si on venait d'y enfoncer la lame d'une épée. Il poussa un cri de terreur et tomba sur ses genoux. La torche lui échappa et roula sur le plancher où elle finit par s'éteindre. Cela ne fit nullement disparaître les inquiétants personnages. Le mage poursuivit son incantation, causant de plus en plus de souffrances au Chevalier. Puis, ce fut le noir.

Mann continua de souffrir, agenouillé dans l'obscurité. Comme si cela ne suffisait pas, une étrange lumière bleue se mit à circuler sous sa peau. Partant de ses doigts, elle remonta le long de ses bras. « Mais qu'est-ce qui m'arrive ? » paniqua-t-il. Lorsque l'énergie atteignit son cœur, son malaise s'intensifia et il crut qu'il allait mourir. Il s'effondra sur le sol, sans pouvoir retenir sa chute. Il allait finir sa vie dans les entrailles de la forteresse et personne ne saurait jamais ce qui lui était arrivé. Le sortilège jeté par l'ancien magicien d'Émeraude était si puissant qu'il avait traversé le temps pour s'attaquer à celui qui avait ouvert le coffret maudit.

De la lumière dansa sur le mur devant lui, et il comprit qu'elle émanait d'un flambeau transporté par une femme

Chevalier. Secoué par d'incontrôlables convulsions et les yeux embués de larmes, Mann ne reconnut pas le visage de Wanda. Il sentit ses mains glacées sur ses joues et craignit que la malédiction qui venait de s'abattre sur lui ne la contamine. Il l'avertit de ne pas le toucher, mais elle persista à vouloir le soigner. Lorsqu'elle alluma ses paumes, il comprit que c'était l'une de ses sœurs d'armes. Mann avait fait le serment de protéger le continent, ses habitants et surtout ses compagnons d'armes contre tout danger pouvant les menacer. Il n'allait certainement pas entraîner sa bienfaitrice dans son malheur.

Il rassembla tout ce qui lui restait de force et bondit vers la sortie de la salle qu'il pouvait maintenant percevoir à la lueur de la flamme. Il ne sut pas si la femme Chevalier l'avait poursuivi, car il ne se retourna pas une seule fois. Il courut dans le couloir, trébucha dans les marches qui se trouvaient à son extrémité, puis les grimpa presque à quatre pattes pour aboutir dehors. L'éclat du soleil l'aveugla, mais il continua de courir, se heurtant aux arbres et aux buissons. Ses yeux s'habituèrent graduellement à la luminosité, mais il ne s'arrêta pas pour autant. Il était important qu'il s'éloigne aussi loin que possible du Château d'Émeraude et de ses camarades pour ne pas leur transmettre cette douleur qui ravageait tout son corps.

L'obscurité du soir commençait à envahir le continent lorsqu'il tomba la tête la première dans l'herbe haute, à bout de force. N'ayant rencontré aucun cours d'eau sur sa route, il avait terriblement soif. Il demeura immobile un long moment, à se demander ce qu'il adviendrait de lui. La terrible malédiction mourrait-elle en même temps que lui ? Ses paupières devinrent de plus en plus lourdes et il sombra dans le sommeil.

Lorsqu'il revint finalement à lui, il était allongé sur un lit, dans une petite demeure en bois. Un peu plus loin, un homme lui tournait le dos. Il s'affairait devant une étroite table. Mann ne pouvait pas voir ce qu'il faisait.

– À boire, implora le pauvre homme.

L'étranger s'empara d'une gourde de peau et accourut à son chevet. Assoiffé, Mann lui arracha le récipient des mains et se mit à boire sans pouvoir s'arrêter.

– Doucement, lui recommanda l'homme.

Mann vida la gourde et se mit à haleter après cet effort.

– Tu dois avoir faim.

– Kerns ? le reconnut finalement Mann.

– Le seul et unique.

Le Chevalier aux yeux bridés s'assit sur le lit, près de lui.

– Raconte-moi ce qui t'est arrivé, Mann.

Son frère d'armes lui relata son aventure dans les moindres détails.

– J'ai été stupide de ne pas vous consulter avant de me lancer à la recherche de ce coffre.

– Je pense que nous sommes tous en train de perdre l'habitude de travailler en équipe, et ce n'est pas une bonne chose.

— Il n'y a plus beaucoup de Chevaliers à Émeraude, et la plupart de ceux qui ont décidé d'y rester habitent des fermes.

— À mon avis, ta découverte nous aurait permis de nous réunir encore une fois pour élucider le mystère.

— Je n'y ai même pas songé...

Libéré de la douleur intense, Mann parvint à se redresser dans le lit.

— Comment suis-je arrivé jusqu'ici ?

— Je t'ai hissé sur ma selle et j'ai fait marcher mon cheval jusque chez moi. Comme tous les Chevaliers, j'ai reçu le message de Jenifael qui te cherchait, alors j'ai sillonné la frontière entre Jade et Émeraude en espérant que tu te sois dirigé de ce côté. Tu as parcouru un sacré bout de chemin, mon frère, si on tient compte que tu t'es enfui ce matin.

— Rien n'est très clair dans mon esprit, en ce moment.

— Ressens-tu encore de la douleur ? s'inquiéta Kerns.

— J'ai des courbatures partout.

— Je vais les faire disparaître.

— Non, Kerns. S'il se cache quelque mystérieuse force en moi, je veux en être la seule victime. D'ailleurs, je ne resterai pas longtemps chez toi, pour la même raison.

— Je respecterai ta volonté, mais, après t'avoir nourri, je te ferai part d'une idée qui a germé dans mon esprit.

— Une idée qui vient de toi, c'est toujours un peu inquiétant.

Son épouse, le Chevalier Jana, entra dans la maison avec des légumes frais de leur jardin.

— Tu es enfin réveillé ! se réjouit la jeune femme.

— Et il est affamé, ajouta son époux.

Le couple prépara le repas du soir et déposa les légumes, le riz, le fromage et le poisson sur la table, au centre de la pièce. Mann refusa qu'on l'aide à quitter le lit et parvint à se rendre à son banc de lui-même. Il avala sa nourriture comme s'il n'avait pas mangé depuis des mois, puis but le thé chaud à petites gorgées.

— Il y a un vieil ermite qui vit non loin d'ici, commença Kerns.

— Tu crois donc que je doive m'exiler pour toujours ?

— Pas du tout ! Je veux te parler de lui, parce que c'est un sage. On dit qu'il a réponse à tout. Peut-être sait-il quelque chose au sujet de ce coffre et de ses effets sur celui qui l'ouvre par curiosité.

— Je n'ai rien à perdre, puisque j'ai trouvé le livre dans la section des ouvrages écrits en des langues que même Hadrian n'arrive pas à lire.

Le lendemain, les trois Chevaliers partirent donc à pied avec des sacs de provisions sur le dos, car Mann ne voulait pas toucher à un cheval. Tous ses muscles le faisaient souffrir, mais il était prêt à tout pour mettre fin à ce malheureux chapitre de sa vie. Ils longèrent plusieurs rizières et arrivèrent quelques jours plus tard à l'orée d'une forêt, non loin de la frontière avec le Royaume de Rubis.

— Avez-vous déjà rencontré ce solitaire ? voulut savoir Mann, tandis qu'ils s'enfonçaient entre les arbres.

— Non, avoua Jana, mais nous en entendons parler chaque fois que nous allons au village. Apparemment, il est aussi vieux que le monde et il est capable de sonder l'âme des gens.

— Est-ce un guérisseur ?

— Il n'impose pas les mains, comme nous, le renseigna Kerns. Il agit surtout sur les gens grâce à des mots.

Ils rencontrèrent alors deux jeunes hommes qui venaient en sens contraire et leur demandèrent où habitait le sage. Justement, ces Jadois revenaient de chez lui. Ils leur pointèrent le sentier à suivre en multipliant les courbettes et en leur souhaitant bonne chance.

— Est-ce une mise en garde ? se désola Mann.

— Parfois, il est de bonne humeur, parfois, non.

— Et aujourd'hui ?

— Pas très.

Ils s'inclinèrent une dernière fois et poursuivirent leur route, comme s'ils fuyaient quelque chose.

— Ce n'est pas bon signe, soupira Jana.

— Les Chevaliers d'Émeraude ne sont pas des gens ordinaires, leur rappela Kerns. Ils n'ont peur de rien.

Il encouragea donc ses amis à poursuivre bravement leur route. Au bout d'un moment, ils aboutirent devant deux énormes arbres qui avaient certainement été témoins des premiers balbutiements de la civilisation Enkiev. Entre leurs troncs s'élevait une cabane. Ses murs étaient en jonc tressé et son toit, en chaume. Un rideau de perles servait de porte d'entrée.

— Qui va là ? fit une voix rauque avant même que les Chevaliers n'ouvrent la bouche.

— Je m'appelle Mann et j'ai besoin de votre sagesse.

Le vieil homme franchit le seuil de sa demeure, faisant sursauter ses visiteurs. Il portait une tunique bleue décorée d'animaux mythiques. D'origine jadoise, il avait de longs cheveux fins, blancs comme la neige. Ce qui frappa surtout les Chevaliers, ce furent ses yeux recouverts d'une pellicule blanchâtre.

— Je pensais que tu n'arriverais jamais ! s'exclama-t-il.

— Je crois que vous me confondez avec une autre personne.

— Es-tu l'un des soldats vêtus de vert qui ont combattu les terribles scarabées ?

— Oui, mais…

— Dans ce cas, entre. Je veux te parler seul à seul. Tes amis doivent partir.

Le vieillard tourna les talons et disparut dans la maison. Abasourdi, Mann ne bougea pas un seul muscle.

— Qu'attends-tu pour le suivre ? le pressa Kerns.

— Vous avez parcouru tout ce chemin pour moi…

— Nous en profiterons pour rendre visite à d'autres de nos compagnons qui habitent des villages un peu plus à l'est, voilà tout, le rassura Jana. Si tu as besoin de nous, tu n'as qu'à nous faire signe.

Elle lui tendit les bras pour le saluer à la manière des Chevaliers, mais Mann recula, craignant toujours de transmettre sa malédiction à ses amis. Il rassembla son courage et traversa le rideau de perles. La cabane, qui lui avait semblé toute petite de l'extérieur, était plutôt vaste. Par le plancher qui descendait en pente douce, il comprit que le logis avait été creusé dans le sol. Il n'y avait aucune fenêtre et aucune autre porte. Seul un trou au plafond, en son centre, laissait échapper la fumée du feu qui brûlait dans un cercle de pierres blanches.

— Je suis Liao, le gardien du savoir ancien, lui dit le Jadois en s'installant sur un tabouret de rotin. Viens t'asseoir, Mann.

– Comment se fait-il que vous m'attendiez puisque c'est la première fois que nous nous rencontrons ? demanda le Chevalier en s'asseyant devant lui.

– Ne juge pas les facultés d'un homme sur ses apparences. Si mes yeux ont cessé de regarder le monde, ils ont appris à voir beaucoup d'autres choses. Moi aussi, j'ai été victime de la magie d'Anthel.

– Vous avez ouvert le coffre ?

– J'étais là quand il a été scellé.

– Mais cela s'est produit il y a des milliers d'années.

– Deux mille trois ans, très exactement.

– L'homme le plus vieux que je connais est âgé d'un peu plus de cinq cents ans.

– Le roi qui refuse de mourir. J'en ai entendu parler. Peu d'hommes sont aussi attachés à la vie que lui.

– N'êtes-vous pas un peu comme lui, au fond ?

– Oh non. Dans mon cas, comme dans le tien, il s'agit d'une imprécation lancée par un magicien courroucé.

La main du vieil homme chercha le tisonnier planté dans le sol, non loin de lui. D'un mouvement gracieux, il taquina les tisons rougeoyants.

– Je suis venu vers vous afin de comprendre ce qui m'arrive, précisa Mann.

– Je vais donc te raconter comment tout a commencé.

Même s'il était pressé de connaître sa condition, le Chevalier n'avait pas le droit de bousculer un ancien. Il regretta par contre de ne pas avoir conservé la gourde de son compagnon.

– J'ai mon propre puits, annonça Liao, qui lisait en lui comme dans un livre ouvert. Il est derrière toi. Tu trouveras des urnes vides sur la margelle.

Mann ne se le fit pas dire deux fois. Il en remplit plusieurs et les déposa sur le sol près de son siège.

– Lynotrach, Prince de Rubis, fut le premier Roi d'Émeraude. Comme tu l'as sûrement appris dans les livres d'histoire, l'héritier du trône n'est pas toujours celui qui fait preuve du plus grand discernement. Lynotrach était davantage un chasseur qu'un philanthrope. Il réglait d'ailleurs la plupart de ses différends à coups d'épée et il ne tolérait pas que quelqu'un le surpasse en force ou en intelligence, bien que cette dernière qualité lui ait cruellement fait défaut.

Le Chevalier comprit alors qu'il était devant une véritable encyclopédie vivante ! S'il survivait à son malheureux sort, il transcrirait tout ce qu'il lui dirait pour la postérité.

– Non seulement tu survivras, mais tu auras toute l'éternité pour mener à bien tes entreprises, quelles qu'elles soient, affirma le vieillard.

– Je vous en prie, continuez, maître Liao.

– Autrefois, le continent fourmillait de magiciens. Certains détenaient de véritables facultés, mais les autres n'étaient que des charlatans qui cherchaient fortune à la cour des rois. Il existait cependant une troisième catégorie de mage, dont Anthel était heureusement le seul représentant. À la manière du roi qu'il servait, il ne supportait pas la concurrence. Tout magicien qui osait se présenter devant Lynotrach était d'ores et déjà condamné à mort. Anthel était un homme inculte qui possédait un pouvoir fantastique. Le moindre petit sort qu'il jetait avait le potentiel de causer un tremblement de terre.

– J'ai vu Anthel dans le soubassement du Château d'Émeraude.

– La terre et les objets absorbent les éléments. Ils s'imprègnent aussi de nos émotions, surtout lorsqu'elles sont exacerbées. Les images qui sont apparues devant toi sont emprisonnées dans le lieu où l'on procéda à un sauvage rituel.

– Il m'a accusé d'être un sorcier, se souvint Mann.

– À l'époque, la différence entre la magie et la sorcellerie n'était pas aussi marquée qu'elle l'est aujourd'hui. En fait, toute pratique qui ne respectait pas les méthodes conservatrices en vigueur était considérée comme de la sorcellerie. Or, un jour, un jeune homme d'un grand talent arriva à Émeraude. Il s'appelait Corindon. Personne ne sut jamais de quel pays il était originaire, mais, à mon avis, il arrivait tout droit des derniers bastions d'Enkievs qui se sont réfugiés dans la Forêt Interdite à l'arrivée des colonisateurs.

– Les colonisateurs ? s'étonna le Chevalier.

– Ils sont arrivés des centaines d'années avant ma naissance dans de grands bateaux. La première vague était composée d'hommes à la peau pâle et aux cheveux aussi blonds que les blés. Ils se sont établis sur la côte et ont donné le nom de Cristal aux terres qu'ils venaient de conquérir. La deuxième s'est échouée tout à fait au nord, là où habitent maintenant les Elfes. Leur peau était plus sombre que celle des Enkievs et ils se sont installés au centre du continent. Puis la dernière, celle de mes ancêtres, a des origines plus obscures. Le folklore jadois prétend que nous descendons directement des étoiles, ce dont je doute. Mais j'ignore toujours d'où est venu ce peuple à la peau dorée et aux yeux en amande. Sans doute de l'autre côté des volcans.

– Nous ne sommes donc pas tous des descendants des Enkievs, comprit Mann.

– Les Enkievs se sont réfugiés dans la Forêt Interdite, sauf pour un seul îlot de souche pure qui a choisi de demeurer dans le sud du Royaume d'Émeraude. Son présent roi en est issu.

– Onyx est un Enkiev ?

– C'est ce qui lui confère ses immenses pouvoirs et sa facilité d'apprentissage.

– Les Enkievs sont-ils hostiles à tout ce qui provient de l'étranger ? voulut confirmer le Chevalier.

— Ils ne l'étaient pas lorsqu'ils gouvernaient ce monde en paix. Ils le sont devenus à force d'être traqués comme du gibier.

— Parlez-moi de Corindon.

— Il est arrivé un jour à la cour pour devenir l'apprenti du magicien d'Émeraude. Malheureusement pour lui, il était cent fois plus puissant qu'Anthel. Alors, lorsqu'il a démontré publiquement qu'il pouvait influencer le temps, déplacer des objets très lourds et faire apparaître le feu dans ses mains, il a tout de suite été emprisonné et mis à mort.

— Le pauvre homme… Cette salle sous le hall des Chevaliers a donc été une prison.

— Le roi et son magicien ont voulu enfermer dans le boîtier de porphyre cette magie qu'ils ne comprenaient pas. Pour le souverain, il s'agissait surtout de se débarrasser de pouvoirs qui risquaient de lui coûter son trône, mais, pour Anthel, c'était une façon de s'approprier plus tard de magnifiques facultés qu'il ne possédait pas. Comme tu peux l'imaginer, Corindon ne s'est pas laissé tuer sans se venger. Ce qu'il leur a laissé extraire de son corps était une énergie meurtrière, destinée à occire tous ceux qui tenteraient d'ouvrir le coffret.

— Mais je ne suis pas mort.

— Moi non plus, et la raison en est bien simple. Le sort jeté par l'Enkiev avant qu'il rende son dernier souffle visait à faire payer leur crime à ses meurtriers. Il ne tue que ceux qui ont le cœur noir.

— Et les autres ?

— Je ne crois pas que Corindon ait sciemment prévu ce qui leur arriverait, car il ne pouvait pas imaginer qu'un homme juste et bon cherche à ouvrir le coffre pour s'approprier des pouvoirs supplémentaires. La nature s'en est chargée pour lui, j'imagine, car le maléfice s'inverse automatiquement chez ceux qui ont le cœur pur.

— Ils vivent éternellement ?

— Ton entendement me réjouit, Mann.

— Je vivrai donc des milliers d'années comme vous ?

— Je peux répondre à bien des questions, mais pas à celle-là. Tout dépendra de ce que le destin te réserve. J'avais une âme d'érudit, alors je suis devenu le réceptacle de toute l'information transmise de père en fils sur ce continent. Tu es différent.

— Je suis davantage attiré par les arts de la guérison.

— Ce que je ressens en toi, c'est un urgent besoin de soulager la misère humaine, mais pas uniquement les maladies physiques. Tu chercheras aussi à rétablir l'équilibre entre l'âme et le corps des autres. Je ne sais pas encore comment se manifesteront tes nouveaux dons, alors je t'encourage à rester ici jusqu'à ce que nous soyons bien fixés.

— Je ne voudrais surtout pas devenir un fardeau, maître Liao.

– Je t'aurais déjà chassé si tel avait été le cas.

– J'aimerais vous offrir quelque chose en échange de votre sagesse.

– Ma cécité ne me permet pas toujours de bien m'alimenter.

– Alors, je serai votre cuisinier personnel.

– C'est un bon arrangement.

Ceux qui venaient consulter l'ermite laissaient parfois des dons de nourriture à sa porte, mais ils avaient le temps de pourrir avant que le vieil homme puisse les manger, car il n'avait aucune façon de les conserver. Mann fit donc savoir aux habitants des alentours que son maître accorderait désormais des entrevues uniquement à ceux qui lui apporteraient des aliments frais en petites quantités. Il profita aussi de cette expédition pour rapporter des sacs de riz et de farine qu'il entassa au fond de la maison souterraine, bien au frais.

Quelques mois plus tard, Mann fit un rêve qui lui parut aussi palpable que la réalité. Il se réveilla brusquement, couvert de sueur.

– Que se passe-t-il, Mann ? demanda Liao qui s'était redressé sur sa propre couche.

– Je viens d'assister à de terribles événements et, pourtant, j'étais couché ici près de vous, répondit-il d'une voix tremblante.

– Qu'as-tu vu dans ton rêve ?

— De l'eau qui montait si haut dans un village qu'elle inondait les champs et les maisons et noyait leurs habitants.

— As-tu vu leurs visages ?

— C'étaient des Jadois…

— Cette eau provenait-elle du ciel ?

Mann se concentra un instant, rappelant le cauchemar à sa mémoire.

— Non, ce n'était pas de la pluie.

— Cherche plus loin.

— Je crois que c'était la rivière…

Quelques jours plus tard, un réchauffement prolongé des terres du Royaume des Esprits fit craquer son épaisse couche de glace, libérant l'eau de ses fleuves jusque-là souterrains. Elle atteignit la falaise où se dressaient les volcans et se joignit à celle de la rivière Sérida. Le torrent se heurta aux murailles d'Opale qui protégèrent ses habitants et obligea les villages riverains à fuir vers l'intérieur des terres au Royaume de Rubis, mais, au Royaume de Jade, où cette rivière se divisait en de multiples affluents, ce fut la catastrophe.

Alerté par ses sens invisibles, Mann capta la terreur des victimes, mais il n'aurait rien pu faire pour elles, car il habitait dans la région la plus à l'ouest du pays. Il se prosterna sur le sol et pleura jusqu'à ce que les cris de détresse cessent complètement dans son esprit. La main de Liao se posa alors sur son épaule.

— C'était comme dans mon rêve, hoqueta le Chevalier.

— Nous savons donc maintenant ce que t'a légué Corindon.

— Le terrible pouvoir de ressentir la douleur des autres ?

— Non, Mann. Cette faculté, tu la possédais déjà.

— Qu'est-ce, alors ?

— Tu es devenu un augure.

Mann essuya ses yeux, cherchant la signification de ce mot dans sa mémoire.

— Un augure voit l'avenir, lui vint en aide le vieillard. Il sait aussi interpréter les signes dans le ciel et sur la terre.

— Mais à quoi ce savoir me servira-t-il ?

— À tenter de prévenir ce genre de tragédie.

— Mais comment ? Je n'ai pas su quand ni comment cette chose allait se produire.

— Il est très rare qu'un nouveau pouvoir nous soit accordé avec son mode de fonctionnement. Quand tu es devenu soldat, savais-tu comment canaliser la guérison dans tes mains ?

— Non. Je l'ai appris en même temps que mes compagnons.

– Ce sera la même chose pour les prophéties. Tu apprendras à mieux les analyser de façon à mettre en garde les personnes concernées avant qu'il ne soit trop tard.

– Comment Corindon faisait-il pour vivre avec cette malédiction ? Et s'il possédait les pouvoirs d'un augure, pourquoi est-il allé se faire tuer à Émeraude ?

– Il m'est bien difficile de répondre à ces questions, mon enfant. Peut-être ne pouvait-il pas voir son propre avenir.

Mann entendit alors dans son esprit l'appel de Jenifael qui exhortait ses frères et ses sœurs d'armes à se rendre au Royaume de Jade pour porter secours aux rescapés.

– Vas-y, l'encouragea Liao.

– Je reviendrai bientôt, maître.

– Je le sais.

Le Chevalier bondit vers la porte. *Mes frères, je suis à quelques jours de la zone sinistrée, mais je ne possède pas de cheval,* les informa-t-il par télépathie. *Je m'approche de l'endroit où tu es,* lui répondit Kerns, *et, justement, j'ai une monture supplémentaire !*

13

À COUPS DE MARTEAU

En apprenant que la guerre était enfin terminée, Morrison cessa de forger des armes en grande quantité et recommença à fabriquer plus de fers pour les chevaux, de dents de fourche et de lames de faux. Son monde était redevenu ce qu'il était avant, sauf pour une chose : il n'était plus veuf. Lui qui, comme Onyx, n'était pas porté vers les autres races, il était néanmoins tombé amoureux d'une femme dont la peau était violette et qui devait avoir une bonne centaine d'années de plus que lui. Pour la première fois de sa vie, il avait regardé le cœur plutôt que le corps et avait vu toutes les belles qualités de Jahonne. Il avait appris à aimer ses dissemblances et à apprécier sa grande sagesse. D'ailleurs, l'hybride d'Alombria ne se sentait pas différente des autres femmes plus jeunes, mieux faites ou dont la couleur de la peau était acceptée par la société. Elle était gentille et serviable avec tout le monde, même si le contraire n'était pas toujours vrai.

Le forgeron, qui avait perdu sa première épouse presque au début de leur mariage, avait dû apprendre à nouveau à vivre en couple. Il n'avait pas été facile pour lui de se laisser dorloter, car Jahonne était aux petits soins avec lui. Pour faire plaisir à son mari, elle avait appris grâce à Armène à cuisiner et à tenir la maison. Élizabelle, sa belle-fille, lui avait aussi enseigné à s'occuper des plantes. Alors, tous les soirs, en rentrant du travail, Morrison retrouvait chez lui la chaleureuse ambiance à laquelle sa fille unique l'avait habitué.

Jahonne et lui avaient décidé de ne pas avoir d'enfants avant de bien se connaître. Maintenant que les hostilités avaient cessé, ils pourraient passer plus de temps ensemble et se raconter leur vie. L'hybride espérait aussi pouvoir voyager, car elle n'avait pas vu grand-chose du continent depuis sa naissance. Morrison lui promit que dès qu'il aurait trouvé quelqu'un pour s'occuper de la forge en son absence, ils iraient visiter les royaumes voisins. Ce qu'il n'avait pas prévu, c'est que la formation d'un apprenti durait au moins cinq ans et qu'il ne pourrait pas le laisser sans surveillance avant son compagnonnage. Le forgeron s'attendait à ce qu'un ou plusieurs Chevaliers aient envie d'apprendre un nouveau métier, mais il fut bien surpris lorsque Liam se présenta chez lui pour lui faire cette demande. Non seulement ce dernier était encore très jeune, mais le maniement du marteau exigeait beaucoup plus d'efforts que celui de l'épée, de l'avis de Morrison.

Comme toujours, Jahonne ne se plaignit pas en voyant leurs plans être retardés par cette nouvelle activité. Puisqu'elle aimait profondément les enfants, lorsqu'elle avait terminé ses tâches ménagères et s'il lui restait un peu de temps avant le retour de son époux à la maison, elle allait donner un coup de main à Armène qui s'occupait des bambins des Chevaliers durant le jour.

La troisième année après la fin des hostilités, l'hybride ressentit pour la première fois de sa vie une très grande fatigue, puis de fortes nausées. Elle consulta aussitôt son gendre, l'Elfe magicien Hawke, qui savait se servir de la table de cristal du défunt Élund. Cet instrument magique pouvait détecter les maladies avec plus de précision que les mains de la plupart des Chevaliers. De toute façon, Jahonne, timide de nature, n'aurait jamais osé demander à l'un d'eux de l'examiner. L'utilisation de la table était plus impersonnelle et le diagnostic resterait en famille. Le sourire de Hawke, lorsque la lumière s'amenuisa dans le cristal, rassura aussitôt la femme mauve.

— Dois-je conclure que ce n'est rien de grave ? s'enquit-elle.

— Il ne s'agit pas d'une maladie, mais du miracle qui ne se produit que dans le ventre des femmes, lui apprit l'Elfe.

— Je vais avoir un bébé ?

Hawke hocha doucement la tête pour affirmer que oui. Élizabelle et lui avaient déjà des jumeaux de deux ans, qui leur en faisaient voir de toutes les couleurs. Ils avaient même décidé de ne plus avoir d'autres enfants.

Jahonne quitta la tour de son gendre en se demandant comment annoncer la nouvelle à son mari. Ils avaient projeté de faire plusieurs voyages avant de fonder une famille et voilà que cette grossesse venait bouleverser leurs plans. Si Morrison était devenu beaucoup plus compréhensif avec l'âge, il avait encore du mal à s'adapter aux changements. En rentrant chez elle, elle prépara donc son repas préféré, nettoya sa pipe et alluma un bon feu. Comme la plupart des hommes, Morrison ne s'attardait pas aux petits détails de la vie quotidienne et il ne remarqua rien à son retour à la maison.

– As-tu consulté le gendre au sujet de tes symptômes ?
demanda-t-il en s'asseyant à table.

– Oui, je l'ai vu tout à l'heure.

Elle versa le ragoût fumant dans son écuelle.

– Qu'est-ce qu'il a dit ? insista le forgeron.

– Il a dit que ce qui m'arrive est tout à fait normal pour une
femme enceinte.

Morrison s'immobilisa comme une statue.

– Je sais que nous avions convenu d'attendre, mais,
apparemment, les enfants arrivent quand ils veulent. Est-ce
que tu es un tout petit peu content ?

– C'est inattendu…

– Lorsque tu auras terminé l'apprentissage de Liam, notre
bébé aura quatre ans, alors nous pourrons voyager avec lui.

Jahonne savait parfaitement que son mari n'était pas
démonstratif, alors elle ne s'offusqua pas de son manque
d'enthousiasme. Elle se mit à manger, consciente maintenant
qu'elle nourrissait une vie à l'intérieur d'elle. Cela lui rappela
sa grossesse à Alombria. Elle n'avait pas compris ce qui lui
arrivait avant de mettre Sage au monde. Nomar lui avait
épargné les douleurs de l'enfantement, mais il l'avait ensuite
obligée à se défaire du bébé qui était trop normal. L'hybride
se jura de ne jamais se séparer de ce deuxième enfant que les
dieux lui donnaient.

Le forgeron ne commença à accepter sa paternité que lorsque le ventre de sa femme se mit à grossir. Il revint plus tôt du travail pour l'aider à préparer les repas et offrit même de l'aider à faire le ménage.

— Je ne suis pas malade, je suis en gestation ! Je suis tout à fait capable de faire mon travail quotidien. Si je me mettais à forger des épées, alors là, je comprendrais ton énervement.

Morrison se rabattit donc sur de petits soins plus subtils, sans se douter que Jahonne les relevait tous. Le bébé naquit en pleine saison chaude dans les mains de Santo qui avait partiellement anesthésié la maman pour lui éviter des douleurs inutiles. Lorsqu'il constata que la peau de la petite fille était de la couleur de la cendre, le guérisseur paniqua, croyant qu'elle ne respirait pas. Pourtant, elle se mit à pleurer à pleins poumons en se débattant de toutes ses forces. Jahonne finit par la lui ravir pour calmer ses pleurs.

On eut beau la laver une centaine de fois, la petite prénommée Cyndelle, conserva son aspect de statue de pierre. Elle était pourtant en parfaite santé et prenait rapidement du poids.

— Ton fils n'était pourtant pas de cette couleur-là, soupira le père avec découragement, tandis que sa femme changeait la couche de leur fille.

— À Alombria, j'ai vu des hybrides de toutes les couleurs et de toutes les formes, alors je pense que c'est la trop grande différence entre l'hérédité des humains et celles des hommes-insectes qui crée cette variété d'apparences.

– Je ne comprends pas qu'on puisse naître avec une peau pareille.

– Tu apprendras à l'aimer, Morrison. N'ai-je pas appris à aimer un homme tout blanc ?

Cyndelle avait au moins hérité des grands yeux bleus du forgeron et, lorsque ses cheveux se mirent à pousser, ils étaient noirs comme la nuit. En fait, elle ne ressemblait ni à Morrison, ni à Jahonne. Ses traits se rapprochaient davantage de ceux de Kira. En grandissant, la petite afficha davantage le caractère de sa mère que celui de son père. Elle était affectueuse et aimait absolument tout le monde.

À trois ans, elle suivait Morrison partout et il devait souvent la chasser de la forge où elle aurait pu se brûler, car elle était très curieuse et plutôt téméraire. Jahonne avait beau lui expliquer qu'elle était normale, que tous les enfants de son âge aimaient faire leurs propres expériences, le géant ne cessait de sermonner la petite et de lui énumérer tous les dangers qui la guettaient. Cyndelle écarquillait les yeux, non pas parce qu'elle avait peur, mais parce qu'elle ne comprenait pas la moitié des mots qu'il utilisait.

L'enfant passait une bonne partie de la journée à aider sa mère dans la maison, mais dès que Jahonne avait le dos tourné, elle retournait à la forge pour épier le travail de son père. Puis, un jour, l'inévitable se produisit. En voulant se faufiler entre les épées, Cyndelle perdit pied et tomba la tête la première entre les seaux d'eau où Morrison laissait refroidir les lames chauffées à blanc. Elle heurta l'une d'elles et se brûla au bras. Le forgeron s'aperçut qu'elle était là lorsqu'elle se mit à hurler de douleur.

– Cyndelle ! paniqua le géant.

Il se glissa tant bien que mal entre les récipients et souleva la fillette dans ses bras.

– Combien de fois t'ai-je dit que c'était dangereux de venir jouer ici ? Tu ne m'écoutes jamais quand je te parle !

– Papa, j'ai mal..., pleura-t-elle.

Il fonça vers la maison. Ayant entendu les cris de l'enfant, Jahonne venait à sa rencontre. Elle examina la brûlure pendant que son mari serrait l'enfant contre lui.

– Peux-tu la soigner ?

– C'est très profond. Si je n'y arrive pas complètement, nous irons chercher Kira.

Morrison déposa Cyndelle sur la table de la cuisine et l'immobilisa comme le lui demandait Jahonne. Cette dernière traita tout de suite la blessure avec ses paumes illuminées, ce qui n'était pas facile puisque la petite se tortillait comme un ver. L'hybride parvint à régénérer une partie des tissus et à calmer la douleur, mais manqua d'énergie pour terminer l'opération. Jahonne tituba, affaiblie, et s'effondra sur le sol. Morrison se retrouva donc coincé entre sa fille au bras brûlé et sa femme évanouie ! Il promena son regard de l'une à l'autre pendant quelques secondes et fonça vers le palais en serrant Cyndelle contre son cœur.

Kira était en train de jouer avec ses fils Wellan et Lazuli, âgés de cinq et deux ans, lorsque le forgeron fit irruption dans ses appartements.

– Que s'est-il passé ? s'alarma la princesse.

– Elle s'est brûlée. Jahonne a commencé à la soigner, mais elle n'a pas eu assez de puissance.

– Montre-moi la blessure.

Cyndelle commença par faire la moue, puis, à force de cajoleries, Morrison parvint à la déposer sur le lit.

– Je vais faire disparaître la douleur, ma petite chérie, lui dit Kira en souriant pour la rassurer.

La lumière violette qui jaillit de ses mains referma entièrement la plaie en quelques secondes à peine.

– Est-ce que tu as encore mal ?

Cyndelle secoua la tête négativement en essuyant ses larmes avec l'autre bras.

– Est-ce que tu veux jouer avec nous ?

Pour toute réponse, elle s'accrocha au tablier de son père et grimpa dans ses bras.

– Je suis certain que demain, elle dira oui, indiqua le forgeron aux garçons.

Il ramena sa fille chez lui d'un pas rapide, car il devait maintenant venir en aide à son épouse. À son grand soulagement, Jahonne était revenue à elle et était allongée sur le lit.

– Comment est-elle ? murmura la mère, encore fragile.

– Kira a terminé ce que tu as commencé.

– Je vais mieux, déclara Cyndelle en restant lovée contre le cou du géant.

– As-tu besoin d'un guérisseur, Jahonne ?

– Non. J'ai le pouvoir de refaire mes forces moi-même, mais il ne faudra pas que la petite me touche lorsque je baignerai dans la lumière.

– Même si je voulais la décrocher de mes vêtements, je n'y arriverais pas.

Un cocon de belle lumière mauve se forma autour de l'hybride.

– Maman…

– Il faut la laisser tranquille pendant un moment, mon cœur.

Il sortit de la maison en la transportant dans ses bras et l'emmena caresser les chevaux à l'écurie. C'était la première fois que le père et la fille passaient du temps ensemble. « Pourquoi a-t-il fallu que j'attende qu'elle se blesse pour lui montrer à quel point je l'aime ? » se demanda Morrison. À partir de ce jour, le forgeron consacra une partie de sa journée à la petite, après son travail. Il lui montra à jouer au ballon, lui apprit le nom des fleurs qui poussaient dans les champs autour du château et l'emmena pique-niquer avec sa mère.

Jahonne attendit les fêtes de Parandar pour annoncer à sa famille qu'elle était de nouveau enceinte. Morrison avait appris sa leçon cette fois. Peu importe la couleur de la peau de l'enfant, il se comporterait en véritable père dès son premier souffle. Le petit Elrick naquit lors de la saison chaude suivante. Il avait la peau blanche, une touffe de cheveux noirs hirsutes comme les piquants d'un hérisson et des yeux aussi brillants que des miroirs.

— On dirait Sage, remarqua le père en le prenant dans ses bras.

— C'est vrai qu'il lui ressemble, admit Jahonne. Au moins, celui-là, je le verrai grandir.

Elle raconta à Morrison que Nomar, qui dirigeait Alombria d'une main de fer, lui avait arraché son premier-né tout de suite après sa naissance pour le confier à la famille de Sutton.

— Tu ne préfères pas l'appeler Sage ?

— Non, cela causerait trop de chagrin à Kira, décida Jahonne. Le nom que tu lui as choisi lui va très bien, à mon avis.

Plus Elrick grandissait, plus il ressemblait aux garçons d'Onyx. Cyndelle, quant à elle, devint si protectrice de son frère qu'il ne pouvait rien faire sans elle. Il devint son jouet préféré et sa principale raison de vivre, si bien que lorsqu'il fut temps pour elle d'aller à l'école au palais, elle voulut l'emmener lui aussi.

— Chaque chose en son temps, jeune dame, lui rappela Jahonne. Il n'a pas encore l'âge d'apprendre à lire et à écrire, mais toi, oui.

— Est-ce vraiment nécessaire ?

— Oui, si tu veux écrire un jour de beaux poèmes à ton amoureux.

— Mais je n'en aurai jamais.

— J'ai dit la même chose, moi aussi, et regarde où j'en suis aujourd'hui. La plus belle chose qui puisse t'arriver un jour, ma chérie, c'est d'avoir de beaux enfants à ton tour.

— Mais j'ai déjà Elrick !

— Attention, il est à moi.

Puisque la petite continuait de faire sa mauvaise tête, Morrison alla la reconduire lui-même dans le hall du roi où Bridgess, Wanda et Mali enseignaient aux enfants qui venaient de partout. Sa première journée de classe ne fut pas très concluante, mais ses professeures refusèrent de se décourager. Cyndelle avait au moins regardé les autres élèves travailler, alors elle avait sûrement appris quelque chose. De plus, il était très important qu'elle se sente acceptée tout de suite par les jeunes de son âge, en dépit de sa peau grise.

Dès que l'école était terminée, Cyndelle courait rejoindre son petit frère qui jouait devant la maison avec ses petits chevaux de bois. Ils se poursuivaient en criant de joie entre les paysans qui venaient livrer des aliments au château et les serviteurs qui vaquaient à leurs occupations. Bien souvent, leurs jeux se terminaient dans le palais.

Même si son visage ressemblait de plus en plus à celui de Sage, Elrick avait plutôt la constitution physique de Morrison. Il serait un grand gaillard à l'âge adulte. Déjà à deux ans, il courait comme un lapin et grimpait les marches plus vite que sa sœur. C'est d'ailleurs au milieu du grand escalier du palais qu'ils se heurtèrent tous les deux aux bottes d'Onyx.

— Mais qu'est-ce que vous faites ici ? s'étonna le roi.

Les enfants demeurèrent muets, alors Onyx s'accroupit devant eux.

— Lorsqu'un adulte vous pose une question, il faut répondre.

— Nous jouons, expliqua Cyndelle en haussant les épaules.

— Il y a des endroits où vous pouvez vous amuser et d'autres où vous ne le pouvez pas. Ce palais est ma maison. Ce n'est pas un terrain de jeu.

Il les prit tous les deux par la main et les reconduisit à la porte qui donnait sur la grande cour. Au repas du soir, la fillette raconta à ses parents ce qui s'était passé.

— Vous a-t-il brusqués ? se hérissa Morrison.

– Il nous serrait les mains très fort, se plaignit Cyndelle.

Le petit Elrick corrobora son récit en hochant vivement la tête en signe d'approbation.

– Je vais aller lui dire ma façon de penser, grommela le forgeron.

– Non, tu n'en feras rien, l'avertit Jahonne. Tout le monde sait que le roi est de moins en moins patient. Je ne voudrais pas qu'il se fâche et qu'il nous chasse.

– Je peux déménager ma forge où bon me semble. Nous ne sommes pas obligés de rester ici.

– Nous en reparlerons plus tard, si tu veux bien.

Ce qui signifiait, évidemment, loin des oreilles des enfants. Elle attendit donc qu'ils soient couchés depuis quelques heures avant d'aborder le sujet de nouveau avec son mari, assis à la table, en train de boire du lait chaud avant d'aller au lit.

– Il est vrai que tu pourrais exercer ton métier ailleurs, Morrison, mais tu as grandi dans ce château et beaucoup de gens de la région comptent sur toi pour chausser leurs chevaux, solidifier les roues de leurs charrettes ou leur fabriquer des outils.

– Le bonheur de mes enfants passe avant tout cela.

– Tout ce que le Roi Onyx demande, c'est qu'ils ne l'importunent pas chez lui. C'est le droit de chaque homme de faire ce qu'il veut chez lui.

– J'en ai assez de le voir imposer sa loi.

– Mais cela fait partie de ses prérogatives de souverain. Essaie un peu de te mettre à sa place. Il a combattu deux fois le même ennemi et tout ce qu'il veut, désormais, c'est un peu de paix.

– Il a une fille de l'âge de la nôtre !

– À ce qu'on m'a dit, elle est tranquille. Allez, fais un effort et chasse ta colère, mon gros loup. Cet incident est derrière nous, maintenant. Nous devrions plutôt organiser une petite expédition à Alombria pour montrer à nos enfants où j'ai grandi.

– Mais cet endroit n'a-t-il pas été détruit il y a longtemps ?

– Il en reste quelques galeries au fond d'un grand cratère. Kira a jadis créé une rampe qui donne accès à la falaise.

– Je vais y penser.

Dans son lit, le petit Elrick avait entendu leur conversation, et tout ce qu'il en avait retenu, c'est que le Roi Onyx était un grand guerrier qui n'aspirait plus qu'au repos. Il n'en reparla ni à ses parents, ni à sa sœur, mais, en grandissant, lorsqu'il fut suffisamment fort pour se servir d'un marteau, il apprit à travailler le fer d'une façon bien différente de son père.

Tous les soirs, après l'école, il retournait à la forge et s'isolait dans un coin pour travailler sur un projet secret. Même Morrison n'avait pas le droit de franchir le paravent de peaux qu'il avait tendu pour se mettre à l'abri des regards. Les parents se doutaient que sa sœur était au courant des intentions de son frère, mais elle continuait de prétendre que non.

— Vous m'avez appris à respecter la volonté des autres, leur rappela Cyndelle qui venait d'avoir douze ans. Si Elrick ne veut pas nous dire ce qu'il prépare, c'est son affaire.

L'enfant de huit ans continua d'y travailler pendant plusieurs mois et son père résista à la tentation d'aller voir sa création pendant qu'il était à l'école. Il était important qu'il ne brise pas le lien de confiance qui s'était installé entre son fils et lui.

Elrick ne l'annonça même pas à ses parents lorsqu'il fut enfin prêt à dévoiler son secret, car son œuvre ne leur était pas destinée. Il jeta un grand morceau de jute par-dessus et la transporta à l'extérieur de la forge sans tambour ni trompette. Ce jour-là, le Roi Onyx donnait audience à ses sujets dans son grand hall, ce qui n'arrivait plus tellement souvent. Même les cours avaient été annulés pour permettre à tout le monde d'y assister. L'enfant se faufila entre les paysans et se plaça dans la file qui désirait s'adresser au monarque. Adossé à son trône, ce dernier était aussi pâle qu'un fantôme. Il n'y avait aucune expression sur son visage, ni plaisir ou déplaisir. Il semblait tout à fait indifférent à ce qui se passait devant lui. Ses scribes écrivaient ce qui se disait. Sans doute les conseillers seraient-ils appelés plus tard à trancher pour le roi.

L'enfant promena son regard sur l'assemblée. La reine, les princes et la petite princesse brillaient par leur absence. Pourtant, ses parents ne cessaient de lui répéter que les membres d'une famille avaient l'obligation de se soutenir mutuellement. À son avis, si Onyx avait besoin de leur aide, c'était maintenant, alors que les paysans le bombardaient de demandes.

Elrick attendit son tour sans afficher la moindre impatience. Il passa inaperçu parmi les adultes, jusqu'à ce que ce soit son tour de parler. Il alla se placer au centre de la vaste salle et déposa son fardeau devant lui.

– Qui avons-nous là? demanda Onyx en émergeant de sa léthargie.

– Je suis Elrick, fils de Morrison d'Émeraude et de Jahonne d'Alombria.

«Alombria», répéta intérieurement Onyx. Des centaines d'années auparavant, il avait été emprisonné dans une enceinte de glace, aux portes de ce grand royaume souterrain...

– Lorsque j'étais jeune... commença l'enfant en faisant rire les adultes.

Toutefois, le visage du roi demeura sérieux. Ses yeux pâles étaient rivés sur ce garçon de huit ans qui ressemblait à tous les fils qu'il avait eus depuis son premier mariage.

– ... j'ai commis une faute grave envers vous, Majesté, poursuivit Elrick.

– Si tel était le cas, il me semble que je m'en souviendrais, répliqua Onyx.

– J'ai oublié le jour exact de mon inconduite, mais je sais qu'elle a eu lieu dans le grand escalier de votre palais. Votre déplaisir a été si profond que vous nous en avez chassés, ma sœur et moi.

Onyx haussa les épaules pour indiquer qu'il n'avait aucun souvenir de cet événement. Ayant élevé plusieurs familles, il savait fort bien que les enfants ne percevaient pas souvent la même chose que les adultes. Ce qui avait semblé être un crime aux yeux d'Elrick avait sans doute été un incident sans conséquence pour le roi.

– Qu'attends-tu de moi ? demanda Onyx.

– Très longtemps, j'ai cherché une façon de réparer mes torts. En écoutant ce qu'on raconte sur vous, j'ai finalement trouvé.

Elrick fit glisser l'étoffe sur les carreaux, dévoilant une structure de métal qui ressemblait à un énorme chandelier. Puis, il le souleva et alla le déposer à deux pas du souverain. Le fer avait été habilement plié et replié jusqu'à devenir un dragon debout sur ses pattes postérieures. Entre les griffes de celles de devant, il y avait suffisamment d'espace pour insérer des chandelles. Ce fut surtout la tête du monstre qui retint l'attention d'Onyx, car elle reproduisait fidèlement celle du dragon qu'il s'était lui-même tatouée sur l'avant-bras lorsque son âme habitait son corps précédent.

Onyx examina longuement l'œuvre, sans que son visage n'exprime la moindre émotion. Les membres de sa cour, tout comme les paysans, se turent un à un jusqu'à ce que le silence soit complet. Toujours planté devant le roi, Elrick retenait son souffle.

— Où l'as-tu trouvée ? demanda finalement Onyx.

— Je l'ai faite moi-même, Majesté.

— Tu as beaucoup de talent, Elrick, mais quelle était la source de ton inspiration ?

— Un dessin que j'ai trouvé dans un livre.

« Mon journal... », comprit le roi.

— Tu as toujours ce livre en ta possession ?

— Non. Je l'ai remis à sa place, comme maître Hadrian nous a demandé de toujours le faire.

— J'aimerais que tu le retrouves et que tu me l'apportes.

— Oui, bien sûr. En attendant, veuillez accepter ce présent en échange de votre pardon.

— Mon pardon... Oui, bien sûr.

Les rayons du soleil qui se faufilaient dans le hall par les étroites fenêtres frappèrent les yeux de l'enfant, qui se mirent à briller comme des miroirs, replongeant une fois de plus Onyx dans son passé. « On dirait Sage », remarqua-t-il.

— Merci, votre Altesse.

L'enfant s'inclina très bas et recula jusqu'à ce qu'il atteigne la foule. Onyx fit alors signe à l'un de ses scribes de s'approcher.

– Transmettez une invitation à sa famille lorsque les audiences seront terminées, ordonna-t-il. Je veux qu'elle mange à ma table, ce soir.

– Il en sera fait selon votre volonté, sire.

Il se retourna et appela le prochain requérant.

14

LA MAGIE EN HÉRITAGE

S'il était difficile d'être un Elfe magicien dans un monde d'humains, il était encore plus ardu d'être l'unique propriétaire d'un cheval ailé. À son retour de la guerre, Hawke avait partagé son temps entre ses devoirs conjugaux et l'entraînement de Hardjan, son destrier inhabituel, mais quelques mois plus tard, à la naissance des jumeaux, il avait quelque peu négligé l'animal. Élizabelle avait appelé leurs deux garçons Meallan et Jaheda, des prénoms qui signifiaient respectivement « lumineux » et « fort ». Tout comme Cameron, lorsqu'il était petit, ces demi-Elfes avaient nécessité des soins constants jusqu'à ce qu'ils atteignent l'âge d'un an. Ainsi, lorsqu'il avait un peu de temps pour s'occuper de Hardjan, le pauvre magicien était trop épuisé pour lui accorder une longue période de vol.

Avec la fin des hostilités, les habitants d'Enkidiev avaient cessé d'envoyer leurs enfants magiques au château, persuadés qu'ils n'auraient jamais plus besoin des services des Chevaliers d'Émeraude. Une fois que sa femme eut la situation bien en main avec les jumeaux, Hawke se retrouva sans occupation. Il n'avait certes pas l'intention d'aller à la forge donner un coup de main à Morrison, son beau-père, qui ne l'aimait pas beaucoup. De toute façon, il n'était pas porté sur les travaux manuels et préférait les activités intellectuelles.

Deux Chevaliers ainsi que Mali enseignaient déjà aux enfants à lire, à écrire et à compter. Comme la plupart d'entre eux ne possédaient aucun don de magie, Hawke n'avait pas sa place dans cette classe, ce qui ne l'empêchait pas de demeurer le magicien officiel du château. Puisqu'il n'y avait plus d'élèves magiques, son épouse lui proposa d'aller transmettre sa science ailleurs qu'à Émeraude. Étant donné qu'il possédait un moyen de transport privilégié, il serait de retour presque tous les soirs à la maison. Lorsque l'Elfe lui promit d'y réfléchir, Élizabelle prit les choses en main. Sans en parler à Hawke, elle écrivit de belles lettres à tous les monarques et les fit livrer par les messagers du Roi Onyx.

Les premières réponses arrivèrent quelques semaines plus tard. La plupart des souverains n'avaient connaissance, dans leurs royaumes, d'aucun enfant affichant des talents exceptionnels en magie. Seul le Prince Zach manifesta son intérêt, car son fils était plutôt remarquable. Folle de joie, Élizabelle fit part de la nouvelle à son mari.

— Zénor est à au moins une journée de vol d'Émeraude, se découragea Hawke.

— Dans ce cas, ne passe que quelques jours par mois chez le prince. Il pourra utiliser le reste du mois pour mettre en pratique ce que tu lui auras montré.

— Tu es géniale, ma chérie.

Au lieu d'écrire de nouveau au Zénorois, Hawke prépara ses affaires, embrassa sa femme et partit à la recherche de son cheval noir. Puisque ce dernier passait son temps à ouvrir ses ailes, l'Elfe ne pouvait plus le garder dans l'écurie. Il le laissait donc dans l'enclos. Parfois, lorsqu'il avait envie d'herbe fraîche, l'animal s'envolait et allait paître dans les prairies avoisinantes. Heureusement, ce jour-là, Hawke le trouva dans le corral. Il lui passa la bride en lui expliquant qu'ils avaient une longue distance à parcourir, mais qu'ils n'étaient pas obligés d'y aller d'un seul trait. Il y avait de grands pâturages au Royaume de Perle, alors ils s'y arrêteraient pour se reposer.

Tout comme Hawke s'y attendait, son cheval se fatigua rapidement, par manque d'exercice. Il lui permit donc de se poser à plusieurs reprises, dans des endroits non peuplés, à proximité d'un cours d'eau, car si les habitants d'Émeraude étaient habitués de le voir sillonner le ciel, ceux des autres pays s'en effrayaient parfois. Il le laissait boire et s'étendre quelque temps dans l'herbe pour reprendre ses forces, puis l'Elfe et le cheval décollaient de nouveau vers le ciel. Le trajet fut ainsi beaucoup plus long qu'il ne l'avait escompté. Au lieu de faire une halte à Perle, il y dormit, couché entre les pattes de Hardjan.

Après un repas sommaire, un peu avant le lever du soleil, le magicien se remit en route. Ce qu'il appréciait le plus de ses escapades aériennes, en plus de sentir le vent frais caresser sa peau, c'était tout le temps qu'elles lui accordaient pour réfléchir. Tout comme le fils du Prince de Zénor, lui aussi avait utilisé ses extraordinaires talents au sein de sa famille. Puisque chez les Elfes, seules les filles pouvaient devenir enchanteresses, ses parents avaient été contents d'apprendre que le Roi d'Émeraude recueillait tous ces petits prodiges afin de les aider à canaliser leurs dons. Ils avaient donc reconduit leur fils magique au château où Élund lui avait inculqué les premiers rudiments de la magie.

Souvent, Hawke se surprenait à penser que si Farrell avait été son maître, à cette époque, il serait devenu un bien meilleur magicien, car ce dernier maîtrisait les forces invisibles à l'état brut, tandis qu'Élund se servait davantage d'incantations et de sortilèges accompagnés d'ingrédients variés. Il s'était promis qu'après la guerre, il s'adresserait à Onyx pour parfaire son éducation, mais celui-ci avait commencé à dépérir. Hawke savait qu'il possédait en lui un vaste réservoir d'énergie dont il n'utilisait qu'une infime partie. Il était loin de se douter alors que son contact avec la pierre des Sholiens allait complètement changer sa vie.

Il franchit finalement la rivière Mardall, là où elle traversait du Royaume de Cristal au Royaume de Zénor, avant de se jeter en cascades de la falaise qui surplombait le Désert. La moitié de la population avait quitté les hauts plateaux pour retourner vivre au bord de la mer. Avec courage et détermination, les Zénorois rebâtissaient avec les pierres éparpillées jusqu'à la falaise l'ancienne citadelle qui avait été détruite cinq cent ans plus tôt. Même la famille royale avait restauré et remeublé le château dont les fondations plongeaient dans la mer.

L'arrivée soudaine d'un cheval en provenance du ciel sema la panique dans la grande cour de la forteresse. Les soldats de la nouvelle garde s'étaient aussitôt précipités devant l'entrée du palais pour protéger leur roi. Autrefois, lorsqu'il portait l'armure des Chevaliers d'Émeraude, Hawke pouvait se présenter à l'improviste où que ce soit à Enkidiev, mais maintenant, vêtu d'une longue tunique blanche, il était plus difficile à reconnaître.

— Baissez vos armes ! ordonna une voix autoritaire derrière les soldats.

Le Prince Zach passa entre ses hommes et s'approcha du visiteur.

– Soyez le bienvenu à Zénor, maître Hawke. J'aimerais vous offrir de conduire votre monture à l'écurie, mais j'ignore les besoins d'une bête ailée.

– Hardjan peut aller où il veut, comme vous pouvez l'imaginer, Majesté. Aucun enclos ne le retient. Puis-je vous demander de le laisser se promener librement ? Je vous assure qu'il n'est pas malin.

Zach commanda aussitôt à ses soldats de garder le cheval volant à vue et de ne laisser personne l'importuner. Puis, il convia le magicien à l'intérieur.

– Plusieurs de vos anciens compagnons d'armes sont revenus vivre à Zénor, mais aucun au château, fit remarquer le prince en marchant avec Hawke dans.les couloirs où on venait juste de terminer le polissage de la pierre.

De nouveaux porte-flambeaux avaient été fixés aux deux mètres afin d'éclairer cet endroit laissé trop longtemps dans l'obscurité.

– Se sont-ils installés dans la cité ? voulut savoir l'Elfe.

– Non. Ils préfèrent vivre sur le plateau. Le Chevalier Curtis m'a avoué que ces plages leur rappelaient de mauvais souvenirs. Même si j'en ai l'autorité, je ne voulais pas les obliger à s'établir plus près de moi.

– Aucun d'eux n'a voulu prendre en charge l'éducation magique de votre fils ? s'étonna Hawke.

– Même en échange d'une bourse d'or. Je dois avouer que j'ai été étonné de recevoir votre missive.

– J'ai passé presque toute ma vie à enseigner, Majesté. Jamais je ne laisserais un enfant sans maître.

– Je suis heureux de constater que vous pensez comme moi.

Ils montèrent un grand escalier, maintenant recouvert d'un riche tapis aux couleurs de Zénor, soit bleu nuit, rouge clair et gris. C'était à cet endroit, des années auparavant, que Swan et Farrell avaient été attaqués par des abeilles géantes...

– Mon père, le Roi Vail, se plaît à dire à tout le monde que Kirsan est le portrait miniature de Lassa, poursuivit Zach. Mon fils a d'immenses pouvoirs et, pourtant, il n'est pas né lors d'une pluie d'étoiles filantes comme mon petit frère.

– Il y a bien d'autres phénomènes célestes qui déterminent le destin d'un enfant, sire.

Ils s'arrêtèrent à l'entrée d'une vaste pièce qui avaient jadis servi de salle d'audience et qui avait été transformée en nursery par la nouvelle famille royale. Kirsan était assis sur un gros coussin et faisait voler un oiseau de bois au-dessus de sa tête. Il ressemblait en effet au porteur de lumière avec ses cheveux blonds et son corps délicat, mais il émanait de lui une énergie fort différente.

— Kirsan, j'aimerais te présenter quelqu'un, lui dit le père.

L'enfant de six ans pivota et observa le visiteur avant de sourire de toutes ses dents. Derrière lui, le jouet se posa en douceur sur le sol.

— J'ai demandé à maître Hawke d'Émeraude de t'aider à maîtriser toutes ces belles facultés que les dieux t'ont données, poursuivit Zach.

Kirsan se leva et s'avança vers les deux adultes avec une démarche aussi légère que celle d'un Elfe.

— Je vous ai vu dans un rêve, déclara l'enfant en levant les yeux vers le magicien.

— Je vous laisse faire plus ample connaissance tous les deux, leur dit le prince. Quelqu'un viendra vous chercher pour le repas du soir. À tout à l'heure, fiston.

L'enfant était si absorbé par son nouveau maître qu'il n'entendit même pas les dernières paroles de son père. Il prit plutôt la main de Hawke et l'attira vers les coussins qui occupaient le centre de ses appartements.

— Raconte-moi ton rêve, insista l'Elfe.

— J'étais sur la plage et je regardais le soleil se coucher lorsque vous êtes descendu du ciel pour me dire que je n'étais pas comme les autres.

— Quand as-tu fait ce rêve? Est-ce récent?

– Non, j'avais trois ans.

– Quelqu'un t'avait-il parlé de moi ?

L'enfant secoua la tête négativement.

– Vous avez exactement le même visage, affirma-t-il, et vos oreilles sont pointues.

– T'ai-je dit autre chose ?

– Oui, mais je n'en ai jamais parlé pour ne faire de la peine à personne.

– Ce n'étaient donc pas de bonnes nouvelles.

– Ça dépend pour qui. Vous m'avez dit que je ne serais jamais roi et que je partirais à la découverte du monde. Vous comprendrez pourquoi je ne pouvais pas le répéter à mon grand-père et à mon père qui me voient déjà couronné.

– Alors, mon cher Kirsan, la première chose que je vais t'enseigner, aujourd'hui, c'est qu'il y a plusieurs types de rêves et qu'ils ne sont pas tous prophétiques.

– Les miens annoncent presque toujours quelque chose.

– Y en a-t-il qui ne se sont pas encore produits dans la réalité ?

– Il y a plusieurs mois, j'ai rêvé que je volais dans le ciel sur un cheval qui avait des ailes comme un oiseau.

Déconcerté, l'Elfe en oublia la leçon qu'il voulait lui donner sur les songes.

— Vous ne me croyez pas ? déplora l'enfant.

— Au contraire, Kirsan. L'étendue de tes dons est vraiment impressionnante.

— Il existe donc de tels chevaux ?

— J'en possède un.

— Où est-il ?

— Il se prélasse dans les environs.

Hawke lui promit alors de lui faire faire une petite balade aérienne s'il se concentrait sur la matière de la journée. Il découvrit en quelques heures que le garçon pouvait ressentir les humeurs les plus secrètes des gens, qu'il pouvait déplacer des objets avec sa pensée et que sa seule présence apaisait les cœurs les plus tristes. Son talent le plus étonnant, toutefois, demeurait sa capacité de voir l'avenir dans ses rêves.

Afin de ne pas négliger ses jumeaux, le magicien se mit à voyager régulièrement entre Émeraude et Zénor et son cheval volant s'endurcit d'un trajet à l'autre. De poulain, il se transformait de plus en plus en puissant étalon. Il s'établit même un lien particulier entre le petit prince et l'animal qui poussait l'audace jusqu'à se poser sur le balcon de ses appartements pour l'emmener dans le ciel.

Ainsi, Hawke aida l'enfant non seulement à maîtriser ses magnifiques dons, mais il le sensibilisa aussi aux terribles responsabilités qui les accompagnaient. Une toute petite partie de la population possédait des pouvoirs magiques et elle ne devait pas s'en servir pour imposer sa volonté aux autres ou pour obtenir des faveurs matérielles. Les leçons durèrent deux ans et prirent fin au retour d'une étrange aventure qui commença par un autre rêve.

Lorsque Hawke arriva à Zénor, ce jour-là, l'enfant maintenant âgé de huit ans dévala les marches du palais et vint à sa rencontre. Ses joues étaient toutes rouges d'émotion.

— Que se passe-t-il, Kirsan ? s'inquiéta l'Elfe.

— J'ai fait un autre rêve à votre sujet, maître Hawke.

Le magicien libéra son cheval ailé et voulut suivre le garçon dans la demeure de ses parents, mais Kirsan le prit par la main et l'entraîna jusqu'à la grande porte qui permettait de se rendre aux galets.

— Que veux-tu me montrer ? voulut savoir Hawke.

— Je ne veux pas que quelqu'un puisse nous entendre. Ici, avec le vent et le fracas de la mer, même les oreilles les plus fines ne capteront rien.

— Pourquoi tout ce mystère ?

— Vous êtes sur le point de découvrir un objet d'une grande puissance. Il est préférable que cela ne se sache pas tout de suite.

– Moi ?

– Il ressemble à ceci.

Kirsan sortit de la ceinture de sa tunique un petit diamant qu'il avait emprunté au trésor de son père. Il le déposa dans la paume de l'Elfe.

– Mais il est cent fois plus gros.

L'objet rappela aussitôt à Hawke la pierre des Sholiens que le Roi Onyx avait retrouvée sous sa forteresse.

– Sais-tu où je le trouverai ?

– Dans une grotte. J'ai vu son entrée, mais je ne connais pas suffisamment la géographie d'Enkidiev pour vous dire où elle se situe. Mais Hardjan pourrait nous emmener là où il y a des falaises, car c'est au pied de l'une d'elles que j'ai vu cette caverne.

Hawke demeura songeur quelques minutes. Il y avait une immense falaise au nord qui séparait les Royaumes de Shola, des Ombres et des Esprits du reste du continent. S'il y avait eu une telle cavité contenant un trésor, quelqu'un l'aurait trouvé depuis longtemps… Il songea donc à la falaise de Zénor, qu'il pouvait d'ailleurs apercevoir depuis le balcon de Kirsan. La paroi rocheuse s'étirait vers le sud et formait une frontière naturelle entre le Royaume de Fal et le Désert avant de remonter vers le nord, vers le Royaume de Béryl, qu'elle séparait de la Forêt Interdite. Personne n'avait osé s'aventurer jusque là, en raison des conditions dangereuses qui régnaient dans ces régions peu peuplées.

— Vous savez où est la pierre ? se réjouit Kirsan.

— Pas précisément, mais, par déduction, elle ne peut avoir été cachée qu'à deux endroits, dont l'un n'a jamais vraiment été exploré.

— Qu'attend-on pour partir ?

— Je ne suis pas impulsif, Kirsan. J'ai besoin d'en savoir un peu plus avant de me lancer dans une telle entreprise. Raconte-moi ton rêve en détail.

— J'ai d'abord vu la fente dans le roc et je m'en suis approché, par curiosité. À l'entrée, il faisait très sombre, mais, tout au fond, je pouvais apercevoir une faible lueur, alors j'ai voulu voir ce que c'était. C'est là que j'ai trouvé le gros diamant sur une table en pierre. C'est lui qui émettait de la lumière. J'ai tenté d'y toucher, mais quelqu'un m'a saisi par-derrière. Je n'ai pas vu le visage de cette personne, mais j'ai entendu sa voix. C'était un homme. Il a dit que cet objet magique ne m'était pas destiné et qu'il attendait son maître. J'ai évidemment demandé de qui il s'agissait et il a répondu que c'était un Elfe magicien qui portait le nom de Hawke. Je l'ai informé que je vous connaissais et je lui ai offert de vous rapporter la pierre, mais il a refusé, parce qu'elle contient trop de puissance.

Hawke ferma les yeux, déplorant que le destin s'intéresse encore à lui.

— Vous devriez plutôt vous réjouir, l'encouragea l'enfant.

— Il y a quelques années, j'ai tenu une pierre semblable dans mes mains. Une femme m'est apparue à l'intérieur et elle m'a parlé comme si elle me voyait, comme si elle y était enfermée. Elle m'a prédit que je deviendrais un guerrier comme mes amis et que je les aiderais à remporter la victoire contre notre ennemi, ce qui s'est finalement révélé juste.

— C'est tout ce qu'elle vous a dit ?

— Elle ne m'a rien dévoilé de plus sur mon avenir.

— Sans doute que le rôle de la seconde pierre est de vous en apprendre davantage.

— C'est peut-être un piège.

— Mais qui ferait une chose pareille ?

— Les sorciers d'Amecareth…

— Ne sont-ils pas tous morts ?

— Les forces du mal sont malheureusement difficiles à anéantir, Kirsan.

— Je suggère que vous arrêtiez de trouver des excuses et que nous partions immédiatement à la recherche de ce puissant objet.

— Tu t'entendrais bien avec le Roi Onyx, toi.

Sachant fort bien qu'il n'arriverait pas à faire taire ses inquiétudes avant d'avoir cerné les pouvoirs de la pierre précieuse, l'Elfe suivit l'enfant jusque dans la cour où le cheval-dragon sommeillait, à l'ombre des remparts.

– Hardjan, réveille-toi ! lança Kirsan. Nous allons vivre une merveilleuse aventure !

Hawke espérait de tout son cœur que cette prédiction s'accomplirait et qu'ils n'allaient pas tomber dans un guet-apens. Ils grimpèrent sur le dos de la monture ailée.

– Nous voulons étudier les falaises de Zénor, là où elles plongent dans le Désert, expliqua l'Elfe.

Hardjan s'élança, croyant savoir ce qu'il désirait. Ils piquèrent vers le sud-est, survolant les grandes prairies où les serviteurs de l'Empereur Noir avaient fait mourir tous les arbres lors de la première invasion. Graduellement, elles se couvrirent de sable blond. La chaleur qui s'en dégageait étant étouffante, Hawke fit reprendre de l'altitude à la bête. Assis devant lui, Kirsan observait avec découragement la base de la falaise. Cette dernière s'étendait à perte de vue.

– Si nous ne repérons pas la grotte aujourd'hui, nous reviendrons demain, annonça l'Elfe qui pensait exactement la même chose que son passager.

Ils longèrent l'imposant pan rocheux et virent au loin la forteresse de Fal, qui s'élevait sur sa bordure. Hawke ne se soucia même pas de l'émoi que leur apparition causait parmi la population. Tout comme son élève, il se concentrait sur sa recherche.

– Elle est là ! s'écria finalement Kirsan.

– Hardjan, vois si tu peux te poser sans te brûler les sabots, ordonna-t-il.

Le destrier se mit à perdre de l'altitude. Même s'il avait l'apparence physique des chevaux ordinaires, l'animal avait une constitution fort différente. Il pouvait supporter de brusques écarts de température, passer des jours sans boire ni manger et son intelligence rivalisait avec celle des humains. Il atterrit en douceur à quelques pas de l'entrée de la grotte et flaira le sol en émettant de courts sifflements.

– Que dit-il? voulut savoir l'enfant.

– C'est en effet très chaud et il est content que nous ne soyons pas pieds nus, aujourd'hui.

Hawke se laissa glisser par terre. Il sentit aussitôt la chaleur s'insinuer dans ses semelles et poussa Kirsan dans l'ouverture protégée du soleil.

– Et Hardjan? s'inquiéta le garçon.

– Ne t'en fais pas pour lui. Il est beaucoup plus robuste que nous.

Ils pénétrèrent dans l'étroit couloir qui de toute évidence n'avait pas été taillé de la main de l'homme. Il avait dû se former des milliers d'années auparavant, à la suite d'une secousse sismique.

– C'est ici, affirma Kirsan qui prit les devants avec assurance.

– Sois prudent, lui recommanda Hawke qui n'avait pas oublié la partie du rêve où l'enfant se faisait intercepter par un inconnu.

— La pierre se trouve tout au fond.

L'Elfe utilisa tous ses sens invisibles pour scruter l'endroit. Il y régnait une puissante magie, mais elle ne lui sembla pas néfaste. Lorsqu'il aboutit à l'endroit où le passage s'élargissait pour former une grotte, il constata que l'enfant avait vu juste. Sur un guéridon en pierre reposait une grosse pierre transparente dans laquelle clignotait une faible lueur.

— C'est elle, annonça fièrement Kirsan.

Avant de s'en approcher, Hawke regarda autour d'eux pour s'assurer qu'il n'y avait personne.

— Qu'attendez-vous, maître ? s'impatienta l'enfant. Elle est à vous.

Le magicien prit une profonde inspiration et fit un pas. Du diamant jaillirent alors des rayons de lumière qui se réverbérèrent sur les murs.

— Je pense qu'elle vous a reconnu.

— Kirsan, je t'en prie, garde le silence et sois attentif. S'il m'arrivait malheur dans les prochaines minutes, sors d'ici en courant.

— Je préférerais vous porter secours ! protesta le garçon.

— Rappelle-toi que malgré tes fantastiques pouvoirs, tu n'as que huit ans. Il serait beaucoup plus utile pour moi que tu ailles chercher de l'aide. Jure-moi que tu obéiras.

— Mais vous me répétez depuis deux ans que je suis l'élève le plus puissant à qui il vous a été donné d'enseigner !

— Kirsan...

— D'accord. Je ferai ce que vous me demandez.

Hawke remercia les dieux de lui avoir permis de faire partie des Chevaliers d'Émeraude, d'avoir rencontré Élizabelle et d'être devenu le père de deux magnifiques garçons, puis il s'avança vers le mystérieux objet. Lorsqu'il fut tout près, le visage d'une femme aux longs cheveux blancs apparut dans ses multiples facettes.

— *Nous savions que tu viendrais, Hawke.*

La dernière fois qu'il avait vu l'inconnue, c'était dans la pierre des Sholiens qu'Hadrian avait finalement détruite.

— Que me voulez-vous ?

— *Chaque siècle voit naître un héros.*

— C'est à Wellan que vous auriez dû vous adresser, mais, malheureusement, il est mort.

— *Tu es pourtant devenu un grand guerrier, comme nous te l'avons annoncé.*

— J'ai fait ma part dans cette guerre qui menaçait tous les peuples d'Enkidiev, mais je ne désire plus me battre. Si c'est cela que vous attendez de moi, ne perdez pas votre temps.

— *Nous avons besoin que notre histoire soit connue.*

— Vous ne m'avez même pas dit qui vous êtes.

Sans même battre des cils, l'Elfe se retrouva dans un autre monde. La petite grotte s'était transformée en une immense caverne éclairée par une trentaine d'immenses soleils miraculeusement fixés au plafond.

— *Nous sommes des Sholiens.*

La voix de la femme aux cheveux blancs ne résonnait plus à travers la pierre, car cette dernière était plantée devant lui. Stupéfié, Hawke n'arriva pas à prononcer un seul mot.

— *Ce que tu vois ici n'existe plus,* poursuivit l'inconnue.

— Vous m'avez ramené dans le passé ? parvint enfin à articuler l'Elfe.

— *D'une certaine façon. Je t'ai plongé dans ma conscience, car elle nous survit après la mort.*

— Vous êtes morte ?

— *Nous avons été trahis par un Immortel qui a permis à un sorcier de détruire notre monde.*

— Vous habitiez Alombria ?

— *Nous l'avons fondée. Étant donné que nous y étions tous au moment de cette perfide attaque, la totalité de notre savoir a disparu avec nous.*

– Vous êtes donc en train de communiquer avec moi depuis les grandes plaines de lumière, comprit l'Elfe. Je ne suis pas vraiment ici.

– *Tu es toujours dans un état de transe profonde, dans la grotte où nous avons caché une deuxième pierre de communication.*

– Et le petit ?

– *Nous avons arrêté le temps. Pour lui, notre échange n'aura duré qu'une seconde.*

– Vous avez donc l'intention de me libérer.

– *Tu n'es pas notre prisonnier, Hawke. Tu es notre invité.*

– Pourquoi dites-vous « nous » ?

– *Parce que je parle au nom de tous les Sholiens. Nous t'avons choisi, car tu as été le premier à entrer en contact avec nous.*

Hawke revit dans son esprit le combat qui avait opposé Hadrian et Onyx sous le Château d'Émeraude tandis que ce dernier tentait, grâce à la pierre des Sholiens, de rappeler tous les mages à la vie.

– Je pense qu'il existe une incantation qui vous délivrerait de la mort.

– *Nous ne désirons pas revenir dans ton monde. Nous voulons simplement que notre histoire soit racontée et que notre savoir nous survive.*

– Votre savoir ?

Même en dix ans, Wellan n'en avait absorbé qu'une infime partie…

– *Ce que nous allons te révéler pourrait un jour vous être très utile. Comme tu le sais sans doute déjà, la survie de toute race dépend de sa volonté de ne pas répéter les erreurs du passé.*

– Mais je ne suis qu'un Elfe dont la magie est si rudimentaire.

– *Ton potentiel n'a pas été correctement exploité, mais il est toujours là, au fond de toi. Nous allons t'aider à le réaliser.*

Dans la grotte du Désert, Kirsan ne savait plus quoi penser de l'immobilité de Hawke, dont les yeux étaient rivés sur la pierre étincelante.

– Maître, êtes-vous en difficulté ? hasarda l'enfant. Dois-je aller chercher de l'aide ?

L'Elfe sursauta, comme s'il avait été piqué par une abeille. Kirsan agrippa aussitôt sa tunique et le tira vers le couloir pour le libérer de sa catalepsie. Au moment où ils l'atteignirent, la pierre éclata en mille morceaux, les plongeant dans le noir. Le garçon força l'adulte à accélérer le pas, craignant que le plafond de la grotte subisse le même sort. Tous deux se protégèrent les yeux du soleil lorsqu'ils aboutirent dehors.

– Dites-moi quoi faire ! le pressa Kirsan.

– Monte sur le cheval.

Le ton de voix de Hawke était si calme qu'il aggrava l'inquiétude de l'enfant au lieu de l'apaiser. Hardjan avait ressenti la même chose et il s'empressa de les ramener au Château de Zénor afin qu'on s'occupe de son maître. Il aurait préféré atterrir au milieu d'un groupe d'humains qui l'auraient pris en charge, mais Hawke exigea qu'il les dépose sur le balcon des appartements du petit prince.

– Attends-moi, ordonna-t-il à l'animal.

Le magicien poussa l'enfant à l'intérieur et s'accroupit devant lui.

– Vos yeux sont différents, remarqua aussitôt le garçon.

– Ils ont vu bien des choses depuis que nous sommes partis ce matin. Kirsan, je veux que tu m'écoutes sans m'interrompre.

L'enfant hocha la tête en signe d'approbation.

– Je ne reviendrai plus à Zénor, car on vient de me confier une mission très importante. De toute façon, tu n'as plus besoin de moi, car tes pouvoirs vont continuer de croître dans la bonne direction. Continue de faire le bien et de n'avoir que de bonnes pensées, et ta vie sera formidable.

Des larmes se mirent à couler sur les joues de Kirsan, mais il n'eut pas le temps de dire à son maître qu'il allait cruellement lui manquer. Hawke l'embrassa et retourna sur le balcon. L'enfant le poursuivit, mais ne parvint pas à l'arrêter, car il venait de s'envoler sur le dos de son bel étalon noir.

— Quand je serai grand, je vous retrouverai, hoqueta-t-il.

Hawke poussa Hardjan vers Émeraude. Il avait hâte de raconter à Élizabelle ce qui venait de se passer et, surtout, il devait avertir Katil qu'il ne pourrait plus lui enseigner la magie.

15

N'Y VOIR QUE DU BLEU

out de suite après la grande fête donnée par le Roi Onyx pour célébrer la victoire des Chevaliers d'Émeraude, Derek grimpa sur son cheval et fila chez les Fées pour y rejoindre son épouse, Éliane. Ils avaient tenté de se marier entre deux attaques ennemies, mais l'Elfe avait dû retourner précipitamment sur le champ de bataille. Ils procédèrent donc à la cérémonie complète et reçurent en cadeau de la mère d'Éliane une hutte bien à eux, sur son île. Le palais de verre du Roi Tilly était un endroit fantastique pour une Fée, mais pas pour un Elfe qui avait besoin de sentir constamment le vent dans ses cheveux pour être heureux. Aussi, si les deux races étaient plus rapprochées l'une de l'autre, car elles n'avaient rien d'humain, au point de vue de la personnalité, elles étaient aux antipodes. Les Fées étaient des créatures insouciantes qui ne pensaient qu'à s'amuser, tandis que les Elfes prenaient leurs responsabilités au sérieux et détestaient perdre leur temps.

Derek et Éliane passèrent les premiers mois de leurs retrouvailles à se raconter tout ce qu'ils avaient manqué dans la vie l'un de l'autre, puis la Fée azurée fit savoir à son époux qu'elle aimerait avoir un enfant, comme Ariane. Au premier abord, Derek ne rejeta pas l'idée de voir grandir un petit à qui il enseignerait tout ce qu'il savait. Cependant, lorsqu'elle lui apprit que sa constitution elfique ne lui permettait pas de porter leurs bébés et qu'ils devraient s'adresser à un père porteur, le Chevalier se révolta.

— La conception se produit en moi et le fœtus est bien de nous deux, précisa Éliane, mais il doit absolument commencer sa vie dans le corps d'un homme-Fée. Cela ne dure que quelques semaines. Une fois que l'enfant a été extrait du père, c'est à nous de nous en occuper.

— Il n'est pas question que mes héritiers soient conçus de cette façon, refusa Derek. C'est un véritable crime contre nature.

— Les Elfes ont la chance de pouvoir engendrer leurs enfants de la même façon que les humains, mais nous, les Fées, c'est ainsi que nous nous perpétuons. Ce n'est pas moi qui ai inventé ce processus.

Aucun argument ne le fit changer d'avis. Éliane envisagea donc l'adoption.

— Le petit nombre d'enfants Elfes qui ont eu le malheur de perdre leurs parents durant la guerre ont tout de suite été adoptés par des familles de leurs clans, expliqua Derek. Il n'y a jamais d'orphelins chez mon peuple. Y en a-t-il chez les Fées ?

— C'est difficile à dire, étant donné qu'au palais les enfants sont élevés par tous les adultes.

— Et ne me parle pas d'adopter un bébé humain. Malgré tout le respect que je porte à cette race que j'ai côtoyée toute ma vie, je n'arriverais jamais à élever convenablement l'un de leurs enfants.

– C'est donc toi qui ne te sens pas apte à être père ! s'exclama naïvement Éliane.

Piqué au vif, Derek quitta l'île et s'enfonça dans les bois, même s'il ne s'y sentait pas chez lui. Pourquoi les arbres de ce coin du monde étaient-ils les seuls à avoir des troncs de cristal transparents dans lesquels on voyait couler la sève ? Pourquoi leurs feuilles étaient-elles de toutes les formes et de toutes les couleurs ? En créant leur propre environnement, ces créatures fantaisistes avaient tué l'âme même des forêts qui couvraient jadis tout leur territoire. L'herbe y était bleue, les fleurs et les champignons atteignaient des tailles démesurées et les animaux aquatiques étaient fluorescents. Seules les petites bêtes qui s'y aventuraient étaient normales, mais elles n'y restaient jamais longtemps, faute de nourriture qu'elles pouvaient reconnaître. Il n'y avait même pas un seul tronc d'arbre mort sur lequel l'Elfe aurait pu s'asseoir pour réfléchir.

Pendant un instant, Derek fut tenté de remonter vers le nord et de retrouver son clan. Il y avait bien longtemps qu'il n'avait revu sa famille, mais il était persuadé qu'il serait bien reçu. Or, le Royaume des Elfes étaient à quelques jours de marche… L'île qu'il habitait avec sa femme et sa belle-mère se situait plus près des Royaumes d'Argent et d'Émeraude. Vers qui pourrait-il se tourner pour demander des conseils ? À Kevin et à Kardey qui avaient aussi épousé des Fées ?

Ne comprenant pas pourquoi son époux s'était enfui, Éliane s'était assise sur la balançoire fleurie qui pendait d'une grosse branche transparente. Elle avait tous les attributs d'une Fée, mais elle avait été élevée par de petits insectes qui l'avaient traitée comme l'une des leurs. Depuis son retour à Enkidiev, elle avait fait de gros efforts pour s'adapter d'abord à la vie des humains, puis à celle des Fées, mais les Elfes lui semblaient de plus en plus impossibles. «Pourquoi les dieux ont-ils choisi l'un d'eux pour être mon âme sœur?» se demanda-t-elle, désemparée. «Il ne me comprend pas et je ne le comprends pas.»

Le soir venu, lorsqu'elle constata que Derek n'était pas encore rentré, elle partit à sa recherche. Il était si facile de se perdre dans la forêt, même pour une Fée! Il ne lui fut pas difficile de suivre sa trace, car il n'avait rien fait pour la dissimuler. Elle le trouva assis en tailleur au pied d'un arbre, profondément perdu dans ses pensées. Silencieusement, elle s'agenouilla devant lui.

— Il commence à faire sombre, chuchota-t-elle.

— Quel danger courons-nous dans cette forêt sans âme, dis-moi?

— Il fait froid la nuit. Nous devrions rentrer chez nous et poursuivre cette conversation bien au chaud, car je sens qu'elle est loin d'être terminée.

L'innocence de son épouse arracha à Derek l'ombre d'un sourire.

— Les Elfes sont trop susceptibles, le taquina Éliane.

– Les Fées sont trop frivoles.

Elle glissa ses doigts entre les siens et l'obligea à la suivre. Dans la noirceur la plus complète, ils arrivèrent sur le pont suspendu qui leur permettait d'atteindre leur île et Éliane faillit mettre le pied dans le vide.

– Elles sont aussi maladroites, ajouta l'Elfe.

– C'est qu'elles sont faites pour voler, pas pour marcher pendant des heures.

Ils s'enfermèrent dans leur hutte, où ils trouvèrent leurs mets préférés, gracieuseté d'Auréane.

– J'ai longuement réfléchi aujourd'hui, commença Éliane après avoir avalé tout le contenu d'une petite flûte de nectar doré. En réalité, j'ai seulement besoin de prendre soin d'une petite créature vivante, alors ce pourrait être un autre dragon.

– Asbeth a massacré tous les bébés dragons pour rendre les mères furieuses contre les Chevaliers, à leur arrivée à Irianeth, répliqua Derek. Je t'ai déjà raconté cette histoire.

– S'il les a tous tués, pourquoi Nartrach en a-t-il un ?

– Ce sont Bailey et Volpel qui l'ont trouvé dans les décombres du palais.

– Il y en a peut-être d'autres qui ont survécu…

Le soupir de découragement de son époux mit fin aux espoirs de la Fée. Elle avala son repas, la gorge serrée, puis alla se coucher dans leur nid rond tapissé de couvertures douces et de coussins duveteux. Derek la rejoignit quelques minutes plus tard, incapable de trouver les mots qui l'auraient consolée.

Toutes les nuits, pendant plusieurs semaines, Éliane se réveillait en pleurant, après avoir rêvé à Stellan, le dragon qu'elle avait élevé à partir de l'œuf. Alors, même s'il savait que cette entreprise était parfaitement inutile, Derek lui proposa de se rendre à Irianeth pour voir s'il restait un dragon quelque part. Folle de joie, Éliane se mit à faire apparaître des aliments qu'elle entassa dans de grands sacs de toile brillante.

— Mais comment traverserons-nous l'océan? demanda-t-elle tout à coup.

— Les Zénorois et les Argentais ont recommencé à construire des bateaux. Il nous suffira de demander à un armateur de nous y conduire.

— Que lui offrirons-nous en échange de notre passage?

— En général, ils exigent des Onyx d'or, mais je crois que n'importe quel objet de valeur fera l'affaire.

— Je ne possède que des pierres précieuses…

— Je crois bien qu'ils s'en contenteront, affirma le mari.

Ils se mirent en route et passèrent à travers forêts pour se rendre au bord de la mer. Le Royaume d'Argent étant voisin de celui des Fées, c'est là qu'ils s'arrêtèrent en premier. Ils trouvèrent facilement le chantier naval, puis les propriétaires des nouvelles nefs ancrées non loin. Il s'agissait essentiellement d'embarcations de pêche, mais il arrivait aux marins de s'éloigner considérablement des côtes pour suivre les bancs de poissons. Derek parvint assez facilement à troquer quelques rubis pour un passage à destination d'Irianeth, même si le capitaine ne comprenait pas ce qu'il voulait aller y faire. Quelques saphirs de plus, et ce dernier accepta de venir les chercher quelques semaines plus tard à l'endroit où il les laisserait.

Malgré son empressement à trouver un bébé dragon, c'est avec une certaine angoisse que la Fée azurée s'embarqua avec son mari sur un grand chalutier qui tanguait comme un bouchon de liège sur les flots. Elle s'accrocha aux cordages et refusa de les lâcher lorsque le bateau prit enfin le large. Affichant davantage de retenue, Derek se tenait près de la rambarde, au cas où il aurait besoin de vider son estomac.

La traversée dura quelques jours, car le but premier du voyage était la capture du plus grand nombre de poissons possible. Leur odeur eut finalement raison d'Éliane qui s'envola jusqu'au sommet du plus haut mât. Derek tenta tant bien que mal de la faire descendre, mais seuls une tempête ou le délestage de la cargaison y seraient parvenus. La Fée se cramponna au poteau de bois et rabattit ses ailes de libellule dans son dos jusqu'à ce qu'elle aperçoive enfin la terre. Elle reconnut le quai qui menait au palais de l'Empereur Noir, mais la ruche n'était plus là.

Le capitaine ne s'approcha de l'embarcadère que le temps de faire descendre ses passagers, puis s'éloigna en vitesse. L'Elfe et la Fée se retrouvèrent donc isolés sur le continent dévasté des Tanieths. L'odeur des hordes de dragons qui continuaient de se putréfier était encore plus insupportable que celle du poisson sur le pont du bateau.

— Derek, il faut faire quelque chose, gémit Éliane, sur le point de s'évanouir.

Son mari s'avança jusqu'à la grève et tendit ses paumes. Des jets de feu s'en échappèrent, enflammant les carcasses à demi dévorées par les crustacés. Il répéta l'opération de l'autre côté du quai, mais les charognes s'étendaient à perte de vue.

— À moins que tu me viennes en aide, j'en ai pour des jours ! fit remarquer Derek à sa femme.

— Je ne possède pas la faculté de brûler les cadavres.

— Tu pourrais peut-être essayer de les rejeter à la mer ?

Ce n'était pas une mince affaire de se boucher le nez et d'utiliser sa magie en même temps, mais Éliane parvint tout de même à soulever les dragons morts dans les airs et à les projeter dans les flots où ils feraient sans doute la joie des poissons carnivores. L'opération de nettoyage dura toute la journée. Lorsque le soleil commença à descendre derrière les montagnes, Derek se mit à la recherche d'un abri. Les ruines de la ruche formaient un amas plutôt instable de fragments de pierre. Ils regardèrent donc du côté des falaises, à environ une heure de marche au nord de l'ancien palais.

— Il fera vraiment trop sombre lorsque nous les atteindrons, constata Éliane. J'ai une bien meilleure idée.

Elle tendit ses quatre ailes et les fit battre si rapidement qu'elles devinrent presque transparentes. Elle s'éleva dans les airs en douceur, passa les bras sous les aisselles de Derek et le transporta jusqu'à la plus basse des corniches. Contrairement à la plupart de ses compatriotes, l'Elfe n'avait peur de rien, mais l'absence du sol sous ses pieds lui donna le vertige. Il fut donc bien content de retrouver la terre ferme.

— On dirait un tunnel, observa Éliane. Je me demande où il mène.

Puisque la noirceur y régnait, elle illumina tout son corps, un peu comme les lucioles, et s'aventura dans la galerie. Derek n'eut d'autre choix que de la suivre. Ils découvrirent d'innombrables alvéoles où s'entassaient des morceaux de coquilles vides.

— Est-ce que c'étaient des œufs de dragons ? demanda l'Elfe.

— Non, affirma la Fée. Ils sont beaucoup plus gros, presque de la taille d'un tonneau de vin. Je crois plutôt qu'il s'agit des anciennes pouponnières des Tanieths.

Ils passèrent la nuit collés l'un contre l'autre, enroulés dans une couverture, au fond de la cavité qui leur parut la plus propre. Au matin, ils avalèrent une bouchée et retournèrent sur la corniche. Éliane plaça ses mains sur les hanches avec un air de détermination qui mit son époux en garde.

— À quoi penses-tu, exactement ?

— À faire du ménage, bien sûr. Nous pourrions transformer cette terre de désolation en un endroit où il fait bon vivre.

— Nous ne sommes que deux, Éliane.

— Mais nous avons plusieurs semaines devant nous et de formidables pouvoirs magiques. Commençons donc maintenant.

Derek avait appris que si les Fées étaient tout à fait irréalistes, il était parfaitement inutile de tenter de les décourager lorsqu'elles avaient une idée en tête. Il l'accompagna donc jusqu'à la plage où elle voulut apprendre à broyer les rochers, car la destruction ne faisait pas partie de sa personnalité. L'Elfe lui enseigna donc à manipuler l'énergie de façon à créer deux marteaux invisibles qu'elle devait ramener l'un vers l'autre de chaque côté des pointes rocheuses qui fusaient sur la grève. Ses premiers essais ne firent qu'ébranler les mégalithes, mais bientôt elle parvint à les réduire en galets. Encouragée par son succès, elle se mit à sillonner la plage en concassant tout sur son passage. «Au moins, elle dormira ce soir», songea Derek en poursuivant le même travail en sens inverse.

Durant les jours qui suivirent, le couple parcourut plusieurs kilomètres sur le bord de l'eau, transformant les écueils en petits cailloux que les vagues se chargeraient d'arrondir avec le temps. Au grand bonheur d'Éliane, sous les rochers se trouvait un mélange de sable et de terre. Elle tapa joyeusement dans ses mains et de magnifiques fleurs se mirent à sortir du sol tout autour d'eux.

— Ce continent ne sera jamais plus le même maintenant que tu y as remis les pieds, laissa tomber Derek.

Ils poursuivirent leur route autour de la presqu'île jusqu'à ce qu'ils arrivent à sa pointe sud, où s'élevaient d'autres falaises. Au lieu de se tourner vers l'intérieur du continent, celles-ci dominaient l'océan.

— C'est ici que j'ai grandi, murmura tristement la Fée. Après m'avoir enlevée à ma mère, les Tanieths m'ont mise entre les mains des Midjins. Ce sont des dompteurs de Lotakieths, des dragons mâles.

— Mais je ne vois aucune habitation, nota Derek.

— Elles sont creusées à même la falaise. Les Midjins ont des griffes qui leur permettent de l'escalader sans aucune difficulté.

— Mais toi, tu n'en as pas.

— C'est pour cette raison que je dépendais de ma mère adoptive pour grimper jusqu'ici. Et lorsque j'ai commencé à dresser Stellan, je ne suis pas souvent montée auprès de ma famille. Je passais tout mon temps avec mon dragon.

— Comment les Midjins se procuraient-ils des dragons ?

— De la façon la plus dangereuse qui soit. Ils les volaient à leurs mères, sur les différentes plages du royaume.

— Donc, pour te trouver un bébé, il nous faudrait faire la même chose ?

— Oui, sauf que toutes les femelles qui vivaient autour de la ruche ont été anéanties…

— Irianeth est-il un grand continent ?

Éliane s'assit sur le sol et ramena ses genoux contre sa poitrine en fouillant dans son passé. Lorsqu'elle avait fait ses premiers vols sur le dos de Stellan, elle avait en effet aperçu de grands territoires, à l'ouest.

— C'est possible. Il y a de cela si longtemps... J'ai du mal à bien me souvenir.

— Je croyais que les Fées avaient une bonne mémoire.

— Je n'en étais pas une, à l'époque.

— Je pourrais t'aider à redécouvrir ce que tu as oublié.

— Comment ?

Derek s'installa derrière elle et plaça le bout de ses doigts de chaque côté de la tête de son épouse. Éliane ressentit d'abord un léger étourdissement, puis il lui sembla sombrer dans un puits. Sa chute s'arrêta sur le dos de son dragon adoré. Elle passa les bras autour de la base de son cou et le serra avec amour pendant un moment. Se rappelant soudain le but de son retour dans le passé, elle regarda sous elle et vit la ruche. Sur les plages couraient des troupeaux de dragons noirs comme la nuit. Elle incita Stellan à piquer vers la droite et vit les hautes montagnes qui séparaient la péninsule du reste du continent.

Ils poursuivirent leur route vers le couchant, comme le jour où cet événement s'était réellement produit. Le dragon se faufila aisément entre deux hauts pics. De l'autre côté, un merveilleux spectacle les attendait. Contrairement à la presqu'île où Amecareth avait choisi de vivre, le reste de son empire n'était pas couvert de rochers ! De vertes prairies s'étendaient à perte de vue, entrecoupées de vastes forêts de conifères et de feuillus. « Je m'en souviens, maintenant... »

Éliane se retourna brusquement, et ses ailes frappèrent son époux au visage, l'obligeant à mettre fin à l'opération magique. Heureusement, elles n'étaient pas dures comme du bois et ne lui infligèrent aucune blessure.

– C'est la périphérie d'Irianeth qui est couverte de rochers ! Derrière ces montagnes, le paysage ressemble à celui d'Enkidiev. En creusant pour trouver du minerai rouge, les Tanieths ont dévasté peu à peu leur monde.

– Et celui de tous les peuples qu'ils ont conquis. As-tu vu des dragons de ce côté ?

– Je n'ai vu que des mammifères qui fuyaient en nous apercevant.

Éliane se pencha au-dessus de la falaise et émit un curieux sifflement. Elle attendit quelques minutes, puis recommença. Personne ne lui répondit.

– Ils sont partis, déplora-t-elle. Sans doute ont-ils eu peur que les Chevaliers les exterminent, eux aussi.

– Ou peut-être ont-ils profité de la chute de l'empire pour se libérer enfin de son joug.

– Nous ne trouverons pas ce que je cherche de ce côté. Allons plutôt vers le nord.

– Il ne faut pas rater notre rendez-vous avec le bateau argentais, Éliane.

– Alors remontons la côte vers le nord pendant quelques jours, puis revenons au quai. Je dois savoir s'il reste ici des dragons.

Derek acquiesça en se promettant de ne pas perdre la notion du temps, car il aimait de moins en moins cet endroit. En contournant la partie septentrionale de la péninsule, ils découvrirent d'autres rochers qu'ils pulvérisèrent à chaque pas. Éliane dut finalement se rendre à l'évidence : les dragons avaient bel et bien disparu. Sur le chemin du retour, elle fit pousser des fleurs, mais avec beaucoup moins d'enthousiasme. Derek aurait bien aimé la rendre heureuse, mais, en fin de compte, il était peut-être préférable de ne pas ramener un autre mâle à Enkidiev, car il aurait tôt fait de s'en prendre à Nacarat.

Le chalutier arriva peu de temps après. Le capitaine observa l'embarquement de ses passagers, surpris, d'une part, qu'ils aient survécu toutes ces semaines sur ce territoire maudit et étonné, d'autre part, de voir l'ancien rivage rocheux maintenant parsemé de fleurs. Éliane alla s'asseoir en boule près de la proue. Derek jeta une couverture sur ses épaules en faisant attention de ne pas lui abîmer les ailes et il prit place à ses côtés. Pour ne pas ajouter à sa déception, il ne prononça pas un seul mot jusqu'à ce qu'ils aient mis pied à terre au Royaume d'Argent. Les Fées étaient des créatures très sensibles, qui captaient les états de conscience les unes des autres, surtout la tristesse, une émotion qui pouvait facilement les tuer. Ainsi, lorsque le couple rentra au pays, plusieurs d'entre elles vinrent à sa rencontre pour tenter de réconforter Éliane. Celle-ci s'efforçait de sourire, mais il n'y avait aucune joie dans son cœur.

Les années passèrent et Éliane sombra de plus en plus dans la mélancolie. Pour lui changer les idées, Derek l'emmena rendre visite à son clan. Il la traîna même de force jusqu'à Émeraude pour les Fêtes de Parandar. Rien ne la réjouissait, pas même la vue du dragon écarlate de Nartrach qui entrait dans son adolescence. À court de solutions, son mari commença à songer à lui donner un enfant, même s'il devait réprimer son orgueil d'Elfe et accepter qu'un autre homme le porte. Il allait en parler à Éliane lorsqu'un événement inattendu changea complètement le cours de leur vie.

Un matin, alors que Derek cueillait des baies et que son épouse récoltait de la rosée pour le déjeuner, cette dernière vit arriver Améliane sur le pont qui conduisait à l'île. Ce n'était plus la fillette qu'elle avait connue à son retour chez les Fées, mais une belle jeune femme qui ressemblait physiquement à Ariane, sa mère. Elle portait un petit animal tout blanc dans les bras.

– J'ai un présent pour toi, annonça Améliane en s'approchant d'Éliane.

Elle déposa sa flûte de cristal, étonnée, car elle crut qu'il s'agissait d'un lapin. Il y en avait partout dans la forêt. Si elle avait voulu en posséder un, elle n'aurait eu qu'à planter des carottes autour de sa hutte. Sa surprise redoubla lorsque la jeune Fée fut très près d'elle. La bête qui dormait contre sa poitrine ressemblait à un cheval miniature, sauf qu'il avait une toute petite corne au milieu du front.

— Mais qu'est-ce que c'est? demanda Éliane.

— Je n'en sais rien.

«Une réponse typiquement Fée», soupira intérieurement Derek.

— Nous lui avons donné le nom de Phaedra, poursuivit Améliane. C'est une femelle encore très jeune.

— D'où vient-elle?

— Je ne peux pas te le dire.

— Pourquoi dis-tu «nous»? la questionna Derek, à son tour.

— Je n'étais pas seule lorsque nous l'avons trouvée auprès de sa mère morte depuis quelques jours. La pauvre petite était affamée. Nous l'avons nourrie avec du lait de chèvre et elle ne s'en plaint pas. Mais ce dont elle a surtout besoin, c'est d'amour et de protection.

Améliane déposa le bébé licorne dans les bras d'Éliane, dont le visage s'illumina d'espoir pour la première fois depuis son retour d'Irianeth.

— Elle est à moi?

– À moins que tu ne veuilles pas d'elle.

– Phaedra…, murmura Éliane en caressant sa minuscule encolure.

«Me voilà père d'un cheval», songea Derek. «Il ne manquait plus que ça !»

16

DES DOIGTS DE FÉES

ême s'il était désormais libre d'aller où bon lui semblait sur le continent, Kardey était retourné au Royaume des Fées après la guerre, avec l'intention de concevoir un deuxième enfant. Il n'éprouvait pas les mêmes réticences que Kevin et que Derek à ce sujet, puisque le Roi Tilly l'avait jadis sauvé de la mort en le transformant en homme-Fée. Kardey avait donc la liberté de porter lui-même ses enfants. Après en avoir longuement discuté avec Ariane, ils décidèrent de n'en avoir qu'un seul autre, car il existait chez ce peuple un grand principe : les parents ne devaient pas avoir plus d'enfants que leurs bras pouvaient en étreindre.

Ariane étant la Princesse des Fées, le couple fut contraint de s'installer dans le palais de verre de la famille royale. De toute façon, Améliane, leur fillette de quatre ans, y vivait déjà avec ses grands-parents depuis sa naissance. Peu de temps après, Kardey donna naissance à un minuscule garçon de quinze centimètres de long que la famille se mit à nourrir pour qu'il prenne rapidement des forces. Même la petite Améliane participait à la cueillette du nectar et contemplait durant des heures le petit Daghild qui dormait dans son berceau. Contrairement à sa sœur dont les cheveux étaient de jais, le bambin avait la tête recouverte de duvet blond foncé. Sans doute serait-il châtain comme Kardey lorsqu'il serait grand. Améliane espérait également qu'il soit aussi bouclé que lui.

Une fois qu'il eut atteint six mois, Daghild se mit à grossir comme un bébé normal et, à quatre ans, il avait presque la taille de sa sœur de neuf ans. C'était un enfant éveillé, charmeur et très actif. Il s'intéressait à tout et il s'entendait bien avec tout le monde. Même si Kardey aurait aimé l'avoir à lui seul, il devait toutefois le partager avec Tilly, dont il faisait la joie. Puisque ni Ariane ni Dinath ne désiraient lui succéder, le Roi des Fées s'était tourné vers la génération suivante. Améliane avait catégoriquement refusé ce grand privilège, affirmant qu'elle serait un Chevalier d'Émeraude lorsqu'elle serait grande. Le grand-père avait donc pensé à son petit-fils qui avait toutes les qualités d'un bon souverain.

En attendant qu'il monte sur le trône, des centaines d'années plus tard, car les Fées vivaient jusqu'à un âge très avancé, Kardey décida de faire voir le monde à ses enfants. Les parents partirent donc à cheval, transportant avec eux des vivres, quelques vêtements de rechange et les enfants. Ils découvrirent tous les royaumes. Pour que leur progéniture s'en imprègne, ils passèrent plusieurs mois à chaque endroit, vivant dans les villages où ils pouvaient observer les us et coutumes du peuple. Ariane approuva cette initiative de la part de son époux, car elle rendrait leur fils plus ouvert aux échanges avec le monde extérieur une fois qu'il régnerait sur les Fées.

La famille ne revint au palais que trois ans plus tard, la tête chargée de souvenirs. Les enfants sautèrent dans les bras de leurs grands-parents en leur racontant leurs aventures en même temps, si bien qu'ils n'y comprirent rien.

— Du calme, mes chéris, les arrêta la Reine Calva, en riant. Vous avez toute la vie pour nous en parler.

Il fut donc convenu qu'ils commenceraient à leur en faire part, à tour de rôle, lors du repas du soir. Les deux enfants étant très bavards, le festin se poursuivit jusque tard dans la nuit. Ce fut Kardey qui y mit fin, car ses paupières étaient devenues trop lourdes. Il installa ses petits dans leur nid et se blottit contre son épouse.

— Papa, est-ce que nous resterons ici? voulut savoir Daghild.

Kardey comprit qu'ils ne pourraient jamais dormir avant d'avoir satisfait la curiosité de son fils.

— Pourquoi me poses-tu cette question?

— Parce qu'Améliane prétend que nous avons visité tous ces pays pour choisir notre prochaine maison.

— Tu as toujours dit à maman que lorsque tu serais libéré du sort qui t'oblige à habiter uniquement au Royaume des Fées, nous irions vivre ailleurs, renchérit la grande sœur.

Ariane offrit à son mari son sourire le plus sadique, lui signifiant de se débrouiller seul.

— À cette époque, les choses étaient différentes, grenouille, indiqua Kardey.

— Tu as donc changé d'idée?

– Pas tout à fait. Il faut que vous compreniez que nous sommes quatre maintenant et que l'opinion de chacun est importante.

– Elle ne l'était pas lorsque nous n'étions que trois ? s'offensa Améliane.

– Tu n'étais qu'un poussin, à ce moment-là.

– Et quand on est petit, notre opinion ne compte pas ?

Kardey quitta la chaleur des bras d'Ariane et s'adossa contre le nid. Les têtes de ses bambins dépassaient du bord et leurs yeux étaient braqués sur lui.

– Au contraire, libellule. Le point de vue des enfants est toujours important, peu importe leur âge. Mais en ce qui concerne une décision aussi importante que de choisir le lieu de résidence de toute la famille, les parents sont souvent mieux informés.

– Si ce n'était pas pour aller vivre ailleurs que nous avons séjourné dans tous ces royaumes, c'était pour quelle raison, alors ? demanda Daghild.

– C'était d'abord et avant tout pour enrichir votre culture. C'est lorsqu'on est jeune qu'on doit voyager afin d'avoir la vision la plus élargie possible du monde dans lequel on habite.

– Pour devenir de meilleurs adultes ? se renseigna Améliane.

– Entre autres. Pour vous prouver que votre avis présente de l'intérêt pour moi, dites-moi s'il y a un pays où vous aimeriez vivre pour le reste de vos jours.

Les enfants froncèrent les sourcils en se creusant les méninges.

– Zénor est trop humide, décida Améliane.

– Les villages sont trop loin les uns des autres au Royaume de Cristal, ajouta son frère.

– Les prairies de Perle sont trop vastes. Il n'y a presque pas de forêts.

– Celles de Turquoise sont trop vieilles et il n'y a pas suffisamment de clarté durant le jour.

Kardey ouvrit la bouche pour faire un commentaire, mais ses enfants ne lui laissèrent pas le temps de le formuler.

– Il est surprenant que des gens soient capables de vivre dans un endroit aussi sec et rocheux que le Royaume de Béryl, poursuivit Améliane en soupirant.

– À Jade, il y a trop de riz et pas assez d'arbres, se rappela Daghild. On ne peut aller nulle part la nuit à cause des prédateurs qui ne vivent pas en harmonie avec les hommes.

– C'est pareil au Royaume de Rubis. Pire encore, les hommes passent leur temps à chasser les animaux qui ne sont même pas agressifs envers eux.

– Au Royaume de Diamant, il n'y a rien à faire sinon cultiver des grands champs à perte de vue.

– À Opale, même si c'est ton pays de naissance, les femmes n'ont tout simplement pas leur place. Je ne vois pas comment je pourrais survivre dans un tel pays.

– Émeraude serait un choix acceptable, continua Daghild, mais on n'y forme plus d'Écuyers, alors ça le rend moins intéressant.

– Nous n'avons pas aimé non plus les émotions que nous avons ressenties au Royaume d'Argent. Les gens sont encore fâchés d'avoir été isolés du reste du continent. Ils ne s'en remettent pas.

– Chez les Elfes, il y a vraiment trop de règlements. Les enfants n'ont aucune liberté.

Voyant qu'ils n'avaient plus de critiques à exprimer, Kardey en profita pour prendre la parole.

– Vous avez oublié le Désert, la Forêt Interdite et les Territoires Inconnus, les taquina-t-il.

– C'est que nous n'y sommes pas allés, lui fit remarquer Améliane.

– Ce qu'on en dit n'est pas invitant, non plus, ajouta son frère.

– Il y a aussi Irianeth.

– Papa! s'exclamèrent-ils en chœur, sur un ton de reproche.

– Si je comprends bien, vous ne voulez pas aller vivre ailleurs.

– Nous croyons que le meilleur endroit au monde, pour nous, c'est le Royaume des Fées.

– Maintenant que cette question est réglée, pourrions-nous dormir un peu?

– Oui, bien sûr, accepta Améliane en se laissant retomber dans ses couvertures.

Daghild et Kardey en firent autant.

– C'est ce qui arrive quand des parents mettent au monde des enfants intelligents, chuchota Ariane en embrassant son époux sur la joue.

Le couple décida donc que sa progéniture serait élevée à la façon des Fées. Même s'il était un garçon, Daghild devait non seulement apprendre la magie qui permettait à ces gracieuses créatures de conserver leur environnement fantaisiste, mais aussi la musique et le chant. Or, bientôt, le gamin et sa sœur commencèrent à manquer des cours, car ils préféraient s'entraîner à l'épée dans une clairière éloignée dont ils avaient pris possession. Ils avaient fabriqué leur propre étendard, arraché toutes les fleurs et jeté les fondations d'un fort avec des pierres colorées de différentes tailles.

Lorsque la Reine Calva vint se plaindre à Kardey des absences répétées de ses enfants, il les suivit de loin pour voir ce qui les attirait ailleurs. Il demeura donc tapi dans l'herbe haute, en marge de la trouée, et les observa tandis qu'ils échangeaient des coups avec des épées de bois qu'ils s'étaient confectionnées. « Mais où ont-ils trouvé du bois ? » s'étonna le père. Pour ne pas perturber leur équilibre émotionnel, Kardey attendit au dernier repas de la journée pour régler la situation.

– Ce soir, j'aimerais vous poser un millier de questions, annonça-t-il en prenant même Ariane par surprise.

– Est-ce un jeu ? demanda tout de suite Daghild.

– Si vous voulez.

– Alors, soit, accepta Améliane, maintenant âgée de treize ans.

– J'aimerais savoir pourquoi vous quittez le palais au lieu de fréquenter vos classes.

Les deux enfants échangèrent un regard entendu. Ils avaient donc l'intention de faire bloc contre les adultes.

– Nous n'avons plus rien à y apprendre, répondit Daghild avec une fermeté qui n'était pas habituelle chez les Fées.

– Ce sont vos préceptrices qui vous ont dit une chose pareille ?

– Évidemment que non, affirma Améliane. Si tous les enfants se rendaient compte qu'elles tournent en rond, elles n'auraient plus rien à faire.

– N'avions-nous pas pris l'engagement de tout nous dire, dans cette famille ? s'en mêla Ariane.

– Oui, mais nous n'avons jamais décidé du moment exact de le faire, se défendit Daghild.

Sa réponse bouleversa la mère qui ne s'attendait pas à un comportement aussi rebelle de la part de son fils. Était-ce son côté humain qui commençait à prendre le dessus ? Daghild n'était pas timide et effacé comme les véritables hommes-Fées. Au contraire, il n'éprouvait aucune honte à se placer au premier plan dans toutes les situations de sa vie d'enfant. Deviendrait-il un modèle pour les Fées des prochaines générations ?

– Où allez-vous lorsque vous quittez le palais ? continua de les interroger Kardey en se promettant de rassurer son épouse plus tard.

– Nous apprenons à nous défendre à l'épée, répondit fièrement son fils.

– Afin de combattre quel ennemi ?

– Le prochain qui osera mettre le pied à Enkidiev, évidemment.

– Nous avons décidé de devenir des Chevaliers d'Émeraude, précisa Améliane.

– Il n'y a eu aucun adoubement depuis la fin de la guerre. Vous l'avez pourtant appris lors de notre séjour à Émeraude.

– Nous persuaderons le Roi Onyx de corriger cette lacune.

Les deux parents arquèrent les sourcils devant cette sédition.

– Je crois qu'il est temps de remettre les choses en perspective, déclara Ariane sur un ton autoritaire que les enfants perçurent aussitôt.

Ils déposèrent leurs ustensiles et fixèrent leur mère avec appréhension.

– Nous vous avons toujours accordé une grande liberté d'expression, poursuivit la femme Chevalier. Maintenant, il vous faut aussi comprendre qu'il existe sur ce continent un ordre établi qui vise à assurer notre sécurité. Ce sont les rois qui prennent les décisions pour leurs sujets et ils le font tous de façon éclairée, après avoir consulté leurs conseillers. Le peuple, et les Chevaliers en font partie, a l'obligation de se soumettre à la volonté de son souverain.

– Même quand il fait erreur ? s'étonna Daghild.

– Comment un petit garçon de huit ans saurait-il que le Roi d'Émeraude s'est trompé ?

– Parce que sa sœur le lui a dit, évidemment.

– Que cela vous plaise ou non, je ne serai pas une princesse qui joue de la harpe et qui parle aux fleurs toute la journée, les avertit Améliane.

– Soit, accepta son père, tu feras ce que tu voudras lorsque tu seras une adulte. En attendant, nous exigeons que tu te conformes à la façon de vivre du peuple qui nous a accueillis.

– Moi aussi ? s'attrista Daghild.

– Surtout toi.

Les enfants boudèrent leurs parents durant les semaines qui suivirent, surtout que l'un ou l'autre les reconduisait jusque dans la salle du palais où se déroulaient les cours. Cependant, une fois les classes terminées, les jeunes étaient libres d'aller où ils le désiraient. Pour que son fils cesse de subir l'influence rebelle de sa grande sœur, Kardey se mit à passer plus de temps avec lui. Comme il avait manifesté de l'intérêt pour le maniement des armes blanches, il décida de lui montrer à se battre selon les règles de l'art.

La vie de la famille se poursuivit ainsi jusqu'à ce qu'Améliane atteigne l'âge de dix-neuf ans. De plus en plus sûre d'elle-même, la jeune Fée avait poussé son exploration du royaume de son grand-père jusqu'à ses frontières. Désirant revoir l'océan dont elle s'était éprise lors de ses voyages avec ses parents, elle s'était donc rendue jusqu'à la limite occidentale du pays, là où de grands rochers sortaient du sable et formaient une barrière naturelle contre toute attaque en provenance de la mer. D'une grande agilité, elle escalada l'un d'eux et s'immobilisa, frappée de stupeur. À quelques pas devant elle, un énorme reptile rouge s'ébattait dans les petites vagues. Tout près, un jeune homme s'éloignait de lui, trempé jusqu'aux os et étonné que la bête, qui semblait lui appartenir, aime l'eau. Lorsqu'elle lui fit remarquer que les anomalies faisaient partie de la nature, il se tourna vers elle.

Il ne ressemblait à personne qu'elle ait rencontré durant sa vie. Ses cheveux noirs retombaient en boucles sur ses oreilles et ne dépassaient pas ses épaules. Et ses yeux... « Ils sont turquoise comme les petits poissons de la rivière », songea-t-elle. Il était bien connu que les cheveux et les yeux des Fées pouvaient être de n'importe quelle couleur, même transparents, mais aucune n'avait un regard aussi captivant que celui de cet étranger. Il s'appelait Nartrach et l'animal était un dragon. Lorsqu'il l'eut assurée que ce dernier n'était pas dangereux, la jeune Fée se laissa glisser sur le sol et s'en approcha. Ce qui retint surtout son attention, c'était que le bel inconnu n'avait qu'un seul bras ! Il lui expliqua qu'il l'avait perdu durant la guerre. Connaissant l'incroyable puissance magique de son grand-père, Améliane sut tout de suite qu'elle pouvait l'aider. Intéressé par la possibilité d'avoir enfin deux bras comme tout le monde, Nartrach mit fin aux jeux de Nacarat.

— Où veux-tu m'emmener ? se renseigna le jeune homme.

— J'habite à une journée de marche, de l'autre côté de ces rochers.

— Que dirais-tu d'y être en une heure ou deux ?

— As-tu appris à te déplacer comme les Chevaliers ?

« Ai-je enfin rencontré quelqu'un qui ajoutera à mes pouvoirs de Fées ? » se réjouit-elle intérieurement. Nartrach lui tendit la main, et une force irrésistible la poussa vers lui. Il la fit grimper sur le cou du reptile. Améliane était terrorisée, mais elle fit de gros efforts pour ne pas le montrer au dragonnier. Celui-ci ne prononça qu'un seul mot et l'animal déploya ses ailes. Avec une formidable poussée de ses pattes arrière, il s'éleva au-dessus des vagues. Malgré elle, la Fée lança un cri d'effroi. Le bras de Nartrach se referma aussitôt sur elle pour l'empêcher de tomber dans le vide.

— Si tu ne me dis pas de quel côté est ton village, nous serons bien plus longtemps en vol, lui dit-il.

Améliane risqua un œil sous elle. En s'orientant grâce aux rivières et aux ruisseaux qu'elle connaissait par cœur, elle lui pointa du doigt la vallée où se dressait le château de son grand-père. Étant humain, Nartrach ne le vit pas. Il fit néanmoins accélérer son animal vers le centre du royaume. La Fée ferma les yeux et ne les rouvrit que lorsqu'ils se posèrent non loin du petit pont.

— Es-tu bien sûre que ce soit ici ? douta Nartrach. Je ne vois aucune maison.

— Les Fées ne se révèlent pas à n'importe qui, rétorqua Améliane en sautant sur le sol.

— J'ignorais qu'elles étaient aussi prétentieuses.

— C'est uniquement par prudence.

La tête haute, Améliane appela ses semblables en utilisant ses facultés télépathiques. *J'ai aussi ce pouvoir*, lui apprit Nartrach en s'adressant directement à son esprit. Au grand désarroi de la jeune femme, personne ne leur apparut. Les Fées étaient sans doute terrifiées de voir arriver un tel monstre chez eux.

— Alors, où sont-elles ? la pressa Nartrach.

— Elles sont en train de vous étudier, toi et ton dragon.

— Je ne vois pourtant personne.

— Les Fées savent se rendre invisibles.

Au bout d'un moment, une seule d'entre elles se matérialisa à quelques pas des jeunes gens. C'était un homme qui, contrairement à Améliane, portait de belles ailes de libellule dans le dos.

— Qui est cet étranger ? demanda Tilly.

— Il s'appelle Nartrach et c'est le fils de deux Chevaliers d'Émeraude, le renseigna sa petite-fille.

— Pourquoi l'as-tu amené ici ?

— Pour vous supplier de lui venir en aide, votre Altesse.

Tilly ne comprit pas immédiatement ce qu'elle voulait dire. L'Émérien souhaitait-il se débarrasser de son dragon ou s'agissait-il d'un service plus personnel ?

— Il n'a qu'un seul bras, précisa Améliane. Je sais que vous pouvez lui rendre l'autre.

Sa manche vide pendait en effet le long de son corps.

Le Roi des Fées possédait le pouvoir de modifier uniquement le corps de ses semblables. La constitution humaine lui était tout à fait inconnue.

– Je suis désolée, mon enfant, mais pour opérer ce miracle, il aurait d'abord fallu qu'il soit une Fée.

Tilly s'inclina légèrement et s'évapora.

– Majesté, attendez ! s'exclama Améliane en arrachant un grondement de surprise à Nacarat.

– L'important, c'est d'avoir essayé, voulut la consoler Nartrach.

– Assieds-toi et écoute-moi, je t'en prie.

N'ayant rien de mieux à faire et n'étant pas tout à fait insensible aux charmes de cette femme aux longs cheveux noirs, le dragonnier lui obéit. Elle se planta devant lui, le visage implorant.

– Il y a fort longtemps, avant ma naissance, mon père se battait aux côtés du légendaire Chevalier Wellan, lui raconta Améliane. Lors d'une embuscade, mon père a été mortellement blessé par un homme-insecte.

– Je suis vraiment navré, mais…

– Laisse-moi finir.

Voyant que les jeunes gens n'avaient pas l'intention d'aller où que ce soit, Nacarat se laissa tomber sur le ventre en faisant trembler le sol. Il étira le cou et posa sa petite tête triangulaire sur les genoux de la Fée qu'il trouvait lui aussi plutôt de son goût.

— Étant donné que mon père avait épousé une Fée, le roi est allé chercher sa dépouille pour lui accorder un grand honneur, celui de flotter dans le hall des regrettés jusqu'à ce que ma mère puisse venir lui rendre un dernier hommage. Ému par le courage de cet homme, autrefois capitaine de l'armée du Roi d'Opale, mon grand-père a finalement décidé de lui sauver la vie.

— Le Roi des Fées possède ce pouvoir réservé aux dieux ? s'étonna Nartrach.

— Seulement sur les représentants de sa race.

— Mais ton père n'était-il pas humain ?

— À l'origine.

Nartrach n'était pas certain de bien comprendre ce qu'elle tentait de lui expliquer.

— Pour le sauver, il l'a transformé en Fée.

— Je ne savais même pas qu'une telle métamorphose était concevable.

— Rien n'est impossible à mon grand-père.

— Pourquoi me racontes-tu cette histoire ?

— Parce que si tu acceptais toi aussi de devenir une Fée, je suis certaine qu'il ferait repousser ton bras.

« Devenir une Fée ? » répéta intérieurement Nartrach, frappé de stupeur. Il avait envisagé bien des avenirs, mais jamais celui-là.

— Je ne crois pas que ce soit très douloureux, précisa Améliane.

— Ce n'est pas le degré d'inconfort de la procédure qui m'inquiète, mais ses conséquences.

— Alors, le mieux serait que tu rencontres mon père.

Le dragon se mit à ronfler sur les genoux d'Améliane, lui arrachant un sourire. Malgré ses griffes et ses crocs meurtriers, il se comportait comme un chaton. La Fée lui caressa doucement le front. Il ouvrit ses yeux rubis et la contempla.

— Je pense qu'il est en train de tomber amoureux de toi, remarqua Nartrach.

Améliane ne comprit pas qu'il parlait aussi de ses propres sentiments. Elle lui demanda de rester dans la vallée avec la bête pour éviter qu'elle ne casse tous les arbres en cristal sur son passage, puis partit à la recherche de son père. À sa grande surprise, elle le trouva seul dans les vergers, à cueillir des pommes.

— Où est Daghild ? s'inquiéta-t-elle.

— Ta mère l'a accompagné à sa leçon de musique. Est-ce lui ou moi que tu cherches ?

– C'est toi. Il y a quelqu'un que tu dois absolument rencontrer.

Tandis qu'elle ramenait son père avec elle, elle lui raconta ce qui était arrivé à Nartrach, mais Kardey connaissait déjà son histoire. Lorsqu'elle ajouta qu'elle voulait le convaincre de se laisser transformer en Fée afin de retrouver son bras manquant, l'ancien capitaine d'Opale s'arrêta brusquement.

– Améliane, tu ne peux pas forcer une personne à faire une chose, juste parce que tu crois que c'est ce qu'il y a de mieux pour elle. Cette attitude va à l'encontre des croyances des Fées. Tout le monde a le droit de prendre ses propres décisions.

– Je veux seulement qu'il ait une vie normale.

– Et lui, que veut-il ? Ne crois-tu pas qu'il s'est habitué à sa condition depuis ce terrible accident ?

– Il te suffit simplement de lui parler de ton expérience.

– Toujours dans le but de le convaincre. Tu fais la même chose avec ton frère et tu finis toujours par lui attirer des ennuis.

– Papa, je t'en supplie.

– Je lui parlerai de ma propre transformation, mais il est hors de question que je le persuade de m'imiter.

– C'est tout ce que je te demande.

Kardey s'arrêta net en apercevant le dragon étalé de tout son long dans l'herbe bleue.

– Il n'est pas dangereux, le rassura Améliane en tirant sur la main de son père.

Lorsqu'il sentit qu'il était encore loin de la portée du long cou de Nacarat, Kardey s'immobilisa, malgré l'insistance de sa fille.

– Capitaine Kardey, le salua Nartrach. J'ai beaucoup entendu parler de vous.

– Pas seulement par ma fille, j'espère.

– Non. Mon père et ma mère m'ont souvent raconté que vous étiez brave comme un lion, car vous vous battiez avec les Chevaliers d'Émeraude sans posséder le moindre pouvoir magique.

Nartrach sembla alors embarrassé de continuer.

– Améliane voulait que je te confirme que j'avais effectivement été transformé en Fée par mon beau-père qui ne pouvait supporter le chagrin de sa fille, mon épouse.

– Vous n'êtes donc plus humain.

– Dans ma tête, oui, mais pas dans mon corps. Plusieurs de mes organes ont été déplacés, mais je n'en ai aucune conscience physique. Et, avant que tu ne le demandes, cette opération n'a pas fait apparaître d'ailes dans mon dos. Améliane n'en aura pas non plus, parce qu'elle a été conçue alors que j'étais encore un peu humain. Quant à son frère, nous n'en savons rien pour l'instant.

– Votre fille prétend qu'une telle transformation me redonnerait le bras que j'ai perdu lorsque j'étais enfant. Est-ce vrai?

– Depuis que je vis ici, j'ai vu les Fées accomplir bien des miracles. Je pense que ce ne serait pas au-delà de leurs capacités. Mieux encore, le roi n'empêche plus ses sujets mâles de quitter le pays.

– Je vais donc prendre le temps d'y penser.

Kardey le salua, décocha un regard chargé d'avertissement à Améliane et repartit vers les vergers. Dès qu'il eut passé le pont qui enjambait la rivière, la jeune femme s'assit devant l'Émérien. Ils passèrent le reste de la journée à bavarder au sujet de leur passé, de leurs croyances, de leurs peurs et de leurs rêves. Plus ils dialoguaient, plus Améliane se sentait attirée vers lui. Lorsque la nuit tomba, les Fées la rappelèrent au château. Forcée de les suivre, elle quitta donc son nouvel ami contre son gré.

Nartrach s'adossa contre le thorax du dragon qui dormait encore. *Papa, maman?* appela-t-il par télépathie. Heureusement, il avait appris, grâce aux fils d'Onyx, à établir une communication exclusive avec les interlocuteurs de son choix, sinon tout l'Ordre l'aurait entendu. *Nous sommes là,* répondit Falcon. *Si j'avais la chance d'avoir de nouveau deux bras, est-ce que je devrais la saisir?* demanda Nartrach. *Évidemment!* s'exclama Wanda. *Mais aucun magicien sur le continent ne peut effectuer une pareille opération magique.* Sans leur fournir plus de détails, Nartrach les informa qu'il s'était mis à la recherche d'un mage capable d'opérer un tel prodige.

Le lendemain, lorsque la belle Améliane vint lui demander ce qu'il désirait manger, Nartrach l'attira contre lui, un sourire radieux sur les lèvres.

– Si j'avais deux bras, est-ce que tu apprendrais à m'aimer? demanda-t-il à brûle-pourpoint.

– Mais je t'aime déjà, Nartrach d'Émeraude.

Ils échangèrent leur premier baiser. Aussitôt, un bourdonnement résonna dans la vallée, car cet amour naissant avait charmé les Fées.

17

CHASSEURS DE TRÉSORS

orsque les Chevaliers se séparèrent pour aller vivre dans différents royaumes, Daiklan et Ellie choisirent de rester à Émeraude. Tandis qu'ils réfléchissaient à ce qu'ils pourraient faire après la guerre, ils entendirent parler de la mission que l'ancien Roi d'Argent s'était donnée de remettre la bibliothèque d'Émeraude en ordre. Ils décidèrent donc de lui prêter main-forte et se découvrirent un véritable engouement pour les livres anciens et le passé. À force de se côtoyer tous les jours pour d'autres raisons que de débusquer et d'anéantir l'ennemi, ils apprirent à mieux se connaître et, puisqu'ils partageaient les mêmes goûts, ils finirent par se marier.

Une fois que l'index de tous les ouvrages de la bibliothèque fut terminé, sauf bien sûr de ceux qui étaient écrits dans des langues incompréhensibles et qui avaient été classés dans une section particulière, les tourtereaux prirent le temps de consulter ceux qui les avaient le plus intrigués. Ils mentionnaient des lieux, des animaux et des objets qui n'existaient même plus, comme le tout premier Royaume de Shola, avant qu'il ne soit finalement envahi par les cénobites mi-Elfes, mi-Fées. Certains livres montraient même des bêtes qu'on n'avait jamais vues à Enkidiev.

– Ces créatures ont sans doute disparu lors des changements climatiques, avança Ellie.

Tout comme son époux, elle portait ses cheveux noirs plutôt courts, mais ses yeux étaient bleus, alors que ceux de Daiklan étaient sombres comme ceux de la plupart des habitants de Fal, son pays d'origine. Ellie était née à Émeraude, non loin du château. C'était d'ailleurs la raison pour laquelle elle avait décidé d'y passer le reste de ses jours. Pour Daiklan, c'était surtout une question de climat. En grandissant, il avait appris à apprécier le temps plus frais du centre du continent et ne pouvait plus s'imaginer vivre dans les sables chauds de Fal.

– Ou elles ont été exterminées par une chasse impitoyable, souligna Daiklan.

– Je me demande si des ossements de ces bêtes existent encore quelque part. Nous pourrions tenter de les rassembler pour voir quelle taille elles atteignaient dans la réalité.

– Je viens d'avoir une idée.

– Je t'écoute.

– Nous pourrions utiliser la terre que vient de nous donner le Roi Onyx pour construire une grande maison et y exposer tous les objets anciens que nous trouverons. De cette façon, le passé ne mourra jamais.

– Qu'attendons-nous pour commencer ?

Ils embauchèrent des charpentiers, des menuisiers et des maçons et édifièrent leur immense bâtiment. Les villages environnants s'intéressèrent à leur projet et bientôt les paysans vinrent donner un coup de main aux ouvriers. Mieux encore, plusieurs d'entre eux leur apportèrent des objets qui avaient été transmis de génération en génération et dont, bien souvent, ils ignoraient la véritable utilité.

Une fois leur musée enfin terminé, les nouveaux conservateurs le divisèrent en deux. Dans la première partie, ils exposèrent les artefacts qu'ils recueillaient et, dans l'autre, des objets de la vie moderne afin que leur existence soit encore connue dans des milliers d'années. Lorsqu'ils furent tous répertoriés et disposés sur les présentoirs, Ellie et Daiklan se mirent à la recherche d'autres trésors. Pour mieux les localiser, ils lurent tous les récits anciens. Ce fut finalement le Roi Onyx qui leur suggéra la meilleure piste, un soir où ils mangeaient à sa table.

– Je n'ai pas encore vu votre collection, mais on me dit qu'elle est plutôt impressionnante, fit remarquer le monarque après avoir bu tout le contenu de sa coupe de vin.

– Nous ne possédons malheureusement pas beaucoup d'antiquités, déplora Ellie, mais nous dépouillons la bibliothèque pour tenter de savoir où nous pourrions en trouver d'autres.

– Vous devriez commencer chez les Elfes. Ce sont de petits cachottiers.

– Mais tout le monde sait qu'ils n'ont rien, répliqua Daiklan.

– Ils aiment cacher des choses sous la terre et, bien souvent, des choses qui ne leur appartiennent pas. Vous seriez surpris de ce que vous pourriez y découvrir.

Ils se rappelèrent qu'Hadrian avait en effet rapporté beaucoup de livres entreposés quelque part dans ce royaume. Ils se rendirent donc au village du Roi Hamil, où ils furent reçus par Nogait, leur compagnon d'armes. Ce dernier, heureux de voir des humains, les installa dans une hutte contiguë à la sienne et les invita à partager leur repas du soir. Amayelle leur raconta alors tout ce qu'elle savait sur les merveilles que son peuple avait conservées au fil du temps.

– Mon père m'a déjà dit que certains tertres contenaient même des objets en provenance de l'île de nos ancêtres.

– Quel prix en demandera-t-il ? s'inquiéta Daiklan.

– Je n'en sais rien. Les Elfes ne sont pas attachés à l'argent. S'ils ont enfoui ces trésors sous la terre, c'est surtout pour les préserver.

Une fois que leurs invités furent rassasiés, Nogait et Amayelle les emmenèrent à la grande hutte qu'occupait le Roi des Elfes.

– Attendez-moi ici, chuchota la princesse en y entrant seule.

Elle revint quelques minutes plus tard avec un sourire radieux et leur demanda de la suivre. Hamil était assis sur son siège de pierre et sirotait une boisson chaude dans une tasse de bois. Il fit signe aux invités de sa fille de s'installer autour du feu qui brûlait dans un brasero posé devant lui.

– Amayelle me dit que vous vous intéressez à l'histoire, commença-t-il.

– En fait, ce qui nous passionne vraiment, c'est de préserver le passé d'Enkidiev, expliqua Daiklan, impressionné par la simplicité de ce souverain.

– C'est aussi l'une des préoccupations des Elfes.

– Nous avons construit un bâtiment dans lequel non seulement nous conservons des objets tant anciens que modernes, mais où les habitants du continent, et surtout les enfants, peuvent venir les admirer, l'informa Ellie.

– C'est en sachant d'où nous venons que nous pourrons vraiment savoir où nous allons, ajouta Daiklan.

– Êtes-vous bien certains de ne pas avoir de sang elfe dans les veines ?

– Il me semble que mes parents m'en auraient parlé, répondit Ellie.

– Demain, au lever du soleil, venez me rejoindre ici et je vous conduirai personnellement à l'un des endroits où nous abritons de magnifiques antiquités.

Le couple de chercheurs eut beaucoup de mal à trouver le sommeil. Pelotonnés l'un contre l'autre, ils se chuchotaient tour à tour leurs hypothèses sur ce qu'ils trouveraient le lendemain dans le monticule, mais jamais ils n'auraient pu imaginer ce que le roi allait leur dévoiler. Ils avalèrent quelques fruits avec leurs hôtes et se rendirent à leur important rendez-vous. À leur grand étonnement, le Roi Hamil était seul. Ils eurent beau regarder partout, ils ne virent aucune escorte, aucun soldat.

– Êtes-vous prêts ? demanda l'Elfe.

Ellie et Daiklan hochèrent vivement la tête. Ils marchèrent longtemps dans la forêt en suivant le souverain. Ils ne remarquèrent aucun repère apparent sur le sentier et pourtant Hamil les mena directement à l'entrée d'un tertre dissimulé entre les arbres. Sans qu'il ne prononce un seul mot, la grosse pierre qui bloquait l'ouverture roula sur le côté. Hamil pénétra dans le monticule dont l'intérieur s'illumina magiquement. Les chevaliers lui emboîtèrent le pas en retenant leur souffle. Sur le pourtour de la pièce circulaire étaient amoncelés des armes, des vases, des gobelets, des ustensiles, des statuettes, des coffres remplis de bijoux, des chandeliers et même des piécettes en divers métaux précieux.

– La plupart de ces objets proviennent de Shola, les informa l'Elfe.

– Comment les avez-vous eus ? ne put s'empêcher de demander Daiklan.

– Certains ont été offerts à mes ancêtres, d'autres ont été retrouvés sur des étals de marchands.

– Vous avez creusé ces tertres pour y conserver ces objets ? s'enquit Ellie.

— Non. Ils existaient déjà lorsque les Elfes sont arrivés à Enkidiev. Nous ne savons pas à quoi ils servaient, car ils étaient vides.

— Des tombeaux, peut-être ?

— Ils ne contenaient aucun corps, affirma Hamil.

— Ou des lieux de culte.

— Comme vous l'avez sans doute déjà deviné, je ne peux vous permettre de repartir avec tout ce contenu. Je vous suggère donc de ne prendre qu'une dizaine d'objets à la fois et de revenir aux quatre lunes pour en choisir d'autres.

Daiklan se décida alors pour un spécimen de chaque catégorie et demanda au roi de lui dire tout ce qu'il savait à leur sujet. Ellie sortit un petit carnet coincé dans sa ceinture et nota en détail ce qu'il leur raconta. Ils revinrent ensuite au village, le visage rayonnant, et empaquetèrent soigneusement dans leurs sacoches de selle les nouvelles pièces destinées à leur musée. Ils remercièrent avec effusion leur mécène, puis se remirent en route pour Émeraude.

— Il nous a invités à revenir chercher le reste du trésor ! s'exclama Ellie après qu'ils eurent traversé la rivière Mardall.

— En attendant, j'aimerais bien faire quelques découvertes par moi-même au lieu qu'elles me tombent du ciel.

— Justement, je pensais aux histoires que Mali nous a racontées au sujet des Enkievs qui vivent dans la Forêt

Interdite. Ce peuple doit posséder des articles qui remontent à nos origines.

– Cet endroit est éloigné en plus d'être dangereux. Que dirais-tu de commencer dans notre propre royaume ?

– À Émeraude ?

– Je suis certain qu'il y a une foule de choses à découvrir sous la forteresse.

Ils commencèrent par nettoyer leur nouveau butin : la lance en argent, le vase en cristal, les deux couteaux dont les manches étaient sculptés en forme de coquillage, le vase en or serti de pierres précieuses, le chandelier dont les cinq branches représentaient des espèces d'oiseaux qui n'existaient plus sur le continent, une statuette de déesse aux cheveux longs portant un pagne et de multiples colliers formés par de toutes petites perles, un coffre façonné dans de l'ivoire aux motifs qui rappelaient des serpents et deux torques en cuivre. Le verrier du château leur avait préparé de petites vitrines dans lesquelles ils placèrent ces pièces uniques. Les premiers visiteurs furent évidemment les habitants du château, puis, les villageois vinrent aussi satisfaire leur curiosité. Les nouveaux conservateurs les recevaient avec beaucoup de fierté et leur offraient même le thé.

Lorsque leur musée devint un peu moins fréquenté, Ellie et Daiklan se munirent de torches et descendirent dans les catacombes du château pour voir ce qu'ils y trouveraient. Ils explorèrent d'abord les cryptes, mais n'ouvrirent aucun des tombeaux, par respect pour leurs occupants, la plupart des rois et des reines. Au lieu de revenir sur leurs pas de l'autre côté de l'escalier, là où Wanda avait trouvé Mann, ils poursuivirent leur route entre les ossuaires. Tout au fond, ils se heurtèrent à un mur érigé par la main de l'homme.

— Quelqu'un a volontairement bloqué cet accès, constata Daiklan.

— Le mortier a commencé à s'effriter.

Ellie alluma ses paumes et dégagea un petit bloc.

— Que vois-tu ?

— C'est un tunnel, je crois, hasarda-t-elle.

— Pourquoi l'a-t-on scellé ?

— Allons voir.

Ils décollèrent les pierres une à une, les déposant avec précaution sur le plancher, au cas où ils auraient à reconstruire le mur plus tard. Ils parcoururent le long couloir où il faisait de plus en plus froid, jusqu'à ce qu'ils aboutissent à une grande caverne.

— J'ai déjà vu une illustration de cet endroit dans l'un des journaux d'Élund, murmura Daiklan.

— N'est-ce pas ici qu'il consultait le miroir de la destinée ?

— Oui, mais où est le miroir ?

Là où se trouvait jadis l'étang magique, il n'y avait plus que de vieux stalagmites. Ils s'approchèrent en ajoutant à la lumière de leurs flambeaux celle de leurs mains.

— Élund disait que ce n'était pas une simple mare, mais bien une entité pensante dont on ignorait la provenance, se rappela Ellie.

— Elle s'est peut-être déplacée ailleurs sous la forteresse.

— Ou elle est morte sans que nous nous en rendions compte. Il faudra rapporter cette découverte au magicien d'Émeraude et au roi.

Ils contournèrent l'étang asséché en cherchant des indices, mais n'en découvrirent aucun. Ils explorèrent tous les tunnels qui menaient à cette caverne à la recherche de celui que l'entité aurait pu emprunter. Ils menaient presque tous à des escaliers qui remontaient dans les passages du château.

— Je frissonne d'horreur à la pensée que la créature qui habite le miroir puisse se balader là-haut, entre les murs, se troubla Ellie.

— Pourrions-nous sentir sa présence à l'aide de nos pouvoirs ?

— Sans doute, mais il n'est pas question de l'exposer chez nous, si nous la retrouvons.

Ils décidèrent de remonter au palais et d'avertir Onyx. Ce dernier n'avait pas participé au dernier repas de la journée et était resté enfermé dans ses appartements. Ellie et Daiklan se demandèrent si son absence avait un rapport avec la disparition de l'étang. Ils grimpèrent à l'étage royal et furent interceptés par les serviteurs personnels du roi.

— Nous devons lui parler, c'est très important, insista Ellie.

— Il ne se sent pas bien, rétorqua l'un des deux hommes. Revenez une autre fois.

— C'est au sujet du miroir de la destinée.

Les grandes portes s'ouvrirent magiquement, obligeant les domestiques à se déplacer.

— Entrez, fit la voix du souverain.

Les Chevaliers, habitués à lui obéir jadis sur le champ de bataille, se précipitèrent à l'intérieur. Onyx était assis dans une profonde bergère. Il ne portait qu'une simple tunique et ses longs cheveux noirs étaient collés sur sa tête par la sueur.

— Que vous arrive-t-il ? s'alarma Daiklan.

— Une vieille blessure qui refuse de guérir. Que me voulez-vous ?

— Nous sommes venus vous informer que le miroir de la destinée a disparu.

— Je le sais.

— Pourquoi n'en avez-vous rien dit ?

— Parce que ce fait n'a aucune incidence sur la vie de mes sujets.

— Et sur la vôtre ?

Onyx garda le silence.

— Est-ce sa soudaine absence qui vous cause toute cette souffrance ?

— Au contraire. Je serais dans un état bien plus déplorable s'il était encore là.

— Êtes-vous responsable de sa disparition ?

— Partez, maintenant, haleta Onyx en fermant les yeux.

Les Chevaliers se consultèrent brièvement du regard et décidèrent de ne pas insister.

18

UNE PORTÉE DE SIX

Le lendemain des festivités organisées par le Roi Onyx pour souligner la victoire des Chevaliers d'Émeraude, Abnar prit une décision qui allait changer le cours de sa vie. Assis dans un créneau, il regardait le soleil se lever au-dessus des champs cultivés. Myrialuna s'était endormie dans ses bras, à bout de force tellement elle avait dansé. Les invités s'étaient dispersés aux petites heures du matin et le château était encore silencieux. Seuls quelques serviteurs avaient commencé leurs corvées.

Le petit anneau de cristal qui pendait à la chaîne qu'il portait au cou se mit à briller de plus en plus. N'ayant plus le choix, Abnar réveilla la jeune femme aux cheveux roses. Elle battit des paupières, lui sourit et l'embrassa sur les lèvres.

— Je vous envie d'être immortel, avoua-t-elle, car, ce matin, vous n'avez pas mal aux jambes.

— Mais pour passer ma vie auprès de vous, je suis prêt à renoncer à tous mes privilèges.

— Vous dites ça sérieusement?

— Oui, Myrialuna, très sérieusement. Mais avant de sceller mon destin, je dois savoir si vous accepterez de m'épouser.

— Que signifie « épouser » ?

— C'est partager la vie d'une autre personne, ainsi que ses rêves, ses peines et ses joies.

— Vous feriez ça pour moi ?

— Seulement si vous vous croyez capable de me supporter toute une vie.

— Alors, j'accepte !

Ils échangèrent un long baiser, malgré l'anneau qui commençait à les aveugler.

— Vous ne pourriez pas l'éteindre une petite seconde ? gémit la sorcière en clignant des yeux.

— Il me signale que je dois aller me ressourcer, mais ce sera la dernière fois, je vous le jure. Ne quittez pas le palais. Je reviens bientôt.

Elle hocha vivement la tête, sans trop savoir ce qu'elle ferait en son absence, puisque les musiciens étaient tous partis. Abnar s'évapora.

— Oui, il faudra qu'il arrête de faire ça.

Elle sauta sur la passerelle et se laissa guider par les délicieux arômes qui s'échappaient de la cuisine. Au même moment, Abnar réapparut dans le domaine de sa mère, la déesse Cinn, où il avait pris l'habitude de refaire le plein d'énergie. Il s'agenouilla devant l'une des nombreuses fontaines et but de son eau cristalline jusqu'à ce que l'anneau dans son cou s'éteigne enfin. Une main se posa soudain sur son épaule.

— Mère, la salua-t-il en se retournant.

— Suis-je sur le point de te perdre, mon petit ?

— J'ai en effet l'intention de demander à Parandar de me libérer, car j'ai envie de ressentir ce qu'éprouvent les humains.

— Tu auras faim et tu connaîtras la soif et la souffrance.

— Mais aussi l'amour.

— Parle-moi de la femme qui a conquis ton cœur. Est-ce une humaine ?

— En partie. C'est la fille de la déesse Fan et du Roi Shill de Shola. Elle n'a pas été corrompue par le pouvoir ni la vanité. Elle ne cherche pas les honneurs et ne répand pas de propos malveillants sur qui que ce soit. Elle est pure, honnête et belle sans faire le moindre effort. Sa présence est apaisante et aussi rafraîchissante que l'eau de vos cascades.

— Alors, je comprends pourquoi tu es prêt à tout sacrifier pour elle.

— Je suis touché par votre appui.

– Il ne faut jamais faire attendre les dames. Allez, va d'abord présenter ta requête.

Cinn l'embrassa sur le front et le poussa vers la rotonde du dieu suprême. Abnar rassembla tout son courage, car Parandar n'était pas la divinité la plus compréhensive du panthéon. Plus souvent qu'autrement, depuis qu'il le servait, Parandar se montrait désintéressé ou carrément cruel. L'Immortel gravit les marches de marbre et pénétra dans le grand bâtiment circulaire. Parandar était seul, assis sur son trône et semblait méditer. «Peut-être devrais-je revenir lorsque Theandras et Fan seront présentes», songea Abnar.

– Approche, ordonna le dieu, accoudé aux bras de son siège.

L'Immortel ne pouvait plus reculer. Il se prosterna aux pieds de son maître, comme on lui avait enseigné à le faire.

– Je sais déjà ce que tu vas me demander.

– Ma mère a-t-elle déjà intercédé en ma faveur auprès de vous ?

– Non, je suis arrivé à cette conclusion par moi-même, lorsque Theandras a affranchi Dylan et rendu la vie à son Chevalier préféré. De plus, Danalieth est revenu parmi nous afin de veiller sur les humains.

Parandar s'appuya le menton dans la main en regardant fixement son serviteur.

— Je ne comprends pas l'attrait que vous éprouvez pour ce monde que j'ai créé uniquement pour faire plaisir à ma femme, révéla-t-il.

— Par ses soins, il a acquis une vie qui lui est propre, vénérable Parandar. Il y est né de braves gens et des héros qui désirent tous la même chose : vivre en paix et en harmonie. Le monde des humains diffère du nôtre en raison de la gamme d'émotions qui caractérisent ses habitants. Je veux toutes les ressentir.

— Autrement dit, tu t'ennuies ici.

— Votre monde est parfait, mais il est aussi… prévisible.

— Grâce à moi, Abnar. Mais il n'en a pas toujours été ainsi. Une grande bataille a déjà ravagé ces lieux.

L'Immortel ne put s'empêcher de hausser un sourcil, puisque les dieux qui l'avaient formé ne lui en avaient jamais fait mention.

— Le ciel s'est partagé en plusieurs factions, qui habitent désormais des plans différents et qui ne se parlent plus, bien qu'elles aient reçu de nos parents célestes la même mission.

— Il y aurait donc d'autres panthéons ?

— Il y en a trois. On dirait bien que c'est un chiffre qui se répète souvent dans notre univers.

— Sont-ils divisés comme le nôtre ?

— Plus ou moins. C'est parce qu'ils voulaient faire les choses à leur façon que la guerre a éclaté. Heureusement, elle a pris fin avant le retour d'Aiapaec et d'Aufaniae.

— Ces dieux règnent-ils aussi sur les humains ?

— Ce serait très surprenant, puisque ce monde est mon œuvre. Peut-être Danalieth sera-t-il en mesure de me le dire. Revenons maintenant à ta requête. Quand veux-tu partir ?

— À cet instant, si c'est possible.

— Je veux que tu sois conscient que ton retour dans l'univers des humains en tant que l'un des leurs sera brutal.

— Je ne crains pas la souffrance.

— Tu devras te débrouiller seul.

— Je sais, vénérable Parandar. Si je puis ajouter une autre petite condition à ma demande, ce serait de ne pas commencer ma vie d'humain dans le corps d'un bébé qui vient de naître. J'aimerais conserver cette apparence que je me suis donnée afin qu'on me reconnaisse.

— Soit.

Parandar leva la main afin d'exaucer son vœu.

— Attendez ! s'exclama Abnar. Puisque je ne vous reverrai plus jamais, il y a une dernière chose que je dois savoir.

– De quoi s'agit-il ?

– Conserverai-je mes pouvoirs ?

– Seulement une partie d'entre eux. Ce sera à toi de découvrir lesquels.

Abnar se sentit aspiré par le plancher. Il tourna des centaines de fois sur lui-même comme si une tornade s'était emparée de lui. Puis, il heurta brutalement le sol, comme si on l'avait fait tomber d'un balcon. Tout son corps tressaillit de douleur et il s'entendit gémir.

– Ne bougez surtout pas, recommanda une voix d'homme qui lui sembla familière.

Il vit d'abord son visage à travers le brouillard de ses larmes et ne le reconnut pas immédiatement.

– Je croyais que seuls les revenants quittaient les grandes plaines de lumière de cette façon, continua son sauveteur.

– Hadrian ?

– Oui, c'est moi. Ne faites aucun geste brusque, car vos muscles vous le feront regretter pendant des semaines.

L'ancien roi l'enveloppa dans une couverture et l'aida à se mettre debout sans le presser. Il le fit ensuite marcher jusqu'à l'aile des Chevaliers et l'installa dans une chambre contiguë à celle qu'il occupait en attendant de pouvoir commencer la construction de sa nouvelle demeure. Abnar apprécia pour la première fois le confort d'un lit moelleux. Hadrian plaça un traversin sous sa tête et lui servit une boisson chaude, destinée à calmer ses souffrances. Il lui maintint même les mains sur le gobelet pour qu'il n'en répande pas partout.

— Puis-je savoir ce qui vous est arrivé ? demanda Hadrian en prenant place dans une bergère, à quelques pas de son demi-frère.

— J'ai voulu devenir humain et Parandar m'a accordé cette requête.

— Vous a-t-il au moins expliqué ce qu'implique cette soudaine transformation ?

— Il a parlé de douleur, il me semble, grimaça Abnar.

Le mélange de thé spécial de l'ancien souverain fit graduellement effet et le nouveau mortel sentit enfin ses muscles se détendre. Hadrian en profita pour passer ses paumes lumineuses au-dessus de son corps.

— Vous n'avez rien de cassé, heureusement, mais je vous prédis plusieurs ecchymoses.

— Et que sont-elles ?

— Des lésions bleuâtres produites par un choc. Elles finissent par disparaître complètement au bout de quelques jours.

— Où est-il ? cria la voix aiguë de Myrialuna dans le couloir des chambres.

— Je vous en prie, ne la laissez pas…

La porte claqua contre le mur et la sorcière bondit sur lui comme un fauve. Hadrian n'eut pas le temps de la retenir et elle atterrit dans les bras d'Abnar en lui arrachant un hurlement.

— On vient de me dire que tu es tombé du toit ! s'alarma Myrialuna en prenant dans ses mains le visage grimaçant de son fiancé.

— De bien plus haut, précisa Hadrian. Si vous avez besoin de moi, je serai à côté.

L'ancien roi quitta la chambre en douce, laissant les amoureux en tête-à-tête.

— Myrialuna, je vous en conjure, descendez du lit, supplia Abnar.

— Vous ne m'aimez plus ?

— En ce moment, cela n'a rien à voir avec l'amour. Donnez-moi un peu de répit pour que je puisse tout vous expliquer.

Sans cacher son inquiétude, elle fit ce qu'il demandait et s'assit sur la chaise, les jambes repliées sous ses talons.

— Parandar m'a accordé ma mortalité.

Myrialuna poussa un cri de joie et s'apprêta à sauter de nouveau sur l'homme de sa vie.

– Non ! cria-t-il en stoppant son élan.

– Mais c'est une excellente nouvelle, Abnar !

– Sauf que j'ai réintégré ce monde de façon quelque peu violente et que j'ai mal absolument partout.

– Oh…

Elle descendit de son siège et s'approcha lentement de lui en examinant son visage. Elle se pencha ensuite sur lui, sans le toucher, et se mit à le lécher entre les deux yeux.

– Mais qu'est-ce que vous faites ? s'agita-t-il.

– C'est ainsi que les mères calment leurs enfants qui souffrent.

– Les mères chats, sans doute, mais pas les humains.

– Comment le saurais-je ? J'ai été élevée par une panthère !

Il était parfaitement inutile de discuter avec elle. Abnar se laissa faire et finit par s'endormir, sans savoir si c'était la boisson d'Hadrian ou la langue de Myrialuna qui l'avait calmé.

Même une fois remis du traumatisme de son arrivée percutante à Émeraude, Abnar n'était pas au bout de ses peines, car il lui fallut aussi apprendre à manger sans que son estomac se torde, à boire autre chose que de l'eau et, pire encore, à se décharger de ses excréments, ce qu'il n'avait jamais eu besoin de faire lorsqu'il était Immortel. Chaque pas qu'il faisait était une expérience nouvelle, chaque respiration risquait de l'étouffer. «Dylan est-il passé par là, lui aussi?» finit par se demander Abnar, découragé.

Dès qu'il fut passablement adapté à sa seconde vie, il épousa Myrialuna devant toute la cour d'Émeraude. Au milieu de la cérémonie, dans un élan du cœur, il lui offrit l'anneau de cristal désormais inutile et le lui passa au doigt. Le festin et les célébrations qui s'ensuivirent le déstabilisèrent de nouveau, car personne ne lui avait dit que plus il boirait de vin, plus il le regretterait. Il trinqua donc avec Onyx sans retenue et éprouva alors une autre sensation inconnue et épuisante : le fou rire.

Myrialuna dut donc attendre qu'il soit dégrisé et qu'il sorte enfin la tête de sous l'oreiller pour le ramener chez elle, dans les denses forêts de Jade, qui bordaient la rivière Sérida. Curieusement, Abnar s'y sentit tout de suite plus à l'aise qu'à Émeraude. La nourriture frugale et l'eau des sources lui convenaient davantage que la viande et l'alcool. Il aida son épouse à remettre en état la tanière laissée trop longtemps à l'abandon. Son existence prit alors une allure plus raisonnable et plus réconfortante, jusqu'au jour où la sorcière lui sauta dans les bras, à son retour de la rivière où il avait appris à prendre un bain.

— Est-ce une réaction de peur ou de joie? s'informa-t-il, ayant toujours du mal à faire la différence.

— Nous allons être parents!

— Quoi?

– Il y a des petits bébés dans mon corps !

– Pourquoi ne l'ai-je pas ressenti ?

– Cela fait sans doute partie des pouvoirs que vous avez perdus.

Elle sauta à terre et examina les alentours avec méfiance.

– Nous ne pouvons pas rester ici, déclara-t-elle. Cet endroit est trop dangereux pour des petits.

– N'est-ce pas le devoir des parents de protéger leurs enfants ?

– Oui, mais ils ont aussi l'obligation de leur fournir un environnement où ils ne risqueront pas de se faire dévorer en mettant la patte hors de la tanière.

– Il n'y a que des loups et des chats sauvages, par ici, et jamais ils ne s'approchent de notre territoire.

– Parce qu'ils n'ont pas envie de notre vieille peau.

Abnar examina ses bras pour voir si elle parlait de lui.

– Nous partons maintenant, décida-t-elle.

Si Myrialuna était habituellement d'un naturel opiniâtre, lorsqu'elle tomba enceinte, elle devint tout à fait intraitable. Abnar rassembla donc leurs quelques effets, les fourra dans une besace et accepta le bâton de marche que sa femme lui tendit.

– Où allons-nous ? voulut-il savoir.

– Vers l'ouest.

Abnar la suivit en se demandant si, pour elle, ce point cardinal s'arrêtait à l'océan. Le périple dura un peu plus d'un mois. Ils traversèrent la partie orientale du Royaume d'Émeraude, que Myrialuna jugea tout aussi dangereuse que ses forêts natales, puis ils piquèrent à travers le Royaume de Turquoise. Les récits de monstrueuses créatures nocturnes dont leur firent part les quelques Turquais qu'ils rencontrèrent suffirent à leur faire poursuivre leur route, même si Abnar s'éreintait à répéter à sa femme qu'il s'agissait de simples superstitions.

La sorcière continua de chercher l'endroit idéal pour mettre bas ses petits au Royaume de Perle, mais les grandes plaines où galopaient des hordes de chevaux sauvages n'étaient pas du tout ce qu'elle avait en tête. Lorsqu'ils franchirent la rivière Dillmun, puis la majestueuse rivière Mardall, son attitude changea.

– C'est bon, ici, se réjouit-elle.

Cette affirmation soulagea beaucoup Abnar, qui n'avait pas envie de se retrouver en mer, en quête d'une terre lointaine et sûre. Myrialuna dépassa de nombreux villages cristallois, où elle ne désirait pas s'établir, même si le rassemblement de plusieurs familles suffisait bien souvent à fournir une certaine sécurité à tout le groupe.

En fait, elle voulait un endroit isolé, où ses enfants ne subiraient aucune mauvaise influence et où le couple pourrait les élever selon ses propres croyances. Abnar sentit son cœur s'alléger lorsqu'elle s'arrêta enfin au bord d'un grand lac, dans une région qui n'avait pas encore été colonisée.

— Il y a peut-être une raison qui les pousse à éviter ces lieux, lui fit-il remarquer.

— Les humains semblent en effet préférer s'installer le long des rivières et non des lacs. Ils ont besoin que l'eau bouge.

«C'est une explication qui en vaut une autre», soupira intérieurement Abnar en déposant leurs effets sur le sol. Il s'assit sur le tronc d'un arbre abattu par la foudre et attendit que son épouse ait fini de humer les alentours. Il observa la surface de l'eau où le vent créait de petites vagues et écouta le chant des oiseaux. C'était un endroit paisible, où on ne viendrait pas les importuner.

Un grondement sonore suivi d'un grommellement de contrariété le firent sursauter. Il avança en direction du bosquet derrière lequel son épouse était disparue et se ravisa en voyant voler dans les airs des feuilles, de petites branches et des touffes de poil brun.

— Myrialuna! s'écria-t-il, en état d'alerte.

Un ours sortit du massif en courant, passa devant lui sans même s'arrêter et poursuivit sa route jusque de l'autre côté du lac. Stupéfait, Abnar avait écarquillé les yeux, mais il était incapable de bouger.

— J'ai trouvé notre gîte! annonça Myrialuna en sortant du boqueteau.

– L'ours…, réussit finalement à articuler son époux.

– Il nous a cédé la place.

– Mais…

– Il est très dangereux de contrarier une femelle eyra sur le point d'accoucher. Et puis, vous n'êtes pas si démuni.

– Je ne sais plus quels pouvoirs il me reste.

Elle lui montra la tanière de l'ours et commença à l'aménager en prévision de la saison des pluies. L'environnement était vraiment idéal, car il n'y avait que de petits animaux inoffensifs et beaucoup de fruits sauvages. Tandis que son ventre gonflait, Myrialuna montra à son mari lesquels étaient comestibles et ceux qu'il ne devait pas toucher. Elle le laissa aussi préparer leurs repas, en prévision des premiers jours après l'accouchement, où elle n'aurait sans doute pas la force de faire autre chose que d'allaiter.

Les premières contractions se produisirent durant les premiers jours maussades. Heureusement, il faisait chaud dans la tanière où Abnar avait finalement réussi à allumer un feu magique. Lorsqu'il vit que la douleur s'intensifiait, il parvint aussi à faire briller ses paumes et à procurer un peu d'apaisement à la future maman. Le travail dura presque toute la journée, puis les uns après les autres, naquirent six minuscules bébés à la peau blanche. Puisqu'ils n'avaient pas encore de cheveux, il était impossible de déterminer s'ils seraient aussi inhabituels que ceux de leur mère. Abnar aida Myrialuna à laver les petits, quelque peu découragé, d'une part, qu'il y en ait autant et, d'autre part, que ce soit tous des filles.

— J'ai choisi leurs noms, annonça la maman épuisée. Elles s'appelleront Larissa, Lavra, Léia, Lidia, Léonilla et Ludmila.

— Comment arriverons-nous à les différencier ?

— À leur odeur, pour l'instant. En grandissant, elles auront certainement des traits distinctifs.

Incapable de nourrir convenablement autant de poupons, Myrialuna commença à craindre que certains d'entre eux meurent de faim. Abnar alla donc acheter des chèvres au village le plus proche et se mit à les traire pour remplir les biberons qu'il avait fabriqués dans d'épaisses tiges de bambous et dont il refermait les extrémités avec des boyaux que lui avaient aussi fournis les marchands. Pendant des mois, sa routine quotidienne se limita à tirer du lait, nourrir les bébés, changer leurs couches et les laver. Le soir, après toutes ces corvées, Abnar tombait endormi sur place.

— Myrialuna, j'en ai assez ! s'emporta-t-il un matin où ses six filles s'étaient mises à pleurer en même temps.

— Assez de quoi ?

— De laver des couches et des biberons ! De courir après les chèvres !

— Mais il ne s'agit que d'une courte période de la vie d'un enfant, Abnar. Bientôt, elles seront plus indépendantes et elles parleront, ce qui nous permettra d'avoir encore plus de plaisir en famille.

Regrettant de plus en plus ses longues heures de solitude, alors qu'il était immortel, Abnar ravala son mécontentement et poursuivit son exaspérant train-train. Tout comme le lui avait prédit son épouse, les six fillettes grandirent bien rapidement, mais ses soucis ne s'en trouvèrent pas diminués pour autant. Il fallait les surveiller à tout moment, car elles étaient aussi curieuses que leur mère. Le lac devint rapidement une source de danger, puisqu'elles aimaient admirer leur réflexion à la surface. À plusieurs reprises, le pauvre père avait dû se jeter à l'eau pour en secourir une. Ce qui l'irritait davantage, c'est qu'elles n'apprenaient pas de leurs erreurs et passaient leur temps à recommencer.

Pour ajouter à son malheur, lorsqu'elles atteignirent l'âge de sept ans, les filles commencèrent à se métamorphoser en eyra, comme leur mère. Sous leur forme féline, elles se pourchassaient dans la forêt, grimpaient aux arbres et se chamaillaient en s'infligeant bien souvent des blessures.

– Comment puis-je exercer une surveillance adéquate si elles s'enfuient de tous côtés? maugréa Abnar, trop fatigué pour avaler son repas.

– Je pense qu'il est temps que vous lâchiez prise, mon amour, répliqua Myrialuna. La tâche des parents n'est pas de mouler leurs enfants sur leurs propres désirs. Comme vous l'avez sûrement remarqué, depuis le temps, les filles ont chacune leur personnalité, même si elles sont nées le même jour des mêmes géniteurs. Notre devoir est de les nourrir, de leur fournir un abri sûr et de les préparer à la vie.

– Je vois mal comment je pourrais leur apprendre à chasser et à se faire les griffes sur les troncs d'arbres.

– Je me chargerai évidemment de cet apprentissage. Le vôtre sera de meubler leur esprit. Les parents ne peuvent pas donner à leurs enfants ce qu'ils n'ont pas. Contrairement à vous, je ne connais rien de l'univers. Ce sera à vous de les instruire.

– Comment le pourrais-je alors qu'elles courent partout ?

– Il faut laisser enfance se passer avant d'exiger d'elles ce type de discipline, sinon vous n'arriverez à rien.

– Est-ce ainsi que vous avez été élevée ?

– Plus ou moins, car je n'avais pas le bonheur d'avoir dans ma vie un ancien Immortel au savoir illimité. Anya m'a appris ce qu'elle pouvait.

– Sa sorcellerie, quoi.

– Seulement en partie. Je ne parviendrai jamais à faire tout ce qu'elle faisait, et c'est peut-être mieux ainsi.

– Myrialuna, allons-nous passer le reste de nos jours perdus dans la nature ?

– Évidemment pas. J'attendais que les filles soient assez vieilles pour voyager avant de nous choisir une nouvelle demeure. Le départ est d'ailleurs pour bientôt.

– Et où aimeriez-vous aller ?

– Que diriez-vous de rebâtir le château de mes ancêtres ?

– À Shola ?

– Une fois chaudement vêtus, il n'y fait pas aussi froid que vous le croyez. Et puis, ne vouliez-vous pas vivre des expériences terrestres différentes ? Vous pourriez enseigner la magie aux filles grâce à une activité amusante.

– Construire un château ?

Myrialuna hocha vivement la tête, croyant que son idée lui plaisait.

– Mais c'est une entreprise colossale…

– Depuis quand avez-vous peur des défis ?

Les semaines se succédèrent sans que la jeune femme ne se prépare à partir. Abnar faisait de gros efforts de patience, mais il ressentait de plus en plus le besoin de changer d'air. Il rêvait de côtoyer de nouveau des adultes capables de tenir une conversation intéressante et espérait de tout son cœur que Myrialuna abandonne son projet d'aller vivre dans un désert nordique, mais il n'en fut rien.

Finalement, ce furent les fermiers des environs qui décidèrent de la date de leur départ, le jour où ils marchèrent le long du lac, armés de fourches et de bâtons afin de traquer et de détruire la bande de félins qui effrayait leur bétail. Myrialuna les avait flairés de loin, alors elle rassembla ses filles, leur ordonna de conserver leur apparence humaine, puis déposa tous les effets de la famille dans leurs bras avant de les pousser dans un sentier derrière la colline. Si elles n'obéissaient pas toujours à Abnar, les filles ne protestaient jamais lorsque les ordres émanaient de leur mère.

En suivant Myrialuna, la famille progressa en silence dans la forêt. Le père fermait la marche, prêt à défendre sa progéniture contre quiconque essaierait de l'attaquer. Le trajet jusqu'à Shola fut encore plus long que celui du Royaume de Jade au Royaume de Cristal, surtout que Myrialuna laissait les enfants s'amuser plusieurs heures par jour avant de leur faire reprendre la route. Ils durent aussi s'arrêter au Royaume d'Opale afin de s'acheter des vêtements de peau pour se protéger du froid. Les petites avaient bien du mal à imaginer un endroit où le temps était plus glacial que durant la saison des pluies. Abnar tenta de leur expliquer ce qu'était la neige, mais elles ne le comprirent vraiment que lorsqu'elles arrivèrent en haut du sentier creusé dans la falaise, qui séparait le Royaume de Shola du Royaume des Elfes.

Elles s'agglutinèrent sur les dernières pierres, éblouies par la surface immaculée qui s'étendait devant elles.

— Mais où allons-nous rester ? demanda Ludmila.

— Il n'y a ni maison, ni forêt, renchérit Larissa.

— À environ deux ou trois heures de marche, il y avait un château de glace, expliqua Myrialuna sans afficher la moindre inquiétude.

— Est-il encore là ? voulut savoir Léonilla.

— Je ne crois pas, non.

– Allons-nous dormir dans la neige ? s'effraya Lidia.

– On pourrait construire un autre château de glace, suggéra Léia.

– C'est quoi, un château ? les questionna Lavra.

– C'est une très belle construction avec d'innombrables pièces.

Les petites enfilèrent les vêtements chauds et commencèrent à marcher dans la neige avec difficulté.

– Ce serait un bon moment pour vous servir de votre magie, Abnar, lui signala Myrialuna.

Il se concentra intensément et ouvrit un passage dans l'immense tapis blanc, à la manière d'un soc de charrue. Au lieu de marcher pendant deux ou trois heures, comme l'avait annoncé Myrialuna, le trajet dura un peu plus de six heures. Lorsqu'ils arrivèrent enfin aux ruines du château, les enfants étaient exténuées. À l'aide de sa magie, Abnar balaya le sol et remarqua que l'ancien palais avait en fait été bâti sur une fondation de pierre qui remontait à des siècles avant l'arrivée des derniers Sholiens sur le plateau. Il y découvrit aussi une entrée qui menait sous la terre.

– Venez ! appela Abnar. Nous explorerons les lieux demain.

Les filles se traînèrent les pieds jusqu'aux marches.

– Il fait noir là-dedans, gémit Lavra.

Abnar alluma ses paumes pour éclairer leur chemin. L'escalier se terminait sur un plancher dallé. Le père redoubla l'intensité de ses mains et illumina une vaste pièce soutenue par des colonnes torsadées. De chaque côté s'ouvraient de larges portes qui donnaient sur d'autres grandes salles, probablement des cryptes contenant les restes des rois et des reines.

– Installons-nous ici, décida Abnar en faisant apparaître un grand feu au milieu du hall ancien.

Les filles se précipitèrent près des flammes pour se réchauffer.

– J'aime bien cette nouvelle maison, déclara Larissa à ses sœurs.

– C'est comme une grande tanière, ajouta Léonilla.

– Qu'allons-nous manger, ici ? s'inquiéta Lidia.

Leur père se posait justement la même question. Où trouver de la nourriture dans un pays où rien ne poussait et où aucun animal ne pouvait survivre ?

– Ma sœur Kira utilisait une vieille forme de magie qui lui permettait de se procurer des choses lorsqu'elle était dans le besoin, leur expliqua Myrialuna en disposant leurs affaires autour du feu.

– Est-ce qu'elle habite près d'ici ? demanda Léia.

– Allons-nous enfin la rencontrer ? soupira Ludmila.

– Lorsque nous serons confortablement installés dans ce pays qui appartenait à votre grand-père Shill, nous l'inviterons à dîner, assura Myrialuna.

– Pour manger quoi ? se désola Lavra.

Abnar fit apparaître derrière elle un panier de pommes rouges. Les filles poussèrent des cris de joie et se jetèrent sur les fruits, affamées.

– Nous allons fonder une nouvelle dynastie, décida Myrialuna.

– Pouvons-nous explorer notre château ? demanda Lidia en sautillant devant elle.

– Oui, mais je veux que vous soyez toutes revenues ici dans une heure.

Les fillettes se transformèrent en félins et s'élancèrent en direction de la première salle adjacente.

– Une dynastie ? répéta Abnar.

– Nous allons égayer cette nouvelle demeure et recevoir des gens le plus souvent possible afin de rendre nos filles suffisamment sociables pour qu'elles épousent des princes.

Abnar soupira de découragement en regardant autour de lui. Comment allaient-ils transformer un hypogée en palais ?

19

SUR LA TERRE COMME AU CIEL

Son vœu de redevenir mortel ayant été exaucé, Dylan s'empressa de retrouver Dinath qui errait sans but dans la grande cour du Château d'Émeraude pendant la fête donnée par le Roi Onyx. La jeune Fée le regarda marcher vers elle en se demandant s'il n'était qu'une apparition, puis lorsqu'il l'étreignit de toutes ses forces, elle sut qu'il était revenu pour de bon.

— Comment te sens-tu ? s'inquiéta-t-elle, car il était pâle comme un fantôme.

— Pas très bien, en vérité. Ma tête tourne et je ne suis pas très solide sur mes jambes.

— Allez, viens.

Elle l'emmena dans la seule des quatre tours que personne n'utilisait et le fit asseoir sur le sol. Ils s'appuyèrent le dos contre le mur, face à la porte, par laquelle ils pouvaient voir déambuler les danseurs et entendre la musique.

— As-tu songé à notre avenir ? voulut-il savoir.

– J'ai eu bien des idées depuis que tu es parti. Nous allons commencer par quitter Émeraude dès que tu te sentiras mieux.

– Pour aller où ?

– Au Royaume de Turquoise, où nous pourrons parler de tout cela sans nous presser.

Dylan posa la tête sur les genoux de sa belle et ferma les yeux, épuisé par son passage entre les deux univers. « Tout est si simple pour un Immortel et si difficile pour un humain », songea-t-il avant de sombrer dans le sommeil. Dinath glissa les doigts dans ses cheveux qui devenaient de plus en plus blonds chaque fois qu'il devenait mortel. Elle aimait bien les petits filaments argentés qui s'y cachaient, un trait qu'il partageait avec sa mère, la déesse Fan.

« Nous ne pourrons faire que de grandes choses », se réjouit-elle, car ils étaient tous deux d'essence divine. Son père, Danalieth, était le fils de la déesse Natelia. Dinath était maître magicien, car elle était née à Enkidiev, mais Dylan était un Immortel. Éventuellement, lorsque la mort les réclamerait, ils deviendraient égaux dans le monde des dieux. La jeune femme attendit que tout le monde soit parti avant de réveiller son amoureux. Elle l'aida à se lever et à marcher jusqu'au pont-levis que les sentinelles étaient sur le point de refermer. Une fois de l'autre côté, Dinath s'orienta vers son pays et leva les yeux vers le ciel.

– Ça y est, père. Je suis prête.

Danalieth, qui veillait sur elle et sur sa sœur, la transporta instantanément jusqu'à son ancien antre au milieu de la forêt.

Elle le remercia, installa Dylan dans la petite grotte et alla s'assurer que les Turquais n'étaient pas devenus téméraires en leur absence. Pour être bien certaine qu'ils gardent leurs distances, elle lança dans le bois des cris stridents d'animaux qui ne pouvaient pas exister et s'imagina, en riant que les enfants se réfugiaient dans le lit de leurs parents.

Lorsque Dylan se réveilla enfin, le soleil brillait de tous ses feux à l'extérieur du refuge. Il s'étira et le regretta aussitôt, car chacun de ses muscles le fit souffrir. Avec courage, il quitta la chaleur de sa couverture et sortit dehors. Il faisait un temps magnifique.

– Dinath?

Il utilisa l'un des pouvoirs magiques qui lui restaient et la repéra plus loin. Elle cueillait sans doute des fruits pour leur repas. Mal assuré, il suivit tout de même le sentier et aboutit à la rivière Wawki. Les vêtements de sa belle étaient accrochés aux branches des buissons. Il s'avança davantage et la vit dans l'eau, où elle se mouvait avec la grâce d'une nymphe.

– Dylan, dépêche-toi de me rejoindre! lança-t-elle joyeusement.

– Je ne sais pas nager.

– Je peux toucher le fond, ici.

Il n'avait pas été humain suffisamment longtemps pour apprendre à faire tout ce que les hommes maîtrisaient et la natation avait été le dernier de ses soucis. Dinath continua d'insister jusqu'à ce qu'il enlève ses vêtements. Il trempa le bout du gros orteil dans l'eau et recula.

— C'est bien trop froid ! protesta-t-il.

À l'aide de sa magie, Dinath utilisa les branches basses de l'arbre derrière Dylan comme lance-pierre. Le pauvre homme fit un vol plané et arriva la tête la première dans la rivière. Il se mit alors à se débattre, avalant de l'eau à grandes gorgées. Dinath se porta aussitôt à son secours et le ramena vers le bord. Dès que ses pieds trouvèrent un appui, il se calma.

— Tes muscles te remercieront plus tard, le taquina la Fée.

— Si je n'avais pas si peur de l'eau, je te ferais payer pour ce mauvais tour.

Elle nagea autour de lui comme un dauphin en riant, sachant fort bien qu'il n'oserait pas bouger. Ils se firent sécher au soleil, comme deux enfants insouciants, puis s'habillèrent et retournèrent s'asseoir devant la grotte pour manger.

— Je ne sais pas à quoi tu as pensé, mais je ne veux surtout pas vivre en ermite, l'avertit Dylan.

— Alors, ça tombe bien, parce que moi non plus.

— Qu'allons-nous faire du reste de notre existence ?

— Il est important de toujours être soi-même dans la vie. Puisque nous sommes des demi-dieux ou, si tu préfères, des héros magiques, il nous faut continuer de servir le peuple. Donc, pas d'enfants et pas de ferme.

— Je suis d'accord.

— Mon père m'a enlevé mes bracelets, alors il nous faudra être plus vigilants, car je ne pourrai pas savoir si un ennemi approche.

— Mais nous n'en avons plus, Dinath.

— C'est ce que pensaient aussi les rois d'Enkidiev avant le retour de l'Empereur Noir.

— Il a été anéanti.

— Ce n'est qu'une précaution, Dylan. On n'est jamais trop prudents.

— Bon, d'accord. Et que font les héros magiques ?

— Ils volent à la rescousse de ceux qui ont besoin d'aide.

— Nous n'avons pas d'ailes, ni l'un ni l'autre.

— Ce n'est qu'une façon de parler ! Arrête de m'interrompre tout le temps !

Dylan croqua à belles dents dans une pomme pour ne pas être tenté de répliquer.

— J'ai pris le temps de me renseigner, poursuivit la jeune femme. Tous les royaumes côtiers profiteraient d'un coup de pouce pour la reconstruction. Nous commencerons par le Royaume d'Argent, puis nous descendrons au Royaume de Cristal et, ensuite, au Royaume de Zénor.

— Les Royaumes des Elfes et des Fées sont aussi sur la côte, lui rappela Dylan après avoir avalé sa bouchée.

— Mais ces deux peuples sont autosuffisants. Ils n'ont pas besoin de nous.

— Quand partons-nous ?

— Dès qu'il fera sombre.

— Quel moyen de transport utiliserons-nous ?

— Les Turquais possèdent de petites embarcations pour se déplacer entre leurs villages. Nous en déroberons une et nous ramerons jusqu'au Royaume d'Argent.

— J'espère que tu as déjà fait ça avant, parce que je ne sais même pas de quoi tu parles.

— Tu apprendras.

Ils se mirent en route après le coucher du soleil et longèrent la rivière jusqu'au hameau le plus proche. Les habitants commençaient déjà à s'enfermer chez eux. Dinath observa les chaumières pendant quelques minutes encore, puis s'avança à pas de loup en direction des nombreux esquifs attachés aux arbres. Elle entendit un craquement et se tapit dans l'herbe. Un homme rentrait chez lui à la hâte. Dès qu'il eut disparu entre les maisons, la Fée fit signe à son compagnon de se dépêcher. Elle détacha l'une des embarcations, laissa à Dylan le temps d'y monter, puis la poussa au milieu de la rivière en sautant à l'intérieur. L'ancien Immortel s'agrippa aux bords de toutes ses forces, craignant qu'ils ne chavirent.

Dinath retira les avirons du fond de l'esquif et se mit à ramer contre le courant. Heureusement, la rivière Wawki n'était pas aussi tumultueuse que la rivière Mardall, et elle réussit à s'éloigner du village avant qu'on les aperçoive. Graduellement, Dylan s'habitua au roulement de l'embarcation et se détendit.

— Observe bien ce que je fais, car ce sera ton tour quand mes bras n'en pourront plus, l'avertit Dinath.

— Si j'ai bien compris ce que tu m'as dit plus tôt aujourd'hui, tu rêves, en fait, d'une vie remplie d'aventures.

— J'ai passé toute mon enfance cachée dans une forêt à avoir peur que les dieux me prennent mon père. Plus jamais je ne resterai enfermée quelque part.

Dinath fronça soudainement les sourcils.

— Es-tu en train de me faire comprendre que tu n'as pas envie de la même chose ?

— Je ne sais pas vraiment ce que je veux. Pendant le peu de temps que j'ai passé sous la forme d'un humain, j'ai participé à la guerre dans le camp de l'armée de Jade. J'ai appris le maniement des armes et j'ai découvert que je n'avais pas l'âme d'un guerrier.

— C'est donc en jouant au héros que tu sauras si ce statut te ressemble davantage.

— Qu'arrivera-t-il si ce n'est pas le genre d'occupation qui me convient ? se troubla Dylan.

— Pourquoi faut-il que tu sois toujours rabat-joie ?

— Je suis seulement réaliste, Dinath. Moi, j'ai passé ma vie à me faire dire ce que je devais faire. C'est le sang de mon père dans mes veines qui m'a rendu plus téméraire que les autres Immortels, mais ça ne veut pas dire que je fais fi de la prudence. J'ai parfaitement le droit de questionner mes humeurs.

— J'aurais un conseil à te donner, si tu veux que nous vieillissions ensemble : deviens un brin plus spontané et arrête de nous mettre des bâtons dans les roues.

— Mais ce n'est pas du tout ce que je fais !

Ils continuèrent de s'expliquer jusqu'à ce que la nuit enveloppe le continent. N'y voyant plus rien, Dinath jugea plus prudent d'accoster et d'amarrer l'esquif jusqu'au matin.

— Couche-toi et pose ta tête sur nos sacs, ordonna-t-elle.

— Ici ? Sur l'eau ? s'horrifia-t-il.

— Ta mère n'a pas dû te bercer quand tu étais petit.

Elle marcha à quatre pattes vers lui dans l'embarcation, l'obligeant à s'allonger, puis se coucha sur lui.

— Que se passera-t-il si une énorme vague nous emporte ? se lamenta Dylan.

— Arrête de parler ou je te jette par-dessus bord.

À son grand étonnement, Dylan réussit à s'endormir quelques minutes plus tard. Lorsque Dinath le secoua, le soleil commençait à poindre à l'est.

— Allez, c'est à ton tour de ramer.

Surtout par orgueil, le jeune homme tenta d'imiter sa compagne, mais ne réussit qu'à les éclabousser tous les deux. Au lieu de se fâcher, Dinath éclata de rire et l'encouragea à persévérer. Au bout d'un moment et de crampes douloureuses dans les épaules, il arriva à faire avancer l'embarcation dans la bonne direction.

— À cette vitesse-là, ils auront tout reconstruit avant que nous arrivions, le taquina-t-elle.

— Si tu crois pouvoir faire mieux, ne te gêne pas pour prendre la relève.

Leur périple s'éternisa, mais tout ce temps passé ensemble leur permit d'apprendre à mieux se connaître. Dylan constata que Dinath n'était pas aussi dure qu'il le croyait. Même si elle était la fille d'un demi-dieu sage et réfléchi, il coulait aussi du sang de Fée dans ses veines, ce qui la poussait à vouloir constamment s'amuser. Au fond, lorsqu'elle le piquait, ce n'était jamais par méchanceté, mais parce qu'elle avait un plaisir fou à le voir se fâcher. Petit à petit, il cessa de réagir aussi vivement à ses remarques.

De son côté, Dinath découvrit avec soulagement que l'expérience militaire de Dylan n'avait en aucune façon altéré sa nature divine. Il avait conservé son innocence et son romantisme, même si elle ne lui donnait pas souvent l'occasion de manifester ce trait de caractère.

Ils abandonnèrent l'esquif à la frontière entre les Royaumes d'Émeraude et d'Argent et longèrent la muraille jusqu'à ce qu'ils arrivent aux grandes portes, heureusement ouvertes. Les sentinelles leur demandèrent de s'identifier, mais sans aucune agressivité.

— Je suis Dinath, fille de la Reine des Fées et de l'Immortel Danalieth, répondit fièrement la jeune fille aux cheveux noirs en bataille. Et voici Dylan, fils de la Reine Fan de Shola et du légendaire Chevalier Wellan d'Émeraude.

Les hommes échangèrent un regard inquiet, car ils ne savaient pas quel traitement réserver à d'aussi illustres voyageurs.

— Êtes-vous ici pour voir le roi ? bredouilla finalement l'un d'eux.

Dylan ouvrit la bouche pour satisfaire sa curiosité, mais Dinath le devança.

— Pas vraiment. Nous sommes venus participer à vos travaux de reconstruction.

Déconcertés par les réponses de la jeune femme, les soldats se contentèrent de pointer le bras vers l'ouest.

— Merci, mes braves.

Elle saisit Dylan par la manche et l'entraîna avec elle.

— J'allais demander qu'on nous y conduise à cheval! protesta le jeune homme.

— Ne me dis pas que tu as déjà mal aux jambes?

— Ce sont mes épaules qui me font mourir, et mes genoux sont sur le point de leur faire concurrence.

— Arrête de te plaindre tout le temps.

Ils suivirent la route qui menait à l'océan jusqu'à ce que Dylan demande grâce. Ils s'arrêtèrent dans une auberge. Ni l'un ni l'autre n'avait d'argent, mais le charme de la Fée fit son œuvre et on leur offrit le gîte et le couvert. Encore débordante d'énergie, Dinath regarda dormir son compagnon. Il ne devait pas être facile pour lui de se comporter en humain après avoir passer toute sa vie dans les nuages. «Comme mon père», songea-t-elle. Danalieth lui manquait beaucoup. Il lui arrivait de lui souffler de petits mots d'encouragement dans son esprit, mais ce n'était pas la même chose que de l'avoir à ses côtés.

Le lendemain matin, Dylan trouva la Fée allongée près de lui, à l'observer. Il se demanda pourquoi elle n'avait pas encore commencé à le bousculer.

— Ton père te manque-t-il? demanda-t-elle à brûle-pourpoint.

— Oui, beaucoup. Je trouve vraiment injuste que le destin me l'ait repris au moment où j'aurais enfin pu passer beaucoup de temps avec lui. Quand j'étais jeune, il me disait souvent qu'après la guerre, il m'emmènerait à la pêche, mais…

Dinath le serra dans ses bras pour le consoler.

– Si tu avais conservé ton statut d'Immortel, tu aurais pu le voir plus souvent sur les grandes plaines de lumière, chuchota-t-elle à son oreille.

– J'en doute, puisqu'il ne voulait pas y aller.

– Mais les humains n'ont pas d'autre choix que de franchir ces portes.

– Il ne se croyait pas digne du repos éternel. Nous avons tous essayé de lui faire comprendre qu'il disparaîtrait à tout jamais s'il ne se rendait pas aux plaines. Juste avant que je revienne à Enkidiev, la déesse Theandras est venue nous parler. Elle a exaucé mon vœu le plus cher, mais j'ignore ce qui est advenu de mon père.

– Si tu veux, je poserai la question au mien, la prochaine fois qu'il me parlera.

Ils poursuivirent leur chemin et n'eurent aucun mal à trouver des ouvriers qui démantelaient la muraille à coup de pics et de marteaux. Un sourire apparut sur le visage de la Fée. Elle dessina un cercle du bout de son index et le mortier, qui retenait les pierres de cette section des remparts, disparut d'un seul coup. Abasourdis, les maçons reculèrent en se questionnant les uns les autres du regard.

— Est-ce de la sorcellerie ? s'exclama finalement l'un d'eux.

— Non, monsieur, c'est de la magie.

Les ouvriers firent volte-face et aperçurent le petit bout de femme qui se tenait fièrement devant eux, les mains sur les hanches.

— Nous sommes venus vous donner un coup de main, poursuivit-elle.

— Qui êtes-vous ?

— Des maîtres magiciens.

Pendant que les hommes jetaient les pierres sur le sable, les deux héros poursuivirent leur route vers un autre groupe et refirent la même opération. Cette fois, ils ne se contentèrent pas de faire disparaître le gâchis : dès qu'ils eurent aidé les derniers ouvriers, ils soulevèrent les pierres et les firent flotter vers l'intérieur des terres.

— Où devons-nous les déposer ? demanda Dinath qui se tenait sous l'étrange rivière aérienne.

— Elles devaient être partagées entre deux villages, lui apprit l'un des hommes.

— Ce ne sera pas un problème.

La ligne se divisa en deux.

– Nous vous suivons.

Dinath et Dylan partirent chacun de leur côté pour livrer leur marchandise et ne se revirent que le soir, lorsqu'on donna un festin en leur honneur.

– Est-ce que ça te plaît maintenant de jouer au héros ? chuchota la jeune femme à son compagnon.

– Ce n'est pas si mal, en fin de compte.

Ils passèrent le reste de l'année à démanteler une partie des interminables murailles d'Argent au bord de l'océan et furent éventuellement reçus par le Roi Rhee, qui avait entendu parler de leurs exploits. Ce dernier fut charmé de découvrir l'ascendance céleste de ces bienfaiteurs. Dinath lui annonça alors qu'ils devaient se rendre au Royaume de Cristal pour venir en aide à d'autres gens, mais qu'ils reviendraient bientôt poursuivre leur travail.

– Moi, j'aime bien être célèbre, avoua Dinath à Dylan tandis qu'ils se dirigeaient vers le pays voisin, montés sur de superbes chevaux qui appartenaient à la famille royale.

Ils visitèrent plusieurs villages côtiers ravagés de si nombreuses fois que leurs habitants ne savaient plus où trouver du bois pour rebâtir leurs maisons. Avec leur esprit, les deux magiciens scrutèrent tout le continent et nettoyèrent les plus grandes forêts en y prélevant les arbres qui y étaient tombés. Bientôt, une montagne de matériau s'éleva au centre de tous ces villages. Dinath montra à Dylan comment utiliser le pouvoir de ses mains pour équarrir des poutres et menuiser des planches.

Ils partagèrent donc la vie des Cristallois pendant de longs mois et les quittèrent lorsqu'ils furent certains qu'ils avaient suffisamment de bois pour mener à bien la reconstruction.

Le couple hâta ensuite ses pas à Zénor. La citadelle était déjà en pleine restauration, mais les travaux avançaient plutôt lentement en raison de la taille énorme des blocs que les ouvriers devaient déplacer et empiler les uns sur les autres. Dinath fit venir l'une des pierres jusqu'à elle en ramenant le bout de ses doigts vers sa poitrine. Le monolithe la suivit comme un bon petit chien, sous les yeux écarquillés des hommes couverts de sueur.

— Où dois-je le déposer ?

Ils se mirent à parler tous en même temps, ce qui la fit rire aux éclats. L'un d'eux s'imposa finalement en meneur. Dylan et Dinath émerveillèrent tout le monde, car en un seul après-midi, ils rebâtirent une dizaine d'habitations, puis furent nourris par les familles reconnaissantes. La reconstruction de la citadelle, quant à elle, prit plusieurs années, étant donné que le couple de magiciens devait régulièrement retourner au Royaume d'Argent pour participer à la démolition des murailles qui nécessiterait encore une cinquantaine d'années !

Puis, un soir où ils étaient assis sur les galets, à contempler le globe incandescent du soleil qui s'abîmait dans les flots, Dylan se mit à réfléchir à toutes leurs bonnes actions.

— Bientôt, il ne nous restera plus rien à réparer, observa-t-il.

— Mais j'ai d'autres idées, assura Dinath.

Il lui décocha un regard amusé.

— J'ai peur de te demander de quoi il s'agit.

— Nous allons élever un temple au sommet de la Montagne de Cristal.

— Un temple à qui ?

— À nous, évidemment, puisque c'est là que je t'ai vu pour la première fois.

Il s'approcha d'elle et alla déposer un baiser sur ses lèvres.

— J'étais loin de penser, à cette époque, que nous finirions nos jours ensemble, avoua Dylan.

— Moi, je le savais.

Il la renversa sur la plage et l'embrassa avec passion.

20

UN CRI DU CŒUR

À leur retour de la guerre, Bailey et Volpel, qui avaient été Écuyers du grand Wellan d'Émeraude, voulurent suivre l'exemple de leurs compagnons d'armes et fonder une famille.

N'ayant aucune envie d'aller s'installer dans un autre royaume ils se mirent, chacun de leur côté, à fréquenter d'abord la cour du Roi Onyx, puis les villages environnants, en quête de leur âme sœur. Pendant des semaines, à la fin de la journée, ils se retrouvaient à leur auberge préférée, à environ une heure du château, pour se raconter leurs déboires amoureux en buvant de la bière.

– Tout le monde a ses défauts, bien sûr, soupira Bailey, mais il me semble que j'en trouve de plus en plus parmi les femmes de ce pays. C'est vraiment démoralisant.

– J'avoue que je suis d'accord avec toi. Maintenant que tout le monde sait que je suis à la recherche d'une épouse, on m'en présente de tous les styles.

– Et tu ne trouves personne d'intéressant dans le lot ?

— Il y en a qui sont très jolies, mais aussi trop exigeantes, car elles sont bien conscientes de leur beauté, indiqua Volpel. Ce n'est pas ce qui m'importe le plus.

— Que recherches-tu, au juste ?

— Je m'attache davantage aux qualités du cœur, mais comment les reconnaître si nous ne disposons que de nos yeux pour les déceler ?

— À mon avis, mon cher Volpel, on ne connaît vraiment le cœur de quelqu'un qu'après une certaine période de fréquentation.

— Et à Émeraude, si tu vois trop souvent une femme, on s'attend à ce que tu l'épouses, même si, après tout ce temps, tu te rends compte qu'elle n'a pas les qualités que tu recherches. En définitive, je crois que nous sommes devenus trop vieux pour nous marier.

Bailey éclata de rire, répandant sa bière sur toute la table.

— Tu sais toujours comment me remonter le moral, toi !

Bailey, qui s'était acheté une grande terre avec de l'argent que Wellan lui avait remis peu de temps après son mariage avec Bridgess, rentra chez lui, tandis que Volpel retourna au château, où il logeait temporairement. Tout comme son ami, il avait hérité d'une part des cadeaux de noces de leur défunt maître, qu'il avait cachée jusqu'à la fin de la guerre. Cependant, il ne savait pas encore ce qu'il en ferait. S'il se mariait, sans doute suivrait-il l'exemple de Bailey. En attendant, il ne dépensait son argent qu'à l'auberge et de façon modérée.

Lorsque Bailey prit finalement possession de ses premiers chevaux, il ne fut plus aussi libre qu'avant d'aller flâner devant quelques chopes de bière. L'élevage d'un troupeau requérait beaucoup de soins. Volpel se retrouva donc seul à plusieurs reprises chez l'aubergiste, à attendre son frère d'armes qui n'arrivait jamais. Il dirigea donc ses pas vers sa ferme, espérant secrètement qu'il ne s'était pas marié depuis leur dernière rencontre. Il trouva Bailey dans un enclos, à calmer une jument qu'il venait tout juste de recevoir. L'animal dépaysé ne cherchait qu'à s'enfuir en fonçant dans les clôtures.

Volpel mit pied à terre, attacha son cheval plus loin et grimpa à la barrière pour observer le travail de Bailey. Ce dernier avait toujours été plus doué que lui avec les bêtes. Il parlait à la jument d'une voix douce et calme, se plaçant continuellement devant elle. En hennissant de frayeur, l'animal pivotait et tentait de s'éloigner dans une autre direction, mais Bailey était toujours là, à murmurer. Le manège dura plus d'une heure, puis la jument s'immobilisa et son dresseur parvint même à lui caresser les naseaux.

– Tu n'as rien à craindre, ma jolie, lui dit Bailey. Ici, c'est ta nouvelle maison, et tu as plein de nouveaux amis dans l'écurie.

Les chevaux de trait étaient des bêtes puissantes qui pouvaient tirer des charges énormes, mais elles étaient facilement effrayées et avaient besoin d'être constamment rassurées. Bailey glissa les doigts sous la courroie du licou et fit marcher sa nouvelle acquisition en rond jusqu'à ce qu'il soit certain qu'elle ne tenterait pas de prendre la clé des champs, puis il la dirigea vers la barrière que Volpel s'empressa d'ouvrir.

— Mais qu'est-ce que tu fais là ? se réjouit le dresseur.

— Tu ne te présentes plus à l'auberge, alors…

Volpel suivit son frère d'armes jusqu'à l'écurie où les autres chevaux se reposaient dans de spacieuses stalles. Il fit entrer la jument dans la sienne sans qu'elle ne se débatte. En fait, elle alla tout de suite flairer son voisin de droite, puis celui de gauche et soupira bruyamment. Bailey referma la porte, plutôt satisfait de lui-même.

— Tu as une patience que je n'aurai jamais, le complimenta Volpel.

— C'est facile lorsqu'on aime ce qu'on fait.

Il ramena son visiteur à la maison et alluma un feu, ainsi que plusieurs lampes.

— Je perds la notion du temps lorsque je m'occupe de mes animaux, avoua Bailey en s'asseyant dans une bergère.

— C'est confortable, chez toi.

— Il a fallu que je fasse pas mal de réparations, mais le résultat est convenable. Je suis vraiment désolé d'avoir manqué nos rendez-vous, Volpel.

— Je m'en remettrai, répondit-il avec un sourire moqueur.

— Comment vont tes recherches ?

— Je suis peut-être fait pour être célibataire, parce que je ne trouve personne à mon goût.

— Je vais te proposer quelque chose. Viens rester ici jusqu'à ce que ton destin t'interpelle. J'ai vraiment besoin d'aide.

— Je n'ai pas ton doigté avec les chevaux, mais je suis un très bon cuisinier.

— Oui, c'est vrai. Au campement, nous avions tous hâte que ce soit ton tour de préparer le repas.

— Alors, j'accepte ton offre.

Volpel alla chercher ses affaires le lendemain et s'installa à la ferme. Bientôt, de merveilleux arômes s'échappèrent de la maison et chatouillèrent les narines de son compagnon d'armes. Dès que Bailey eut terminé ses corvées du matin, il le rejoignit. Volpel déposa les assiettes de ragoût sur la table ainsi qu'une urne de vin.

— Pas de bière ? s'étonna le dresseur.

— Seulement à l'auberge. Avec de la viande aussi tendre, le vin est plus approprié.

Bailey savoura sa nourriture les yeux fermés.

— Je ne sais pas ce que tu fais, mais rien de ce que je prépare ne goûte la même chose.

— Il s'agit seulement de choisir les bonnes épices.

– C'est décidé ! Je te garde chez moi pour toujours !

– Il n'y a rien que j'aimerais autant, mais je t'avertis tout de suite que si tu te maries, je partirai. Il n'est pas question que je partage mes tâches domestiques avec une femme.

– C'est noté.

Au fil des jours, les deux amis d'enfance finirent par constater qu'ils étaient parfaitement heureux ensemble. Jamais ils ne se disputaient, car ils ne tentaient pas d'empiéter sur les compétences l'un de l'autre. Il arrivait que Volpel donne un coup de main à Bailey pour nourrir les bêtes ou pour retenir un cheval rétif sur lequel ce dernier tentait de grimper, mais jamais Bailey ne s'immisçait dans la cuisine.

Un après-midi, tandis qu'ils transportaient des seaux d'eau jusqu'aux auges des différents enclos, Volpel se vida le cœur.

– Est-il vraiment nécessaire qu'un couple soit composé d'un homme et d'une femme ? demanda-t-il finalement.

– C'est préférable s'ils veulent assurer leur descendance, répondit Bailey en haussant les épaules.

– Et si cela leur était égal ?

– Il n'y a aucune loi, je pense, qui régit l'agencement des couples.

Ils versèrent l'eau dans les abreuvoirs en pierre.

— Quand tu as cessé de me rejoindre à l'auberge, j'ai eu très peur que tu aies trouvé une épouse, confessa Volpel.

Il se jeta dans les bras de son ami et le serra de toutes ses forces.

— J'étais prêt à me jeter dans la rivière, ajouta-t-il.

— Moi aussi je vais te faire un aveu, chuchota Bailey à son oreille. Ces filles n'étaient pas si mal que ça, mais je leur trouvais toutes des défauts parce qu'elles n'avaient pas la même énergie que toi. Je n'osais pas te le demander, mais j'espérais que tu viennes habiter ici, avec moi.

— Tu sais pourtant, depuis le temps, que tu peux tout me dire ! protesta Volpel en se dégageant de l'étreinte.

— Ton bonheur est important pour moi. Je ne voulais pas t'empêcher de le trouver auprès d'une femme.

— Alors, qu'il n'y ait plus d'incompréhension entre nous. À partir de ce jour, rien ni personne ne nous empêchera de nous parler franchement.

— Marché conclu.

Une fois leurs véritables sentiments avoués, leur vie devint encore plus agréable. Bailey se tailla une solide réputation d'éleveur de chevaux de travail et même les habitants des autres royaumes vinrent lui acheter des bêtes. Quant à Volpel, il était parfaitement heureux dans l'ombre de son ami, s'occupant de la maison et des comptes. Personne ne questionnait le fait que deux hommes de leur âge ne soient pas encore mariés, mais on commençait à les observer avec curiosité lorsqu'ils allaient ensemble au marché public, une fois par semaine.

Un beau matin, Jasson se présenta à la ferme et s'arrêta près des enclos pour observer les percherons. Bailey vint aussitôt à sa rencontre et ils échangèrent la poignée de main des Chevaliers.

— Je suis vraiment content de te voir, mon frère ! s'exclama joyeusement Bailey.

— Je cherche un deuxième cheval de labour et on me dit que c'est toi qui vends les meilleurs.

— On t'a dit la vérité.

Bailey lui montra tous ses animaux en lui expliquant leurs forces respectives, puis, ils s'entendirent sur le prix d'un cheval roux de trois ans.

— Avant que je te laisse partir avec ton nouvel achat, viens prendre le thé à la maison.

Jasson le suivit volontiers sur la terrasse que Volpel avait aménagée sur le côté de la demeure. Des vignes grimpaient sur le treillage en voûte, procurant une agréable fraîcheur à l'unique table ronde qui se trouvait là. Volpel serra les bras de son ancien compagnon d'armes et l'invita à s'asseoir. Il servit le vin dans de belles coupes en argent et rejoignit les deux hommes.

– Vous êtes remarquablement bien installés, les félicita l'aîné.

– Le magicien du logis, c'est lui, indiqua Bailey.

– Est-ce vrai que vous formez un couple ?

– Si ce l'était, ton opinion de nous serait-elle différente ?

– Non, pas vraiment. Ce qui compte pour moi, c'est que les gens que j'aime soient heureux, et j'aime tous mes frères et sœurs Chevaliers.

– J'espère que le peuple sera aussi conciliant que toi, espéra Volpel.

– Les Émériens ont toujours fait preuve de tolérance envers ceux qui sont différents, le rassura Jasson. Ils ont été les premiers à accepter d'avoir une princesse mauve, rappelle-toi. Si vous étiez une paire de criminels, ce serait une tout autre affaire.

Bailey s'esclaffa, car s'il y avait quelqu'un à Enkidiev qui n'avait pas un grain de méchanceté, c'était bien son compagnon de vie.

– Avez-vous l'intention d'avoir des enfants ? demanda Jasson.

– Nous songions à en adopter au moins deux, mais pas tout de suite. Nous voulons d'abord apprendre à bien vivre ensemble.

– C'est très sage. Et je vous souhaite de ne pas tomber sur une petite tempête comme Liam.

– Nous accepterons ce que les dieux voudront bien nous donner, affirma Volpel.

Il versa un second verre à tout le monde et porta un toast à l'amitié et à l'acceptation.

21

ESPOIR DE JEUNESSE

Après que les Chevaliers eurent définitivement vaincu l'empereur qui cherchait depuis des centaines d'années à s'emparer de leur territoire, Hadrian rentra à Émeraude avec son ami Onyx. Il voyait bien que ce dernier était souffrant, mais, toujours aussi intraitable que lors de la première guerre, Onyx ne voulut pas qu'on le touche. Il ordonna qu'une grande fête soit préparée pour son armée victorieuse et disparut dans ses appartements. Puisque ce n'était pas le moment de lui tenir tête, Hadrian attendit que le calme revienne au château.

Il s'isola dans les bains pour réfléchir. Dans son esprit, beaucoup de questions demeuraient sans réponse. Qu'allait-il faire maintenant que la guerre était finie ? Il avait accompli tellement de choses en deux vies. Que lui restait-il à faire ? Il avait gouverné le Royaume d'Argent en bon roi, avait aimé et respecté son épouse Éléna et avait élevé leurs deux enfants avec patience et dévouement. Il avait aussi acquis de grandes connaissances grâce à la lecture, mais il lui restait encore beaucoup d'ouvrages à dévorer. Pour cette seule raison, il remerciait le ciel de lui avoir accordé une deuxième existence.

Danalieth l'avait ramené à la vie afin qu'il freine les idées de grandeur d'Onyx, son ancien lieutenant. Déjà, Hadrian l'avait convaincu d'oublier son projet de fusion avec le Royaume de Diamant. Il savait bien que l'insatiable souverain mijoterait d'autres entreprises de conquête, car le combat faisait partie de sa nature, alors, il veillerait sur Enkidiev pour qu'il ne subisse pas les assauts d'un nouveau tyran.

Les héritiers d'Hadrian réclamaient sa présence au Château d'Argent, mais celui-ci craignait que ces lieux ne lui rappellent constamment son ancienne vie et il voulait laisser son passé derrière lui. Onyx l'avait aussi supplié de rester à Émeraude, mais Hadrian se doutait bien que son ami n'arriverait jamais à gouverner seul s'il demeurait à ses côtés.

Trempant dans la bienfaisante eau chaude des bains, l'ancien souverain questionnait aussi son cœur. Jenifael lui avait déclaré son amour, mais il ignorait s'il avait encore la capacité d'aimer après avoir chéri la même femme pendant des années. Il caressait aussi l'ancien fantasme de partager la vie d'une femme Elfe, car il avait vénéré ce peuple plus que tout autre, jadis. Il avait même rêvé de devenir lui-même un Elfe. Comment expliquer à Jenifael qu'il n'était pas prêt à s'engager avant d'avoir exploré toutes ces possibilités ?

Il participa aux festivités, même s'il n'avait pas le cœur à la fête, et s'entretint avec les Rois de Perle, de Diamant et d'Opale de la reconstruction des villages côtiers qui avaient le plus subi les assauts des Tanieths. Assis près de lui, Onyx écoutait la conversation sans s'en mêler. Il berçait tout doucement le plus jeune de ses fils qui dormait dans ses bras. L'ancien lieutenant n'était pas un homme parfait, mais personne ne pouvait l'accuser d'être un mauvais père. Du temps d'Hadrian, les rois et les reines ne dorlotaient pas ainsi leurs petits. Ils leur fournissaient une éducation princière, militaire et sociale et ils se contentaient plus souvent qu'autrement de les aimer à distance. Onyx avait rejeté le protocole en montant sur le trône d'Émeraude. Il faisait ce qu'il voulait, comme il le voulait, et la diplomatie n'était pas son fort.

Contrairement à son habitude, Onyx n'avait bu qu'une seule coupe de vin durant la soirée, ce qui mit la puce à l'oreille d'Hadrian. Pendant que tous émettaient leur opinion sur l'aide à fournir aux plus démunis, l'ancien Roi d'Argent tenta de sonder Onyx. Il se heurta aussitôt à une muraille invisible bien gardée. Même malade, son lieutenant refusait de baisser sa garde. «Je ne suis pas son père», se rappela Hadrian. «Je suis d'abord et avant tout son ami, et les amis respectent leur volonté respective.»

Durant les semaines qui suivirent, puisqu'il n'arrivait pas à décider ce qu'il voulait faire de sa deuxième vie et que son observation des étoiles ne l'aidait guère à se fixer, Hadrian voulut tout de même se rendre utile. Alors, un matin, il entra dans la grande bibliothèque d'Émeraude et promena son regard sur ses innombrables rayons. C'était une véritable mine d'or, mais personne ne pouvait l'exploiter, car le défunt magicien Élund n'avait jamais cru bon d'y mettre de l'ordre. Hadrian se doutait bien que ce travail prendrait des années, mais il s'agissait d'un legs important à la postérité.

Il s'attaqua donc aux premiers rayons et divisa les ouvrages selon leur contenu. Il placarda ensuite les sujets sur les rangées afin de rassembler les livres par thèmes, soit archives, astronomie, botanique, chroniques, géographie, histoire, législation, livres défendus, livres rares, magie, musique, philosophie, poésie, santé et science. Toutefois, pour les classer, il devait tous les ouvrir et en lire une partie.

En le voyant tous les jours à la bibliothèque, les Chevaliers Ellie, Daiklan et Mann vinrent lui donner un coup de main. C'était un travail titanesque, mais très enrichissant. Comme si le contenu de cette vaste pièce n'était pas suffisant, Hadrian alla aussi récupérer tous les ouvrages que les Elfes avaient cachés pour lui, plus de cinq cents ans auparavant, pour les soustraire à la colère d'Abnar.

Ses journées devinrent alors routinières, mais réconfortantes, car pendant qu'il se plongeait dans les livres, il n'était pas obligé de penser à son avenir. Il se purifiait le matin, avalait quelques fruits et s'enfermait dans la bibliothèque jusqu'à ce qu'il soit obligé d'allumer des chandelles. De temps à autre, il allait manger avec Onyx afin de surveiller son état de santé, mais, la plupart du temps, il allait au lit complètement épuisé et l'estomac vide. Lui qui aimait autant le vin que son vieil ami, il n'en buvait presque plus.

Au bout de quelques semaines de ce régime érémitique, Hadrian, malgré lui, fut forcé d'accorder un peu d'attention à sa fidèle monture. Croyant qu'elle avait été abandonnée à l'écurie, Staya se mit à ruer dans les murs de sa stalle en poussant de terribles cris de désespoir. Puisque aucun des palefreniers n'osait s'approcher d'un cheval-dragon, la jument blanche parvint à défoncer sa prison et à foncer vers la sortie. Une fois dans la grande cour, elle huma l'air, à la recherche d'Hadrian, puis flaira le sol. Elle capta finalement son odeur près du hall des Chevaliers et suivit sa piste jusqu'aux portes du palais. Comme elles étaient ouvertes, la bête entra dans l'immeuble, effrayant les serviteurs qui firent demi-tour avec leurs fardeaux.

Avec prudence, Staya s'engagea dans le grand escalier et parvint à se rendre à l'étage supérieur, semant davantage d'émoi dans le palais. La trace de son maître étant de plus en plus fraîche, elle s'élança au trot jusqu'à la bibliothèque et s'arrêta à l'entrée. Assis tout au fond, près d'une fenêtre, l'ancien Roi d'Argent leva les yeux de son livre.

– Staya ?

La jument se précipita vers lui en poussant de courtes plaintes stridentes, faciles à traduire même pour ceux qui ne parlaient pas la langue des chevaux-dragons. Hadrian eut juste le temps de se lever. Staya appuya son front sur son thorax et l'écrasa contre le mur.

– Tout doux ! réclama-t-il.

Elle continua de se plaindre en se frottant contre lui.

– Je suis vraiment désolé de t'avoir négligée, tenta de la rassurer le maître en lui caressant les oreilles, et je te promets de passer plus de temps avec toi, mais la bibliothèque n'est pas un endroit pour un cheval…

Staya recula et se coucha à ses pieds.

– …ni pour un cheval qui se prend pour un chien, ajouta l'ancien roi.

Elle refusa de bouger, malgré toutes ses cajoleries et ses menaces. À bout d'arguments, Hadrian céda à sa demande silencieuse.

– Tu gagnes, soupira-t-il. Allons nous balader dans la campagne.

Il marcha vers la sortie. Staya se releva aussitôt et le suivit. Dès qu'ils furent dehors, Hadrian grimpa sur son dos, sans selle ni bride, et s'accrocha à sa longue crinière blanche. Folle de joie, la jument galopa en direction du pont-levis et se dirigea vers l'est. Ils longèrent l'un des affluents de la rivière Wawki et s'arrêtèrent au bout de quelques heures dans une grande vallée où broutaient de majestueux cerfs. Hadrian glissa sur le sol et se pencha au-dessus de la rivière pour se désaltérer. Staya s'approcha de lui à pas feutrés et lui fit exécuter un vol plané jusque dans les flots.

– Staya ! se fâcha le maître en sortant la tête de l'eau.

Elle s'approcha de lui en émettant des sons qui ne lui étaient pas familiers.

– Mais qu'est-ce que tu essaies de me dire ?

Hadrian appuya la main sur le front de l'animal immaculé et ferma les yeux. À l'aide d'une succession d'images, la bête lui fit comprendre sa détresse et son besoin de ne plus jamais être séparée de lui.

– Tu as raison, concéda-t-il. L'utilisation des vortex a rendu votre présence inutile pendant la guerre, mais c'est terminé tout ça.

Staya protesta et menaça de le pousser encore plus loin dans la rivière.

— J'ai commencé à mettre de l'ordre dans la bibliothèque et je crois que j'ai oublié tout le reste. Me pardonneras-tu, un jour ?

La jument replia ses pattes antérieures, lui indiquant qu'il devait monter sur son dos. Pour éviter qu'on retrouve son cadavre noyé avant la fin de la journée, Hadrian fit ce qu'elle voulait. Elle le ramena sur la terre ferme. Infatigable, elle zigzagua à travers la prairie jusqu'au coucher du soleil. Lorsqu'elle le ramena enfin au château, ses vêtements avaient eu le temps de sécher.

— On ne pourra jamais dire que tu ne te fais pas comprendre, lui dit le maître tandis qu'ils arrivaient aux enclos.

Staya montra les dents de façon menaçante au palefrenier qui s'approchait avec un licou.

— Laissez-la aller où bon lui semble, ordonna Hadrian en mettant pied à terre. Elle ne vous causera plus d'ennuis.

Il se tourna ensuite vers l'animal.

— C'est bien compris ?

La jument blanche secoua la tête en signe d'acquiescement.

— Je vais retourner à mon travail et, demain, nous irons nous promener où tu voudras.

Staya demeura immobile tandis qu'il reculait vers l'entrée de l'immeuble. Il grimpa les quelques marches et tomba nez à nez avec Onyx.

– Qu'est-ce que c'est que cette histoire de cheval qui se promène dans mon palais ?

– Les chevaux-dragons ne sont pas des animaux comme les autres. J'ai négligé Staya et elle s'est mise à ma recherche.

– Elle est amoureuse de toi ? le taquina Onyx.

– Elle est seulement en manque d'affection, mais puisque j'ai l'intention de m'en occuper davantage, ce genre d'incident ne se reproduira plus. D'ailleurs, je viens juste de rentrer d'une longue balade avec elle.

– Comment se fait-il que tu aies passé tout l'après-midi avec ton cheval et que tu ne sentes pas le cheval ?

– Parce que ce n'en est pas un, dans le sens où nous l'entendons.

Onyx haussa les sourcils avec surprise.

– Staya a l'aspect d'une jument, mais elle n'est pas recouverte de poil. Sa peau ressemble plutôt à celle d'une grenouille.

– Viens me raconter tout ça dans mon hall.

Hadrian partagea donc le repas du soir avec son vieil ami. Onyx l'écouta en mangeant et en buvant.

— Toi, quand tu ne m'interromps pas, c'est que tu mijotes quelque chose, se méfia l'ancien Roi d'Argent.

— Je me disais justement que les Chevaliers devraient tous monter ces bêtes, maintenant qu'ils sont obligés de se déplacer à pied.

— Nous ne sommes plus en guerre, Onyx, et nos soldats se sont dispersés pour mener des vies normales.

— On ne sait jamais ce qui plane sur nous. Il me semble avoir décrété le maintien de l'Ordre d'Émeraude…

— Les soldats se regrouperont en cas de menace, mais leur service actif est terminé.

— Qui a donné cet ordre ? s'étonna Onyx.

— C'est Jenifael, à qui j'ai remis mon commandement.

— Pourquoi as-tu fait une chose pareille, Hadrian ?

— Parce que je n'ai plus envie d'être un chef de guerre, surtout en temps de paix. Je veux me consacrer à d'autres activités tout aussi importantes pour la communauté.

Hadrian s'inquiéta de voir Onyx aussi confus.

— Je pense que tu as trop bu, mon ami.

Le souverain porta la main une fois de plus à sa poitrine, là où une lance ennemie avait jadis transpercé sa cotte de mailles.

– Est-ce la douleur qui cause ces oublis ? demanda l'ancien roi.

– Cette fréquente référence à mon état de santé commence à sérieusement m'agacer, Hadrian.

– Réponds-moi.

– J'ai un peu moins d'endurance, mais je finirai par m'en sortir.

Hadrian posa la main sur celle de son irréductible ami et eut à peine le temps de l'ausculter avant que ce dernier ne le repousse violemment.

– Ne refais jamais ça ! gronda Onyx, comme un fauve. Je suis parfaitement capable de me soigner moi-même !

Étant donné qu'il le connaissait mieux que personne, Hadrian savait que lorsque son ancien lieutenant se renfermait sur lui-même, son état était sérieux.

– J'ai pourtant extrait le poison moi-même de ta plaie, lui rappela Hadrian.

Le Roi d'Émeraude but le reste de sa coupe d'un seul trait et quitta la table. Swan se rapprocha aussitôt d'Hadrian.

– Il est ainsi depuis deux jours, lui apprit-elle.

– Pourquoi cette blessure refuse-t-elle de guérir ?

– Si je le savais, il y a longtemps que je l'aurais délivré de son mal. Santo pense qu'il s'agit peut-être d'un poison dont les éléments ne se mêlent pas entre eux et n'agissent pas tous en même temps.

– Je n'aurais donc extirpé de ses veines que celui qui était actif à ce moment-là, comprit Hadrian.

– Si ton intention est de poursuivre le traitement, je te conseille d'attendre un peu. Je l'ai rarement vu d'aussi mauvaise humeur.

– Il faut d'abord que je me renseigne.

Il salua la reine et retourna à la bibliothèque en déplorant que son classement ne soit pas terminé, car les livres sur les poisons étaient éparpillés un peu partout sur les étagères. Il fut content de trouver Ellie et Daiklan, encore en train de cataloguer des ouvrages, à la lueur des chandelles.

– J'ai besoin de votre aide, leur dit-il.

Ils retirèrent des rayons tous les précis sur les substances toxiques et bientôt une pile de livres s'amoncela sur une table. Il y en avait plus d'une centaine. « J'espère qu'il ne mourra pas avant que je les aie tous parcourus », espéra Hadrian. Comme il se faisait tard, il remercia Ellie et Daiklan, s'empara d'une dizaine de traités et retourna dans l'aile des Chevaliers pour lire jusqu'à ce qu'il tombe de fatigue. Quelle ne fut pas sa surprise de trouver ouverte la porte de sa chambre. Il passa prudemment la tête dans l'ouverture et aperçut Staya endormie, recroquevillée entre le mur et le lit.

— Mais qu'est-ce que je vais faire de toi ?

La jument ne fit que remuer une oreille et n'ouvrit pas les yeux. Hadrian grimpa sur le matelas et se pencha au-dessus d'elle.

— Ta place n'est pas dans une habitation humaine, Staya.

Elle fit la sourde oreille.

— As-tu déjà vu un homme couché dans une stalle ?

La jument émit un court sifflement affirmatif.

— Bon, ce n'est peut-être pas un bon exemple. Ce que j'essaie de te faire comprendre, c'est que les magnifiques chevaux-dragons sont faits pour vivre en liberté, tandis que les hommes... Ce n'est pas exactement ce que je veux dire, non plus.

Il empila ses oreillers contre le mur, s'y adossa et alluma magiquement les chandelles. Il aurait pu utiliser ses facultés surnaturelles pour déplacer Staya, mais il ne voulait pas risquer d'envenimer leur relation, alors il décida de l'ignorer. Il se mit plutôt à lire les précis en diagonale, à la recherche d'un poison aux effets retardateurs. Au bout de quelques minutes, il sentit un souffle chaud sur ses doigts et leva le livre. La jument s'était étiré le cou et tentait de le toucher avec le bout du museau. Elle se mit à pousser de petites plaintes.

— Non, je ne suis pas fâché, mais j'aimerais beaucoup que tu commences à devenir raisonnable. Lorsque je t'ai promis plus tôt aujourd'hui que nous passerions plus de temps ensemble, je faisais référence à nos sorties à l'extérieur du château. Tu es libre de faire tout ce que tu veux durant la journée.

Hadrian regretta aussitôt cette dernière parole, car ces animaux très intelligents ne s'occupaient pas de la même façon que les autres bêtes. Il poursuivit sa lecture, même si l'ouvrage était parfois secoué par de petits coups de naseaux. Lorsqu'il s'endormit finalement, au milieu du sixième traité, Staya était toujours là. Quand il ouvrit les yeux, le lendemain matin, elle était partie. Il risqua un œil dans la cour, mais elle n'y était pas. Les portes de la forteresse étaient déjà ouvertes, alors elle était sûrement partie se nourrir d'herbe tendre qu'elle préférait à l'avoine et au foin dont on nourrissait les chevaux du château.

Il se rendit aux bains, se fit masser après être resté de longues minutes dans l'eau, enfila une tunique propre, alla chercher dans sa chambre les livres qu'il avait lus et s'arrêta aux cuisines pour s'y composer un repas léger. Il grimpa ensuite le grand escalier et s'arrêta net sur le palier. Jenifael venait à sa rencontre.

– Je vois que vous avez trouvé une façon amusante de vous occuper, laissa tomber la jeune déesse.

– En réalité, d'une part, je tente de venir en aide à Onyx et, d'autre part, c'est en remettant la bibliothèque en ordre que nous pourrons enfin l'utiliser à son plein potentiel.

– Vous êtes rendu à la section sur les excuses pour ne pas rendre une femme heureuse, à ce que je vois.

– Il n'y a aucun ouvrage sur un tel sujet…

Elle le contourna, et Hadrian sentit la terrible chaleur qui se dégageait de son corps, indiquant le degré de sa colère. Il déposa aussitôt la pile de livres sur le sol et la poursuivit dans l'escalier.

– Jenifael, je n'aime pas que tu sois si fâchée contre moi.

Elle fit volte-face, l'obligeant à s'immobiliser net pour ne pas être incendié.

– Je vous ai dit ce que je ressentais, sire, mais, apparemment, une déesse n'est pas assez bien pour vous, même si une telle union serait la meilleure chose qui puisse vous arriver.

– Ça n'a rien à voir avec ton âge, ta beauté ou ton statut. L'amour est une émotion qui se partage.

– Pour en parler, il faudrait d'abord que vous sachiez de quoi il s'agit. Allez donc perdre votre temps comme bon vous semble.

Elle continua sa route, laissant des empreintes enflammées sur les marches. Hadrian ne voulait faire de peine à personne, mais il n'arrivait tout simplement pas à décider de son avenir.

Il passa donc l'année suivante partagé entre la réorganisation de la bibliothèque, la quête d'un contrepoison et l'attention que requérait son cheval. Il parvint à terminer l'index et à ranger les livres au bon endroit, mais ne découvrit pas la façon de neutraliser la substance qui ne cessait de circuler dans les veines de son ami. Il lui fallait maintenant regarder ailleurs.

Il transmit donc à son descendant, le Roi Rhee d'Argent, une missive lui demandant de lui céder une partie de ses anciennes terres, complètement à l'est du pays, sur la rive de la rivière Mardall, à la frontière avec le Royaume d'Émeraude. Une réponse positive lui parvint quelques semaines plus tard, et Hadrian alla remercier Onyx pour son hospitalité, avant de quitter sa forteresse.

— Pourquoi t'en vas-tu ? s'alarma le Roi d'Émeraude. N'es-tu pas bien traité chez moi ?

— Je pars à la recherche de l'antidote qui te redonnera la santé.

— Celui qui a inventé ce poison n'en a certainement pas écrit la recette.

— Fais-moi confiance.

Onyx le serra dans ses bras, comme s'il n'allait plus jamais le revoir, et Hadrian en profita pour s'imprégner de la signature énergétique de son mal. Il grimpa ensuite sur Staya et se rendit d'abord à Zénor, car c'était à cet endroit que le Roi d'Émeraude avait été blessé. Il expliqua au Roi Vail et au Prince Zach qu'il était à la recherche d'un javelot différent de tous ceux qui avaient été utilisés durant les nombreuses batailles sur leurs plages. Après une guerre, il était monnaie courante pour le peuple de ratisser les champs de bataille afin de recueillir tout ce que les combattants y avaient laissé. Hadrian promit une importante récompense à celui qui lui rapporterait ce qu'il cherchait.

En attendant que les collectionneurs d'armes répondent à l'annonce du Roi de Zénor, il accepta son hospitalité, mais passa le plus clair de son temps sur les galets, à se rappeler tout ce qui s'y était passé durant la première et la seconde invasion. Quelques jours plus tard, plusieurs Zénorois apportèrent au château les lances qu'ils avaient ramassées. Hadrian marcha devant les peaux jetées sur le sol où s'entassaient les armes. Il trouva alors ce qui l'intéressait. Les javelots des hommes-insectes étaient en métal argenté et faits d'une seule pièce. Ceux des humains, peu importe leur provenance, étaient taillés dans du bois, et la pointe en fer y était fixée par des clous.

Un hast en fer, dont la hampe était entièrement noire, se distinguait de tous les autres. Il le souleva et flaira sa pointe qui semblait doublée d'un coquillage. Il y reconnut aussitôt la trace du poison. Satisfait de la tournure des événements, il remit à celui qui l'avait trouvé une bourse remplie d'Onyx d'or et prit congé de ses hôtes. La lance à la main, il remonta sur son cheval-dragon et fila en toute hâte vers le pays des plus puissants magiciens d'Enkidiev : les Elfes.

Au lieu de se rendre au village du Roi Hamil, il choisit plutôt de s'arrêter dans celui où habitaient jadis les souverains qui l'avait précédé. Certains des Elfes qu'il avait connus étaient maintenant très vieux. La plupart étaient morts. Il demanda à voir le chef du clan et fut conduit à sa hutte, serrant le javelot noir dans sa main, même si la coutume exigeait qu'on ne se présente jamais avec une arme devant un roi ou un chef.

– Hadrian ? souffla une voix tremblante, après qu'il eut franchi la porte en forme d'arche.

L'ancien Roi d'Argent prit place sur le plancher de jonc tressé et laissa ses yeux s'habituer à la pénombre.

– Mes petits-enfants m'ont raconté que tu étais encore vivant, mais je ne les ai pas crus. Car si cela avait été vrai, tu serais revenu me voir.

– Tehehi ?

– Nous avions le même âge, jadis, mais on dirait bien que les dieux t'ont accordé la jeunesse éternelle.

– Je suis mort de vieillesse à un âge vénérable pour un humain, mon ami, mais les dieux m'ont privé de mon repos éternel afin que je reprenne le commandement des Chevaliers d'Émeraude. Ils ont apparemment choisi de me ramener dans une version plutôt jeune de moi-même.

L'Elfe s'avança et Hadrian vit les rides de sagesse qui sillonnaient son visage. Ses yeux verts avaient conservé leur vivacité. Ses longs cheveux blancs étaient attachés dans son dos.

– Es-tu ici parce que la guerre est terminée ?

– C'est l'une des raisons de ma présence. L'autre, c'est que j'ai besoin de la magie du clan des Sapérés.

– Je ne la pratique plus depuis longtemps, mais, Moérie, ma petite-fille, pourra t'aider. Elle est devenue notre enchanteresse. Je lui demanderai de te rencontrer, cette nuit.

Les deux hommes bavardèrent toute la journée. Le soir venu, Tehehi invita Hadrian à manger avec tout le village, comme autrefois. L'ancien roi écouta les conteurs lui faire le récit de la vie et du décès de ses anciens amis. Lorsqu'ils arrivèrent au nom de la femme-Elfe qui avait jadis ravi son cœur, mais avec laquelle il ne s'était jamais rien passé, Hadrian sentit un profond chagrin s'installer en lui. Même s'il s'efforçait de ne pas le laisser paraître, les Elfes qui l'entouraient n'eurent aucun mal à le percevoir.

Pour éviter qu'il ne sombre davantage dans la tristesse, Tehehi demanda à sa petite-fille d'approcher. Pendant toute la soirée, elle était restée dans l'ombre, entre deux huttes, à observer l'étranger. Elle avait bien sûr entendu parler d'Hadrian d'Argent, car son nom était connu de tous les Elfes, mais il était important pour elle de sonder son âme avant de lui adresser la parole.

Moérie vint s'asseoir près de son grand-père et posa une main sur la sienne, en signe de respect. Ses longs cheveux blonds lui atteignaient la taille et ses yeux étaient d'un vert beaucoup plus clair que ceux des autres Elfes.

— Je sais ce que vous êtes venu chercher ici, déclara-t-elle sans préambule.

Hadrian lui tendit donc la lance. Moérie s'intéressa aussitôt à la pointe qu'elle effleura du bout des doigts.

— C'est un poison inhabituel, murmura-t-elle, comme si elle se parlait à elle-même. Il me faudra du temps pour en trouver tous les ingrédients. Revenez dans quatre lunes.

Moérie se leva et emporta l'arme avec elle, sans que l'ancien roi puisse la remercier. Au moment du thé, d'autres Elfes se joignirent à leur chef et la conversation devint plus mondaine. La plupart complimentèrent Hadrian sur ses derniers exploits et voulurent savoir ce qui se passait sur le reste du continent. C'est en leur relatant les récents événements que l'ancien commandant d'armée remarqua parmi son auditoire une jeune femme qui ressemblait tellement à celle qui l'avait séduit qu'il en perdit presque ses mots. Lorsque tous se séparèrent, Hadrian mentionna à Tehehi qu'il voulait prendre l'air avant de dormir, et il suivit l'inconnue de loin. Il n'avait pas fait deux pas entre les arbres que Moérie se mit en travers de sa route.

– Votre cœur rêve d'une image, pas d'une véritable personne, lui dit-elle. Les Elfes vous attirent, mais prenez garde d'être victime d'une illusion, tout comme les Elfes qui désirent devenir des humains. Les choses sont ce qu'elles sont. Il ne nous appartient pas de les changer.

– Je veux seulement apprendre à la connaître.

– Vous ne seriez pas heureux dans les bras d'une femme qui a été élevée pour ne penser qu'à elle-même.

– Sans vouloir vous offenser, je suis du genre à faire mes propres expériences.

– Il semble donc que vous devrez vivre une dernière aventure malheureuse avant de comprendre que vous cherchez l'amour au mauvais endroit. Mais je ne suis qu'une enchanteresse, n'est-ce pas. À vous de découvrir si je dis vrai.

Moérie tourna les talons et disparut dans l'obscurité, laissant Hadrian perplexe. Pourquoi cette femme tentait-elle de séparer les Elfes des humains ? Certaines unions entre ces deux races avaient donné de très beaux résultats. Pourquoi un ancien roi ne pourrait-il pas trouver le bonheur avec une princesse Elfe ? Hadrian avait toujours écouté les conseils des plus sages que lui, mais, en amour, il naviguait toujours en eaux troubles.

Il poursuivit donc son chemin et arriva à la clairière où la jeune femme habitait avec sa famille. Lorsqu'elle aperçut le visiteur, elle s'avança vers lui sans la moindre gêne.

– En quoi puis-je vous être utile, sire ?

Sa voix était douce comme la brise et sa peau parfaite. Elle le regardait droit dans les yeux, comme si elle tentait de sonder son âme.

– J'avais envie de bavarder avec vous, répondit-il avec un sourire.

Il apprit qu'elle s'appelait Amarth et qu'elle sortait à peine de l'enfance. Habilement, Hadrian se mit à la courtiser, comme si elle était la reine d'un pays lointain. Flattée, Amarth ne tenta pas de l'empêcher. Au lieu de retourner chez lui où les ouvriers apportaient des pierres pour lui permettre de construire sa nouvelle demeure, Hadrian s'attarda chez les Elfes. Il en oublia même la maladie de son meilleur ami. Ses tentatives de séduction durèrent quelques semaines et sa belle se laissa même caresser le bout des oreilles, mais lorsqu'il lui proposa de s'exiler à jamais chez les Elfes pour vivre avec elle, elle lui assena un coup auquel il ne s'attendait pas.

– Je ne me plains pas de votre prévenance, sire Hadrian, mais jamais je ne partagerai la vie d'un humain.

– Vous ne serez jamais aussi bien traitée par un homme de votre race, Amarth.

– Votre perception de la vie de couple est beaucoup trop éloignée de la nôtre. Une femme n'a nul besoin de toutes ses petites attentions pour servir fidèlement un homme. Sans doute l'ignorez-vous, puisque vous êtes humain, mais une Elfe qui cherche un mari s'attarde à deux qualités importantes, soit la jeunesse et le réalisme. Vous ne possédez ni l'une ni l'autre.

– Les humains ont l'âge de leur cœur et ils deviennent d'habiles poètes lorsqu'ils sont amoureux.

– Ce qui est vraiment regrettable, car ils perdent alors tout contact avec la réalité. La vie dans la forêt n'est pas un perpétuel conte pour enfants, sire Hadrian. Les hommes et les femmes ont des tâches à accomplir au quotidien, et la poésie est réservée aux grands rassemblements, durant lesquels les hommes rivalisent d'éloquence. Ne nous confondez pas avec les Fées qui se nourrissent de fantaisie du berceau à la tombe.

Ce jour-là, Hadrian laissa ses amis Elfes. Il reviendrait plus tard chercher les renseignements que Moérie pourrait lui fournir. Il longea donc la rivière Mardall jusqu'à ce qu'il arrive à son nouveau domaine. Une montagne de pierres en provenance des remparts d'Argent l'attendait. Il laissa brouter Staya où bon lui semblait et traça sur le sol un cercle parfait. Le cœur brisé, il utilisa sa magie pour commencer à construire sa grande tour. Les ouvriers arrivèrent quelques heures plus tard et lui préparèrent du mortier pour faire tenir les pierres ensemble.

En quelques jours seulement, ils achevèrent l'imposant édifice qui ne contenait en fait que deux vastes pièces, l'une au rez-de-chaussée, l'autre à l'étage. La première lui servait de cuisine, de garde-manger et d'atelier, tandis que la seconde devint son refuge principal. Il s'y construisit un lit, une grande malle pour ranger ses effets personnels et un pupitre pour écrire.

Lorsque la saison des pluies s'abattit sur Enkidiev, Hadrian se retira dans sa tour et commença à écrire ses mémoires. Non seulement dans ce journal il relata les faits saillants de ses deux vies, mais il y ajouta ses pensées et ses émotions, persuadé que c'était la seule façon de consoler son âme.

22

L'EAU ET LE FEU

Tandis que des vents de tempête soufflaient sur le continent, Hadrian divisait son temps entre l'écriture de ses mémoires et son cheval-dragon. Il avait construit une écurie de pierre dans laquelle Staya était la seule pensionnaire. Puisqu'elle ne salissait jamais sa paille, préférant se soulager dans la forêt, Hadrian n'avait pas besoin de nettoyer son immense stalle. Il la brossait, lui caressait les oreilles et lui lisait de la poésie durant l'après-midi, puis il se retirait dans sa tour pour préparer son repas et s'installer pour rédiger. Jamais, durant ses deux vies, il n'avait joui d'autant de silence et de paix.

Les paroles cruelles d'Amarth continuaient toutefois de résonner dans ses oreilles, malgré tous ses efforts pour les chasser. Il avait toujours cru que son âme sœur serait une Elfe, mais il s'était amèrement trompé. Pourtant, Hadrian prisait son esprit cartésien. Apparemment, il n'était pas assez rationnel pour séduire une créature des bois. Celles qu'il avait connues cinq cents ans plus tôt ne lui avaient pas semblé aussi froides, mais il n'avait jamais eu le courage de leur faire des avances.

Il épanchait sa peine et sa déception dans son journal lorsque sa chambre circulaire s'illumina soudain en rouge, comme si tout le mobilier était en feu. Bondissant de son siège, prêt à éteindre les flammes, il vit alors qu'elles émanaient des pans de la robe d'une femme aux longs cheveux noirs. Hadrian n'avait pas souvent eu de démêlés avec les dieux, mais il avait appris leurs noms et leurs pouvoirs. Il n'eut donc pas de mal à reconnaître les traits de Theandras. Il mit aussitôt un genou en terre et inclina respectueusement la tête.

– Pourquoi vous entêtez-vous à rendre ma fille malheureuse ? demanda la déesse.

Hadrian leva le regard sur le visage tranquille de la divinité. Dans ses yeux sombres brillent de petites flammes qui empêchaient l'ancien roi de deviner son humeur.

– Cela n'a jamais été mon intention, déesse.

– Malgré toutes mes obligations au sein de la triade, je suis d'abord et avant tout une mère qui ne veut que le bonheur de son enfant. Elle vous aime à la folie, mais vous ne semblez pas vous en rendre compte.

– Pour aimer quelqu'un, il faut avoir le cœur libre.

– Vous vous êtes donc épris d'une autre femme depuis que Jenifael vous a ouvert le sien ?

– Mes sentiments sont confus. Vous l'ignorez sans doute, car vous êtes éternelle, mais lorsqu'un homme est brutalement retiré des grandes plaines de lumière et ramené dans le monde des vivants, il n'oublie pas instantanément tout ce qu'il a vécu. Or, j'ai été un époux exemplaire lors de ma première vie et Éléna me manque beaucoup.

— Je sens pourtant la présence de plusieurs femmes dans votre cœur.

— Il est vrai que j'ai éprouvé de tendres sentiments pour une princesse Elfe, jadis, mais je n'ai jamais brisé mon serment de fidélité envers Éléna. Tout récemment, puisque je suis veuf, j'ai voulu retrouver cette femme, mais j'ai appris qu'elle avait quitté cette vie. Tandis que j'étais à la recherche d'un antidote pour contrer les effets d'un puissant poison, j'en ai rencontré une autre qui lui ressemblait, mais ce n'était qu'un mirage.

— Votre franchise est désarmante, sire Hadrian.

— L'homme qui mentirait à une déesse est un fou.

— Dans ce cas, dites-moi ce qui vous déplaît tant chez ma fille.

— Mais rien du tout ! Elle a de très belles qualités, bien que sa tendance à s'enflammer, lorsqu'elle est en colère, ne soit pas très rassurante.

— Alors, si je comprends bien, c'est votre nostalgie qui vous empêche de trouver le bonheur.

— Il y a des souvenirs qu'on ne peut tout simplement pas effacer.

Theandras s'avança vers l'ancien roi en posant sur lui le même regard incandescent que Jenifael.

— N'ayez crainte. Mes flammes à moi ne brûlent pas les humains.

Hadrian n'eut le temps ni de protester, ni de s'esquiver. La déesse de Rubis plaça ses mains sur ses tempes et l'incita à se relever. Puis, elle toucha sa poitrine du bout des doigts.

— À compter de maintenant, plus aucun de vos souvenirs ne vous fera souffrir. Je vous ai libéré de plusieurs attachements inutiles à des personnes et à des événements du passé qui vous empêchent de progresser dans cette vie.

— Mais un homme n'est rien sans ses souvenirs, s'étrangla Hadrian, déconfit.

— Vous n'oublierez aucune de vos expériences personnelles, mais elles ne vous troubleront plus. Maintenant que nous avons réglé ce petit détail, je m'attends à ce que vous fassiez preuve de plus de courtoisie envers ma fille.

Elle s'éteignit comme une flamme, laissant le pauvre homme en pleine confusion. «A-t-elle vraiment fait disparaître mes anciens sentiments?» se demanda-t-il. Il n'y avait qu'une façon de le savoir. Hadrian reprit place devant son journal et revint plusieurs pages en arrière afin de relire les moments les plus noirs de son existence. Habituellement, chaque fois qu'il parcourait ces paragraphes, les larmes lui montaient aux yeux. Cette fois, rien ne se produisit. Il eut même l'impression d'être en train de lire le récit d'une autre personne!

Il se mit à tourner en rond dans la pièce en prononçant tout haut le nom d'Éléna. Rien! Puis celui de la Princesse Médina des Elfes! Encore rien! Ces deux femmes avaient fait naître jadis beaucoup de passion en lui. Il refit la même chose avec Amarth qui venait de lui briser le cœur. Absolument rien!

«Comment vais-je pouvoir m'attacher à qui que ce soit si je suis devenu insensible?» Il retourna devant le journal ouvert sur le pupitre. «Devrai-je modifier tout le texte?»

Hadrian se rappela alors qu'il s'était presque écoulé quatre mois depuis qu'il avait remis la lance ensorcelée aux Elfes. Onyx était-il toujours vivant? À sa grande surprise, il ressentit une profonde tristesse à la pensée que son meilleur ami puisse le quitter. «Je ne suis donc pas complètement sans-cœur!» se réjouit-il.

Onyx, m'entends-tu? l'appela-t-il en utilisant les pouvoirs de son esprit. *Je ne sais pas si j'ai envie de te parler*, répondit le Roi d'Émeraude. *D'abord tu refuses de rester chez moi, puis tu disparais pendant des mois sans donner signe de vie!* Hadrian s'empressa de lui raconter ce qu'il avait fait depuis son départ du château et lui promit de le tenir au courant de ses démarches. *Penses-tu vraiment que je vais me risquer jusqu'aux grandes portes de lumière?* répliqua Onyx sur un ton amusé. *Je sais trop bien ce qui m'y attend. Si jamais la mort vient me taquiner avant que tu puisses mener ton projet à terme, je me trouverai un autre corps, voilà tout.*

Maintenant que je me suis habitué à celui-là? le taquina son ancien commandant. *Si tu finis par en arriver là, c'est que je serai à bout de solutions, et tu sais à quel point je suis têtu.* Ils bavardèrent encore un peu, mais Hadrian ne lui mentionna pas sa rencontre avec Theandras, car il savait qu'Onyx ne supportait pas les dieux.

Il venait tout juste de mettre fin à la communication télépathique que Staya se mit à pousser des cris stridents.

Hadrian se précipita à la fenêtre et vit qu'un cheval sans cavalier approchait, en provenance de l'est. Il dévala l'escalier pour s'assurer que son cheval-dragon le traite en ami plutôt qu'en envahisseur.

– Je connais cet animal, murmura l'ancien roi en allant à sa rencontre.

Il était marqué du « E » distinctif d'Émeraude. Il appartenait donc à l'un des Chevaliers. Beaucoup d'entre eux avaient abandonnés leur monture un peu partout à Enkidiev durant la deuxième invasion. Lorsque les paysans et les marchands les retrouvaient, ils les ramenaient au château. Il arrivait aussi que les destriers finissent par rentrer par eux-mêmes.

– Enfin ! s'exclama une femme qui approchait au galop.

C'était Jenifael. « On dirait bien que la déesse de Rubis n'a pas perdu de temps », songea Hadrian en se donnant une contenance.

– Je l'ai pourchassé toute la journée ! ajouta-t-elle en mettant pied à terre.

– C'est étrange qu'il soit venu de ce côté, puisque les meilleurs pâturages se situent au sud.

– Il est impossible de savoir ce qui se passe parfois dans leur esprit, à moins que ce soit un cheval-dragon, évidemment.

Staya se mit à gazouiller pour montrer qu'elle était d'accord.

— Il va bientôt faire trop sombre pour que tu rentres seule au château, lui signala Hadrian. Tu peux rester ici, si tu me promets de ne pas mettre le feu.

— Je m'enflamme seulement lorsque je suis très fâchée, alors il suffit de ne pas me mettre en colère.

Il l'accompagna jusqu'à l'écurie où ils installèrent les bêtes. Staya était si heureuse d'avoir de la compagnie qu'elle n'arrêtait pas de faire des cabrioles.

— Laisse les autres chevaux dormir, cette nuit, l'avertit Hadrian.

Il emmena ensuite la jeune déesse dans sa tour.

— C'est donc ici que vous avez choisi de vous isoler.

— Entre Chevaliers, est-ce qu'on ne pourrait pas se tutoyer ?

— Vous êtes aussi un roi, sire.

— Pas dans cette vie. Je ne suis qu'un soldat qui a dû prendre le commandement d'une armée qui n'avait plus de chef.

Le visage de Jenifael s'attrista.

« Ce n'était pas très habile de ma part », déplora intérieurement Hadrian.

— J'étais justement sur le point de préparer le repas du soir, se reprit-il.

— Et que manges-tu aussi loin des cuisines d'Émeraude ?

— J'aime bien le poisson de la rivière, mais les habitants de mon ancien royaume qui, comme toi, s'entêtent à me traiter en roi, viennent me porter toutes sortes de victuailles. Hier, on m'a laissé du vin, de l'huile d'olive, des épices et des légumes frais. Je crois bien pouvoir mélanger tous ces ingrédients de façon alléchante.

Un sourire apparut enfin sur le visage de Jenifael. Encouragé, Hadrian fit valoir ses talents de cuisinier en exigeant qu'elle s'assoie et qu'elle l'observe.

— C'est beaucoup plus tranquille, ici, remarqua-t-elle, au bout d'un moment, car on n'entendait que le craquement du feu dans l'âtre. Au château, il y a toujours du bruit.

Il prépara une salade à base de batavia à laquelle il ajouta des œufs à la coque, des tomates et des olives noires coupées en tranches ainsi que du fromage de chèvre, le tout arrosé d'huile d'olive. Puis, il ouvrit une urne de vin rouge.

— Si j'avais su que je recevrais à dîner, j'aurais pris le temps de faire cuire du poisson et de caraméliser des fruits, soupira Hadrian en s'asseyant devant elle.

— De toute façon, je n'aurais jamais réussi à tout manger.

Elle prit quelques bouchées.

— C'est plus savoureux qu'au château, déclara-t-elle.

— En parlant du château, comment les choses se passent-elles pour toi, là-bas ?

— Quand on commande une armée qui ne sert plus à rien, on s'occupe du mieux qu'on peut. Je garde la forme, pour donner l'exemple, mais, au fond, je me doute que je n'aurai jamais plus à me battre. Je veille évidemment sur ma mère qui est beaucoup plus fragile qu'on pourrait le croire.

— Ce sont souvent les gens les plus sensibles qui jouent les braves. Il ne faut jamais se fier aux apparences.

— À Émeraude, tout le monde se demande pourquoi tu as quitté Onyx.

— En réalité, je suis parti pour lui.

Il lui parla de sa quête des ingrédients du poison qui avait monopolisé beaucoup de son temps.

— Je dois me rendre chez les Elfes demain pour voir s'ils ont trouvé quelque chose.

— Pourrais-je t'accompagner ?

Hadrian accepta sur-le-champ. Même s'il aimait converser avec son cheval durant ses longs voyages, il était également agréable de bavarder avec un autre être humain. Il céda son lit à son invitée et s'installa sur une fourrure devant l'âtre. Le lendemain matin, ils préparèrent de la nourriture non périssable, la déposèrent dans les sacoches de cuir de leur selle et se mirent en route, protégés de la pluie sous de grandes capes étanches.

Ils laissèrent le troisième cheval libre de brouter sur le domaine pendant leur absence.

Le trajet sur la rive ouest de la rivière Mardall donna le temps à l'ermite et à la déesse d'apprendre à se connaître davantage. Au fond, ils aimaient exactement les mêmes choses. « Pourquoi ne l'ai-je pas compris avant ? » se demanda Hadrian tandis qu'ils avançaient vers le nord.

– Les hommes comprennent les choses moins rapidement que les femmes, déclara Jenifael, comme si elle avait entendu ses pensées. Elles sont plus intuitives et moins orgueilleuses, et elles sont capables de voir la vie telle qu'elle est.

Hadrian se rappela, sans éprouver la moindre mélancolie, que sa première femme avait souvent fait preuve de plus de discernement que lui dans bien des domaines. Il ne réfuta donc pas la thèse de Jenifael et l'écouta discourir sur les différences entre les deux sexes.

Lorsqu'ils arrivèrent enfin à la frontière avec le Royaume des Elfes, Hadrian piqua dans la forêt où la voûte que formaient les branches des grands arbres les abrita en partie du mauvais temps. Hadrian retrouva facilement son chemin jusqu'au village de Tehehi. Durant la saison froide, les habitants des bois passaient plus de temps dans leurs huttes qu'ils chauffaient grâce à la magie. Hadrian demanda à Staya de veiller sur le cheval de sa compagne et voulut aider celle-ci à mettre pied à terre. Avec un air indocile, Jenifael se laissa glisser sur le sol avant qu'il puisse l'atteindre. « Si Onyx s'est habitué aux femmes modernes, alors je devrais être capable d'en faire autant », pensa l'ancien roi.

Le petit-fils de son vieil ami apparut à la porte de sa demeure et leur fit signe d'entrer. Ils enlevèrent leur cape et furent aussitôt enveloppés par la douce chaleur du gîte. Les filles de Tehehi étaient en train de distribuer de petits gobelets de thé aromatique à tous les membres de la famille. Elles en offrirent aussitôt aux visiteurs.

– Moérie m'a dit que tu viendrais aujourd'hui, déclara le chef du clan. Elle sera là sous peu.

– A-t-elle réussi à identifier tous les éléments du poison ?

– Elle arrive toujours à ses fins.

Hadrian présenta Jenifael comme étant la fille du grand Wellan d'Émeraude et le nouveau commandant des Chevaliers.

– Une si jolie femme ne devrait pas tenir une arme à la main, commenta Tehehi.

Au lieu de lui faire un discours sur l'importance qu'avaient eue ses sœurs d'armes lors du dernier conflit, Jenifael se contenta de sourire. Hadrian en vint même à se demander si la déesse lui avait fait subir un lavage d'émotions à elle aussi. Il la regarda ingurgiter la boisson chaude à petites gorgées, les yeux fermés, et vit à quel point elle était belle.

Moérie entra derrière eux et se pencha à l'oreille de l'ancien roi avant d'aller prendre sa place parmi les siens.

– C'est un bien meilleur choix, murmura-t-elle.

Elle déposa le javelot devant lui et énuméra les ingrédients de la potion dont on avait enduit le fer de la lance.

– Existe-t-il un antidote et serai-je capable de le préparer moi-même ? demanda Hadrian.

– Je n'ai aucun doute que vous y arriveriez, mais l'un de ses composants ne se trouve pas sur le continent.

– Sur celui de l'empereur, donc ?

L'enchanteresse secoua la tête négativement.

– Êtes-vous en train de me dire que mon frère d'armes mourra sans que je ne puisse faire quoi que ce soit pour le sauver ?

– La fleur qu'il vous manque existe ailleurs.

– Où ? demandèrent Hadrian et Jenifael, en chœur.

– Une vieille légende prétend que le chardon bleu ne pousse qu'à quelques endroits dans l'univers, dont à la base des volcans de l'extrême sud.

Hadrian rappela à son esprit la représentation du continent. La chaîne volcanique qui séparait Enkidiev des Territoires Inconnus partait du Royaume des Esprits et descendait bien au-delà du Désert. On ne savait pas qui avait dessiné les cartes de ces contrées, et il ne connaissait personne, même de sa première vie, qui se soit aventuré aussi loin.

— On dit que ceux qui veillent sur la baie font partie d'un peuple marin, ajouta Moérie en le regardant droit dans les yeux. Ils ne nous ressemblent pas.

— Liam nous a raconté qu'une race d'hommes félins vit de l'autre côté des volcans, les informa Jenifael.

— Enlilkisar est beaucoup plus vaste qu'Enkidiev. Il regorge aussi d'innombrables créatures.

— Enlilkisar ? répéta Hadrian, surpris.

— C'est ainsi que les anciens appellent l'autre continent.

— À quoi ressemble cette fleur ? s'enquit Jenifael.

Moérie posa les mains sur celles des Chevaliers et transmit l'image du chardon à leur esprit.

— Il doit être frais lorsque vous me le rapporterez.

Chancelante, l'enchanteresse quitta la hutte sans que personne cherche à la retenir.

— Elle a dépensé beaucoup d'énergie pour toi, mon ami, fit alors remarquer Tehehi.

— Et je n'ai même pas eu le temps de la remercier…

— Je le ferai pour toi.

Hadrian et Jenifael acceptèrent l'hospitalité des Elfes, mais eurent beaucoup de mal à trouver le sommeil, car ils échafaudaient déjà des plans pour atteindre les terres mystérieuses sans traverser les montagnes de feu.

23

MÈRE AVANT TOUT

La fin de la guerre aurait dû réjouir le cœur de Kira, mais toutes les pertes qu'elle avait subies eurent raison d'elle et elle s'effondra en larmes dans sa chambre du palais d'Émeraude. Son protecteur, le Roi Émeraude Ier avait rejoint ses ancêtres sur les grandes plaines de lumière et cédé sa place au Roi Onyx. Sage, son mari adoré, avait été enlevé par l'Empereur Noir et il avait péri lors de l'assaut des Chevaliers d'Émeraude sur sa forteresse. Pis encore, lorsqu'elle avait été emprisonnée dans le passé, Kira avait été séparée du deuxième amour de sa vie, Lazuli. À son retour au Château d'Émeraude, elle s'était aperçue qu'elle était enceinte de cet homme fascinant qui avait vécu des milliers d'année auparavant.

Désemparée, Kira ne mangeait plus et se laissait mourir dans ses anciens appartements lorsque Lassa sentit sa tristesse. Puisqu'il l'adorait depuis son premier souffle, il lui avait proposé de l'épouser et de devenir le père de son enfant. Kira avait accepté sans vraiment prendre le temps de réfléchir, mais elle avait rapidement découvert que Lassa représentait sa seule planche de salut. Il était doux, attentionné, compréhensif et toujours présent.

La naissance de son premier fils avait aussi changé sa vie. Étant donné que son premier mari avait été stérile, Kira n'avait jamais envisagé d'être mère. Elle n'avait pas non plus pensé que sa courte relation avec un homme du passé se terminerait par la conception d'un enfant. Malgré sa crainte de ne pas être à la hauteur, la princesse rebelle découvrit assez rapidement qu'elle n'était pas qu'une guerrière. Il y avait au fond d'elle une fibre maternelle dont elle avait jusque là ignoré l'existence. Elle mentionna à Lassa qu'elle croyait reconnaître les yeux du légendaire Chevalier Wellan dans le visage de son poupon. Cette remarque suffit à son mari pour lui donner le même nom. Puisque le petit n'allait pas pouvoir parler avant plusieurs mois, Kira allait devoir attendre pour confirmer son pressentiment.

Wellan venait d'avoir deux ans lorsque Kira fit un rêve bouleversant. Malgré le bonheur qu'elle vivait auprès de Lassa et de son petit garçon aux cheveux noirs fins comme de la soie et aux petites oreilles pointues comme les siennes, la jeune femme pensait souvent à son premier mariage. Si bien qu'une nuit, elle rêva que Sage, sous la forme d'un faucon, s'était posé sur la balustrade de son balcon. Il avait d'ailleurs été le premier fauconnier d'Émeraude, jadis…

Il était entré dans sa chambre, avait fait disparaître Lassa et avait pris sa place dans ses bras. Ils avaient fait l'amour comme autrefois, avec abandon. Kira s'était réveillée en sursaut et avait paniqué en ne trouvant pas Lassa à ses côtés. Elle n'eut cependant pas à le chercher longtemps, car il était penché sur Wellan qui venait d'ouvrir les yeux. Son mari l'avait tout de suite questionnée sur son air effaré, mais elle avait jugé préférable de ne pas lui raconter son rêve.

Quelques mois plus tard, toujours au Château d'Émeraude, Kira donnait naissance à un deuxième garçon qu'elle prénomma Lazuli, en souvenir de ce merveilleux Enkiev qui lui avait permis de développer à fond son potentiel magique. Elle s'attendait évidemment à ce qu'il soit blond comme Lassa ou qu'il ait les cheveux lilas comme elle, mais le duvet qui apparut sur sa tête était sombre comme la nuit. « Il est impossible de concevoir un enfant en songe », se raisonna Kira. « C'est sûrement une coïncidence. » Onyx et Swan qui avaient tous les deux des chevelures foncées avaient bien eu un enfant blond comme les blés.

En grandissant, Lazuli se mit à ressembler de plus en plus à son grand frère Wellan, mais Kira refusait de croire qu'il soit le fils de son premier mari. « De toute façon, Sage ne pouvait pas concevoir d'enfants », se rappela-t-elle. Elle arrêta d'y penser jusqu'à ce qu'elle donne naissance à une petite fille blonde comme Lassa, qu'ils prénommèrent Kaliska. Wellan avait sept ans et Lazuli quatre ans, et leur physionomie était tout à fait différente.

Puisque le trois était le nombre préféré des dieux, le couple décida de ne plus avoir d'autres enfants. Pendant que Lassa s'occupait de la petite qui venait d'avoir un an, Kira enseignait à ses fils à se battre à l'épée. Il n'y aurait probablement plus jamais de guerre, mais il était important pour elle qu'ils sachent se défendre. Wellan apprit les coups et les feintes avec une facilité déconcertante. Il sembla même à sa mère qu'il se battait exactement de la même façon que le défunt chef de l'Ordre.

— Es-tu la réincarnation d'une autre personne ? lui demanda-t-elle, un soir, alors qu'elle préparait le repas.

— C'est quoi une réincarnation? demanda-t-il en dérobant une olive qu'il se mit aussitôt dans la bouche.

— C'est lorsque l'âme d'une personne décédée revient dans le corps d'un bébé qui naît.

— Pouah! Un mort!

Comme le concept était trop complexe à expliquer à un enfant de son âge, Kira abandonna. Elle commençait vraiment à croire que c'était elle qui se faisait toutes sortes d'idées bizarres, même si le petit Lazuli ressemblait à Sage et que son Wellan se comportait souvent comme celui qu'elle avait connu jadis. Heureusement, la petite Kaliska semblait normale.

— Nous avons reçu une invitation, l'informa Lassa en entrant dans la cuisine avec le bébé.

— Ah oui? s'étonna Kira. De qui?

— De mon frère Zach. Il aimerait nous recevoir chez lui, à Zénor.

— Ce ne serait pas une mauvaise idée, puisqu'il n'y a pas grand-chose à faire ici durant la saison des pluies.

Elle rassembla donc leurs affaires et, lorsque tout son petit monde fut prêt, elle utilisa son puissant vortex pour l'emmener à quelques pas de la forteresse du Roi Vail, le père de Zach et de Lassa. Contrairement aux Chevaliers qui avaient reçu ce pouvoir temporairement, Kira était née avec des facultés extraordinaires que personne ne pourrait jamais lui enlever.

La famille fut reçue à bras ouverts, comme si la guerre n'avait jamais séparé les deux frères. On les installa dans une suite somptueuse, composée d'un petit salon entouré de plusieurs chambres, ce qui permettrait à Kira de mieux surveiller ses enfants dans l'immense château. Ce dernier avait été restauré à un point tel qu'elle ne le reconnaissait même pas. À l'époque où les Chevaliers d'Émeraude venaient s'y abriter, il était très abîmé et ses murs de pierre avaient été noircis par le temps. Aujourd'hui, c'était un palais aussi splendide que celui d'Émeraude.

Âgé de onze ans, Kirsan, le fils unique de Zach, emmena ses deux cousins dans la salle de jeu, libérant les parents pendant un moment, car il ne leur restait plus que leur poupon à surveiller. Kira bavardait avec Alassia, sa belle-sœur, pendant que Lassa écoutait le récit de la restauration des lieux de la bouche de son grand frère, tout en berçant doucement la petite Kaliska.

Les servantes conduisirent les enfants à table pour le repas du soir, présidé par le Roi Vail et la Reine Jana. Wellan et Kirsan mangèrent avec appétit, tandis que le petit Lazuli babillait, racontant à qui voulait l'entendre, tout ce qu'il avait l'intention de faire durant ses courtes vacances. Le bébé s'était endormi dans un berceau placé entre son père et sa mère, ce qui leur permit de se sustenter eux aussi. Tout en mâchant sa nourriture, Kira observait le Prince Zach. Lorsqu'elle l'avait rencontré pour la première fois, Lassa avait à peine l'âge de Kaliska. Elle suivait alors les Chevaliers en tant qu'Écuyer et, même si elle avait fait subir un mauvais traitement au jeune prince, elle avait aussi pris le temps d'admirer son visage et les muscles de ses bras. Il avait été, pour Kira, le plus bel homme de tout le continent, jusqu'à ce qu'elle rencontre Sage. «Je me demande quelle vie j'aurais menée si je l'avais épousé », s'interrogea la princesse mauve.

Dès qu'ils eurent vidé leur assiette, les garçons demandèrent la permission de retourner jouer. Lassa la leur accorda en les avertissant qu'au moment de se coucher, il ne voulait pas les entendre rechigner. Ils foncèrent vers le corridor en courant.

— Saviez-vous que Kirsan a des dons ? demanda Zach en allumant sa pipe.

— Maître Hawke nous en a glissé un mot, affirma Lassa. Il prétend qu'il est le plus doué de tous les élèves à qui il a enseigné la magie.

— Était le plus doué, corrigea Vail, puisque l'Elfe magicien a mis fin à ses leçons en prétextant avoir été choisi pour une importante mission.

— Il fallait que ce soit vraiment sérieux, car cet homme adore enseigner, le défendit Kira.

— Vous ne savez donc pas plus que nous ce qu'il est parti faire ? comprit Zach.

— Il a parlé d'héritage culturel, ou de quelque chose du genre, les informa Lassa.

— Les Elfes sont de bien étranges créatures, soupira Jana.

— Même s'ils ressemblent beaucoup aux humains, leur mode de vie et leur façon de penser sont différents, ajouta Kira. Leurs réactions sont impossibles à prévoir.

Elle lui rapporta la fois où Derek, un Chevalier Elfe, s'était attaqué à un énorme dragon, alors que les gens de sa race auraient normalement pris la fuite devant un tel monstre. Puis, Lassa et elle racontèrent à la famille royale tous les événements, aussi bien cocasses que tragiques, qui avaient eu lieu entre les murs de leur château pendant la guerre. Il se faisait tard, alors Lassa et Kira prirent congé de leurs hôtes pour la nuit.

Pendant que son mari allait coucher la petite, Kira se dirigea vers la salle de jeu afin d'y récupérer ses enfants et entendit de curieux cliquetis. Quelle ne fut pas sa surprise, en y mettant le pied, de découvrir au milieu de la pièce un îlot d'épées et de dagues empilées les unes sur les autres, au sommet duquel Wellan maniait une véritable épée double en imitant Onyx, tandis que son petit frère trottait tout autour, sur une jument alezane. Kirsan flottait près du plafond, au fond de la salle, absorbé dans la lecture d'un vieux livre.

— Mais que se passe-t-il, ici? s'exclama Kira. D'où viennent toutes ces armes?

— C'est l'oiseau des vœux qui nous les a données! répondit Lazuli, qui commençait à être étourdi.

Kira arrêta la course du cheval.

— Je pense que je vais vomir, gémit le jeune cavalier.

— Wellan, descends de là tout de suite, ordonna la mère mécontente.

Son aîné sauta souplement sur le sol en gardant son arme préférée dans les mains.

— Qu'est-ce que cette histoire d'oiseau des vœux ?

— Ce n'est pas vraiment un oiseau, mais il avait des ailes, expliqua Wellan.

Kira arqua les sourcils, ce que l'enfant interpréta comme une demande de renseignements supplémentaires.

— Un homme ailé est arrivé sur le balcon et nous a donné une pierre en nous disant qu'elle permettait de réaliser des souhaits, ajouta-t-il.

— Juste un, précisa Lazuli.

— On peut lui demander n'importe quoi, mais la pierre ne fonctionne qu'une seule fois pour chaque personne.

— Et tu as désiré posséder une épée double ?

— Comme la tienne.

— Moi, je voulais un cheval ! s'exclama Lazuli couché à plat ventre sur le dos de la jument.

— Mais tu en as déjà un, jeune homme, lui rappela Kira.

— Pas ici.

— Où est cette pierre ? Et Kirsan, descends de là.

Son neveu releva vivement la tête, comme s'il venait tout juste de remarquer sa présence. Tout doucement, il redescendit vers le sol.

– Alors, où l'avez-vous cachée ?

Wellan se pencha et plongea le bras sous la montagne d'armes. Il tendit à sa mère une pierre noire de la taille et de la forme d'un œuf.

– Maintenant, au lit, tous les deux.

– Mais, maman…, protesta Lazuli.

– Je n'ai pas l'habitude de répéter.

Lazuli se laissa glisser sur le sol et marcha vers la porte en baissant la tête et en se traînant les pieds. Wellan le suivit avec son épée double à la main. Kira la lui confisqua lorsqu'il passa près d'elle.

– Il n'est pas question que tu dormes avec ça. Tu l'auras demain.

– Je peux garder mon livre ? voulut savoir Kirsan.

– C'est tout ce que tu as demandé à la pierre ?

L'enfant hocha la tête affirmativement. Kira n'y vit pas de mal et le laissa partir. Elle plaça l'épée double contre le mur et soupira en observant le cheval qui ne savait plus quoi faire. La princesse mauve utilisa alors son esprit pour repérer les seaux de grains et d'eau ainsi que les bottes de foin dans l'écurie du château. Elle en subtilisa un de chaque et les fit apparaître dans la salle de jeu pour nourrir la jument. «Nous remettrons de l'ordre dans ce fouillis demain», décida-t-elle en tournant les talons.

Elle alla s'assurer que ses fils lui avaient obéi, puis rejoignit Lassa dans leur chambre. Il était assis sur le lit et imprimait un lent mouvement au berceau de Kaliska, même si elle était endormie depuis longtemps déjà.

— Tu ne devineras jamais ce qu'ils ont inventé, cette fois, lui dit-elle en rangeant la pierre dans ses bagages.

Lassa écarquilla les yeux en écoutant son récit.

— Ils ont dû prendre ces épées dans l'armurerie, conclut-il.

— Nous les avons laissés sans surveillance à peine pendant deux heures.

— N'oublie pas qu'ils sont magiciens, tous les deux. Et que dire des pouvoirs de leur cousin. J'irai conduire la bête à l'écurie à la première heure demain pour que personne ne panique en remarquant son absence.

Kira se dévêtit, enfila sa robe de nuit et s'allongea sur le lit. Lassa embrassa la petite sur le front et rejoignit son épouse quelques minutes plus tard, après avoir soufflé toutes les chandelles.

Au milieu de la nuit, la jeune femme se réveilla et tendit l'oreille.

– Kira…, murmura une voix.

Ses enfants ne l'appelaient jamais par son prénom, mais quand ils faisaient des cauchemars, ils pouvaient dire n'importe quoi. Elle quitta la chaleur de ses couvertures et entra dans la chambre de ses fils. Ils dormaient tous deux à poings fermés.

– Kira…

Elle fit volte-face, car la voix semblait provenir du petit salon. Elle y retourna, mais il n'y avait personne. Décidée à trouver l'auteur de cette farce nocturne, elle se risqua dans le corridor. De la lumière brillait sous la dernière porte, près de l'escalier. Sans la moindre hésitation, elle alla voir qui était encore debout à cette heure et si c'était bien cette personne qui s'amusait à prononcer ainsi son nom.

Elle entra dans une pièce au milieu de laquelle jaillissait une fontaine. Le sol était couvert de pétales de rose qui exhalaient un doux parfum. « Mais je n'ai jamais vu cet endroit lorsque le roi nous a fait visiter le palais », se dit Kira. Le Prince Zach contourna alors le bassin, avec un large sourire sur le visage. Il ne portait qu'une simple tunique et, à la main, il tenait un gobelet doré, serti de pierres précieuses.

– Je t'attendais, Kira.

– Je n'ai reçu aucune invitation.

– Je me suis pourtant adressé directement à ton cœur. N'as-tu pas entendu ma voix ?

« Il est ivre », fut forcée d'admettre la princesse.

— Bois avec moi, ce soir.

— Zach, il est très tard et mes enfants se lèvent tôt.

— J'ai besoin de te parler.

— Dans ce cas, seulement quelques minutes.

Il prit sa main et la fit asseoir dans un océan de coussins dorés, aussi duveteux que des nuages. « On dirait que je suis dans le royaume des dieux », remarqua-t-elle. Rien ne semblait réel autour d'elle, ni la fontaine, ni les rideaux blancs qui flottaient devant les fenêtres, ni le prince lui-même.

— Tu m'as humilié devant mon père, jadis, lui rappela-t-il en la sortant de sa rêverie.

— Je suis vraiment désolée, Zach. J'étais jeune et inexpérimentée. J'ai même failli être expulsée de l'Ordre après t'avoir terrassé.

Il lui tendit le gobelet et, pour lui faire plaisir, elle avala une gorgée de ce qu'elle croyait être du vin. Son goût sirupeux l'étonna.

— Mais qu'est-ce que c'est ? voulut-elle savoir.

— C'est une potion de sorcière.

Kira s'esclaffa, car s'il y avait un peuple qui avait les mages noirs en horreur, c'était bien celui de Zénor. Jamais un prince de ce pays ne serait allé consulter une sorcière pour obtenir une préparation magique.

– Et que fait cette boisson? demanda-t-elle lorsqu'elle cessa finalement de rire.

– Une fois qu'on commence à en boire, on ne peut plus s'arrêter.

– Vraiment?

Il éloigna le gobelet de ses lèvres, et elle le saisit aussitôt.

– C'est un sortilège plutôt stupide et inutile, déclara-t-elle. En as-tu pris, toi aussi?

– Non. Allez, encore un tout petit peu.

La potion était vraiment irrésistible et Kira se surprit à l'ingurgiter jusqu'à la dernière goutte. Elle sentit soudain la chaleur du corps de Zach contre le sien et sa tête se mit à tourner de plus en plus vite. C'est alors qu'elle se réveilla en sursaut, dans son lit à Zénor. « Ce n'était qu'un rêve », constata-t-elle avec soulagement. Lassa dormait près d'elle. Elle pouvait entendre sa lente respiration. « Il faut que je dompte mon imagination avant de mettre mon mariage en péril », songea-t-elle en se blottissant contre son époux.

Au matin, elle fut réveillée par les gazouillis de Kaliska. Lassa se penchait justement sur le berceau pour la ramener dans leur lit. Il la coucha entre eux et caressa ses petites oreilles bien rondes du bout de l'index.

– Au moins, celle-là me ressemble, laissa tomber son mari.

– Qu'est-ce que tu insinues ? se défendit aussitôt Kira.

– Que les deux autres ont les mêmes traits que toi, évidemment.

Pourtant, Kira leur trouvait une étrange ressemblance avec les fils d'Onyx.

– En parlant d'eux, je vais aller m'assurer qu'ils ne sont pas dans les appartements de Kirsan en train d'aggraver la situation.

Elle commença par jeter un coup d'œil dans leur chambre et constata avec étonnement qu'ils dormaient encore.

– Tiens, ça c'est inhabituel.

Au lieu de les réveiller, elle se rendit à la salle de jeu. Une servante se tenait à l'entrée, en état de choc. Kira passa près d'elle et vit que le cheval et les armes étaient toujours là. « Je n'ai pas rêvé cet épisode, au moins », se rassura-t-elle. Cette constatation ne rendait pas l'événement moins étrange pour autant.

– Comment un cheval est-il monté jusqu'ici sans que nous nous en apercevions ? lâcha finalement la servante.

– Les enfants sont très astucieux lorsqu'ils désirent quelque chose.

La jument fut finalement reconduite à l'écurie, mais les palefreniers ne la reconnurent pas comme l'un de leurs animaux. D'ailleurs, lorsque Lazuli apprit qu'on avait déplacé sa nouvelle monture, il piqua une crise à ses parents. Ses cris finirent par ameuter toute la famille royale, si bien que le Roi Vail dut lui-même l'emmener jusqu'à la stalle où on gardait le cheval.

– Tu ne sais pas à quel point j'ai honte, en ce moment, chuchota Kira à l'oreille de Lassa.

– C'est toi qui le gâtes trop.

– Quoi ?

Peu après, Lassa s'installa sur la chaise à bascule, près de l'âtre du grand hall, et donna le biberon à sa fille. Son grand frère les rejoignit quelques minutes plus tard.

– Tu es un bon père, Lassa, lui dit Zach. Je t'envie d'avoir eu autant d'enfants.

– Je remercie les dieux tous les soirs de me les avoir confiés.

– J'aimerais que vous reveniez vivre à Zénor.

– Il faudrait d'abord que j'en parle à Kira, qui est très attachée à Émeraude, tout comme moi, d'ailleurs.

– Si vous ne voulez pas habiter ce château avec nous, je t'en ferai construire un autre.

Lassa transmit donc l'offre de Zach à son épouse qui, après son rêve de la nuit précédente, refusa catégoriquement de s'installer dans ce pays pourtant magnifique. Ils rentrèrent donc à Émeraude avec leurs enfants, une jument et une épée double. La vie reprit son cours et, au retour de la saison chaude, Kira sentit une nouvelle vie se mouvoir en elle. « C'est impossible ! » paniqua-t-elle, puisqu'elle n'avait eu aucune relation avec son mari depuis la naissance de Kaliska. Elle courut jusqu'au hall des Chevaliers, où Bridgess, Wanda et Mali enseignaient aux enfants et leur demanda leur avis. Elles confirmèrent toutes les trois qu'elle était bel et bien enceinte et la félicitèrent.

Affolée, Kira poursuivit son chemin jusqu'à la tour d'Armène, à l'autre bout de la grande cour, et grimpa les marches deux à deux jusqu'à la pièce principale.

– Mène ! l'appela-t-elle.

– Je suis en haut.

Kira fonça dans le deuxième escalier et trouva son ancienne gouvernante en train de faire les lits.

– Que se passe-t-il, ma petite chérie ?

– Je suis enceinte !

– Comme c'est merveilleux, Kira.

– Non ! Ça ne l'est pas du tout !

Se rendant compte que la jeune femme était au bord de la crise de nerfs, Armène la fit asseoir devant elle et serra ses mains dans les siennes.

— Pourquoi en fais-tu un drame ?

— Je n'ai pas fait l'amour avec mon mari depuis que j'ai donné naissance à Kaliska.

— Tu as trompé ton mari ?

— Non ! Enfin, je n'en suis pas sûre… Je l'ai peut-être fait en rêve.

— Kira, on ne tombe pas enceinte parce qu'on s'est laissé séduire en songe, voyons. Si c'était vrai, j'aurais eu une douzaine d'enfants !

— Toi, Mène ? Mais à qui rêvais-tu ?

— Ça, c'est mon secret. Si tu es venue me demander conseil, alors voilà ce que j'ai à te dire. Parles-en à Lassa. Je suis certaine que l'enfant est de lui et que tu as simplement oublié cette nuit magique, parce que tu as trop de choses à faire. Laisse-le te rassurer à ce sujet.

Kira suivit donc sa suggestion. Une fois que les enfants furent couchés et endormis, elle raconta son dernier rêve à Lassa et lui avoua qu'elle attendait un quatrième enfant. La tristesse qui voila le visage du pauvre homme abattit la princesse mauve.

— Il ne s'est rien passé entre nous depuis un peu plus d'un an, ma chérie, confirma-t-il.

— Ça n'a aucun sens…

— À moins que quelqu'un t'ait jeté un sort.

— Peut-être qu'il y avait un autre bébé en moi lorsque nous avons conçu Kaliska, comme un jumeau qui n'aurait pas été prêt à naître.

— Kaliska a deux ans !

— J'essaie seulement de trouver une explication logique à ce qui m'arrive.

— Alors, je n'en ai pas.

L'aveu de Kira jeta un froid entre elle et son mari jusqu'à la naissance du petit Marek. Une fois qu'Armène l'eut lavé, emmailloté et remis à sa mère, on laissa entrer les plus vieux dans la chambre. En serrant son troisième fils contre elle, Kira examina les minois de ses aînés. À neuf ans, Wellan avait la forme du visage, les cheveux noirs et les yeux bleus d'Atlance, le fils aîné d'Onyx. Quant à Lazuli, maintenant âgé de six ans, de petites mèches violettes étaient apparues dans ses cheveux noirs, et ses yeux gris étaient de plus en plus pâles, comme ceux de Sage. Kaliska, qui venait de célébrer son deuxième anniversaire, était blonde comme Lassa, mais ses yeux bleus étaient graduellement devenus mauves, pour la plus grande joie de sa maman.

En grandissant, Marek se mit à ressembler de plus en plus à Lassa, ce qui rassura finalement ce dernier. Le petit avait les cheveux blonds très pâles et les mêmes yeux bleus que son père. Le couple en vint à croire qu'il avait dû concevoir ce fils une nuit qu'ils avaient tous les deux bu un peu trop de vin.

Marek était toujours de bonne humeur et il ne pleurait jamais. Dès qu'il se mit à marcher, il fallut le surveiller plus étroitement, car sa curiosité n'avait pas de bornes. Il voulait tout voir et tout savoir. Il se mit même à suivre ses aînés à l'école alors qu'il avait à peine quatre ans !

Kira ne regretta pas sa décision de rester à Émeraude, où ses enfants recevaient une belle éducation et où ils avaient accès à une formidable bibliothèque. Sans que cela ne l'étonne vraiment, celui qui la fréquentait le plus souvent, c'était Wellan. « Comme notre grand chef », songea la princesse. Puis, un soir, ses doutes furent confirmés.

Après avoir mis les plus jeunes au lit, Kira se mit à la recherche de son aîné et le trouva, évidemment, assis à l'une des tables de la bibliothèque. Elle s'approcha à pas de loup et jeta un coup d'œil par-dessus son épaule. Il était en train de lire un texte en langue ancienne, une matière que ni Bridgess, ni Wanda, ni Mali n'enseignaient. Kira fit le tour de la table, un air accusateur sur le visage. L'adolescent, maintenant âgé de quinze ans, leva un regard inquiet sur elle.

– Toutes les fois que je t'ai demandé si tu étais la réincarnation du grand chef, tu m'as affirmé que non.

Wellan garda un silence coupable.

— Pourquoi ne veux-tu pas l'avouer ? s'étonna Kira. Parce que tes souvenirs sont fragmentaires ? Parce qu'ils sont confus ?

— Je désire seulement être un enfant normal et ne faire de peine à personne, répondit-il enfin. Tu ne sais pas à quel point c'est difficile pour moi de ne pouvoir retrouver mes vieux amis, ma femme et ma fille.

— Au contraire, je pense que je suis très bien placée pour te comprendre, s'attrista Kira. As-tu l'intention de révéler ton identité, un jour ?

— Je n'en sais rien et je ne suis certainement pas pressé de le faire.

— Dans ce cas, ce sera notre secret.

Elle l'obligea à se lever, puis le serra contre son cœur.

— Finalement, de t'avoir comme mère, ce n'est pas si terrible que ça, chuchota-t-il à son oreille.

Kira sentit alors un grand bonheur s'installer en elle.

24

ÉCHEC AU ROI

À son retour d'Irianeth, après que Kira et Lassa eurent détruit l'Empereur Noir, Onyx ne se sentait pas très bien, mais sa tenace blessure à la poitrine ne l'empêcha pas de faire préparer un grand festin pour ses victorieux Chevaliers. Puis, il se retira peu à peu de la vie mondaine, n'accordant des audiences à ses sujets qu'une fois par mois et laissant à ses conseillers le soin de régler les différends les plus complexes. Il passa presque tout son temps avec ses fils Atlance, Fabian et Maximilien qui lui avaient manqué durant toutes ces années de guerre. Il apprit à connaître leurs goûts, leurs opinions et leurs projets. Même à quatre ans, Maximilien ne parlait que de chevaux. Fabian, qui venait d'avoir sept ans, voulait déjà réformer le monde, car il voyait des injustices partout. Quant à Atlance, son aîné de huit ans, il était comme une page blanche où les deux autres pouvaient écrire tout ce qui leur plaisait. Puisque Atlance était le premier en lice pour le trône, Onyx se devait de l'aider à forger sa propre personnalité.

Swan les observait de loin, heureuse que ses fils retrouvent enfin ce père qu'ils adoraient tellement. Elle voulait maintenant avoir une fille, pour équilibrer un peu cette famille de garçons, mais, le soir, lorsque les enfants étaient enfin couchés, habituellement, Onyx dormait lui aussi. Elle le voyait faiblir, mais orgueilleux comme il était, il n'acceptait l'aide de personne. Tant que son ami Hadrian résida au château, Onyx se battit courageusement pour ne pas laisser transparaître ses souffrances. La bonne nourriture, une consommation modérée de vin, de longues séances de massage et des bains chauds lui avaient redonné des forces, mais rien ne pouvait empêcher le poison qui circulait dans ses veines, tel un serpent, de le gruger de l'intérieur.

Malgré tout, Swan réussit à le garder éveillé suffisamment longtemps pour concevoir enfin un autre bébé. Lorsque Santo lui annonça que c'était une fille, la jeune femme sauta de joie. Onyx, qui se sentait dépérir, ne partagea pas tout de suite son ravissement. Un soir qu'il était accoudé à la balustrade du balcon de ses appartements royaux, Swan appuya son gros ventre contre ses reins et l'embrassa dans le cou.

— Tu m'as harcelée pendant des années pour avoir des dizaines d'enfants et, maintenant que je suis enceinte, tu boudes.

— Je ne boude pas. Je suis seulement inquiet.

— Tu ne me crois pas capable d'enfanter ?

— Ça, non. Tu es forte comme un bœuf.

— J'espère que c'était un compliment.

L'absence de réaction de son époux chagrina Swan.

— Dis-moi ce qui te ronge, Onyx.

— J'ai peur de ne pas être là pour la voir grandir.

— Mais tu m'as dit que tu vivrais pour toujours en changeant de corps chaque fois que la mort s'approcherait de toi.

— Pour utiliser ce sortilège, il faut être conscient. La dernière fois que je suis mort, je savais que ce moment redouté arrivait et j'étais prêt. Mais cette foutue maladie m'affaiblit de plus en plus et je crains de sombrer un jour dans l'inconscience avant d'avoir pu prononcer le premier mot de l'incantation.

— Tu dois être très atteint pour me tenir un langage aussi pessimiste.

— Il est difficile de voir les beaux côtés de la vie lorsqu'on passe chaque jour dans la douleur.

— Tu sais bien que je vais tout faire pour te redonner la santé.

Swan fit venir les meilleurs guérisseurs de l'Ordre, mais même Santo s'avoua vaincu. Le venin qui empoisonnait Onyx le tuait très lentement. Hadrian avait réussi à en extirper une partie, mais le restant poursuivait inexorablement sa funeste mission. Puis, sans que personne ne sache pourquoi, le jour des trois ans de Cornéliane, sa fille, le Roi d'Émeraude sentit ses forces revenir. Santo le prévint, toutefois, que le poison était peut-être en train d'entrer dans une phase de son évolution demeurée latente et que la bataille n'était pas gagnée pour autant.

Onyx profita de son regain de vitalité pour apprendre à connaître sa fille. Elle était blonde, comme Fabian, ce qui confirma que, parmi leurs ancêtres, quelqu'un avait dû avoir les cheveux de cette couleur. Même à trois ans, Cornéliane affichait déjà un petit air hautain. Elle donnait des ordres à tout le monde et, au lieu de décourager cette attitude, Onyx en riait. Heureusement, la fillette avait aussi une mère qui reprenait ses comportements détestables. Ainsi, Cornéliane apprit qu'avec son père, elle pouvait faire tout ce qu'elle voulait, mais pas avec Swan.

Les nuits où il n'arrivait pas à dormir, Onyx se rendait à la bibliothèque. Maintenant qu'elle était bien organisée, grâce à son ami Hadrian, on pouvait trouver en un instant tout ce qu'on cherchait. Il fouilla donc la section juridique de fond en comble et finit par trouver un édit du Roi Lynotrach, ratifié par les royaumes de l'époque, qui déclarait que le Roi d'Émeraude avait préséance sur tous les rois présents et à venir, et que seul une proclamation subséquente pourrait modifier cet état de fait. Il poursuivit donc ses recherches afin de s'assurer qu'un tel décret n'avait pas été sanctionné après la mort de Lynotrach. Lentement, mais sûrement, son rêve de régner sur tout Enkidiev commençait à prendre forme.

La rémission survenue dans sa maladie permit aussi à Onyx d'accorder des audiences un peu plus longues au peuple. Ses joues avaient repris de la couleur et ses yeux demeuraient ouverts pendant la durée entière des sessions. Un matin, en arrivant dans la grande salle, il causa tout un émoi. En effet, Onyx venait de passer les premières heures de la matinée à jouer avec sa fille et, lorsqu'il se présenta devant ses conseillers, ses cheveux noirs étaient parsemés de tresses enjolivées par des rubans de toutes les couleurs.

Les premiers requérants en perdirent presque leurs mots, puis, au fur et à mesure que la journée avançait, tous s'habituèrent à sa nouvelle coiffure. À la fin des audiences, il retourna dans ses appartements où Swan s'immobilisa en le voyant s'approcher, puis éclata de rire. Onyx fronça les sourcils, car il ne comprenait pas ce qui lui prenait. Elle lui saisit alors le bras et le traîna jusqu'à leur psyché. Un grand sourire se dessina sur le visage du Roi d'Émeraude.

– Oh…, dit-il en guise de commentaire.

Heureux de ne plus devoir manger au lit, Onyx insista pour que tous les membres de sa famille soient présents à chaque repas. Lorsque son fils Atlance se mit à manquer certains d'entre eux, Onyx se renseigna sur ses allées et venues. Il apprit qu'il fréquentait une jeune fille qui s'était présentée au château pour étudier la magie.

– Je veux savoir qui elle est, ordonna-t-il à ses conseillers sur un ton qui leur inspira la diligence.

Ils lui rapportèrent, quelques jours plus tard, qu'il s'agissait de Katil, fille de Jasson et Sanya d'Émeraude. L'humeur du souverain s'assombrit aussitôt, car en plus de ne pas avoir une seule goutte de sang royal, c'était la fille de Jasson, le seul des Chevaliers d'Émeraude qu'il n'estimait pas. Onyx avait beaucoup de défauts et l'un d'eux était la rancune. Toute offense faisait naître en lui un désir de vengeance qu'il n'arrivait pas à faire taire. Or, Jasson l'avait privé du châtiment qu'il avait voulu imposer à Abnar jadis. Il avait même aidé cet Immortel à extirper l'âme d'Onyx du corps de Sage et à l'emprisonner à nouveau dans ses armes. Le souverain s'en était finalement sorti, à l'aide de sa sorcellerie, mais il n'avait jamais pardonné à Jasson son geste d'interférence.

Onyx attendit donc de pouvoir prendre son aîné à part pour lui faire des menaces, ce que sa femme n'aurait certainement pas toléré. Atlance venait de se vêtir et s'apprêtait à aller rejoindre sa douce à la bibliothèque lorsqu'il trouva son père devant lui, le dos appuyé contre les portes de ses appartements.

— Je ne t'ai pas entendu entrer, s'étonna Atlance.

— Je peux être très silencieux quand c'est nécessaire.

— Et pourquoi est-ce nécessaire maintenant ?

— Je suis venu te rappeler ton titre et tes devoirs de prince héritier.

— Venant de la part d'un roi qui ne respecte presque jamais le protocole, je trouve ça bien étrange.

— Alors, disons plutôt que ce rappel émane d'un père qui se soucie de l'avenir de son fils.

— Qu'est-ce que j'ai bien pu faire qui te déplaise à ce point ?

— S'il devait m'arriver quelque chose, c'est toi qui me succéderas.

— Comment pareil événement pourrait-il arriver, puisque tu es immortel.

– On ne sait jamais ce qui peut se passer, Atlance. Quand j'avais ton âge, j'étais loin de me douter de ce que l'avenir me réservait. J'avais déjà tracé mon chemin sans me soucier des aléas de la vie.

– J'aimerais que tu cesses de tourner autour du pot.

– D'accord. Je ne veux plus que tu fréquentes une paysanne.

– C'est donc ça.

– Les princes épousent des princesses, insista Onyx.

– Je sais que maman était la Princesse d'Opale, mais toi ?

– Ce que j'étais n'est pas important, car je suis devenu roi et, grâce à ma détermination, mes enfants sont des princes.

– Et que fais-tu de l'amour là-dedans ?

– L'amour, ça se gagne une journée à la fois et les coups de foudre ne durent jamais longtemps, crois-moi.

– Papa, tu nous as toujours traités avec respect et tu as toujours considéré nos opinions. Pourquoi est-ce différent, maintenant ?

– Parce qu'il est important pour moi que tu ne commettes pas d'erreur irréparable.

– Moi, je ne crois pas que le cœur puisse se tromper. Donne-moi au moins la chance de te présenter Katil. Elle est formidable.

– C'est une paysanne.

– Tu ne me feras pas changer d'idée. Je ne survivrai pas, si on me sépare de celle qui m'enchante.

– Tu feras ce que je te dirai de faire, Atlance. Aujourd'hui, je t'ai simplement averti de ne pas t'opposer à ma volonté.

Onyx s'évapora sous les yeux de son fils désespéré. Atlance n'était pas le plus brave des Princes d'Émeraude, car il avait été enlevé par un dieu déchu lorsqu'il était tout petit. Il lui arrivait encore, à dix-sept ans, de faire d'affreux cauchemars. Il n'avait jamais été très exigeant non plus, se pliant toujours aux désirs de ses parents, mais l'amour lui donnait des ailes. Tout à coup, il ne se sentait plus inférieur à ses frères Fabian et Maximilien qui avaient beaucoup de caractère. Pour la première fois de sa vie, il savait ce qu'il voulait.

Le jeune homme se rendit à la bibliothèque. Katil était déjà assise à sa table de travail et étudiait un nouveau grimoire. Elle perçut le désarroi de son ami avant même qu'il ne soit rendu devant elle.

– Que se passe-t-il ? s'alarma-t-elle.

– J'ai eu une discussion avec mon père.

– À mon sujet, n'est-ce pas ?

Atlance hocha la tête affirmativement, sans cacher sa tristesse.

– Il est normal qu'un souverain ne désire pas que son fils fréquente une simple villageoise.

– Il n'est pas né roi, lui non plus.

– Mais il a été élu par le peuple en raison de ses belles qualités.

– En raison de ses pouvoirs magiques extraordinaires, tu veux dire.

– As-tu l'intention de lui obéir?

Pour toute réponse, il l'attira dans ses bras.

– Je m'en voudrais de gâcher ta relation avec ton père, dit-elle.

– Si j'étais son seul fils, ce serait une véritable tragédie, mais Fabian peut bien monter sur le trône à ma place. D'ailleurs, je crois que ça lui plairait beaucoup. Je ne veux pas cesser de te voir, Katil. Tu m'apportes un bonheur que je n'ai jamais connu auparavant et je veux le conserver.

– Que se passera-t-il vraiment si tu lui désobéis?

– Je n'en sais rien. J'imagine que ma mère viendra à mon secours.

– Pourrait-il aller jusqu'à te faire du mal?

– Non, jamais. Malgré ses idées de grandeur, il aime ses enfants à la folie.

Les tourtereaux s'embrassèrent sans la moindre gêne au milieu de la bibliothèque, puis se plongèrent dans l'étude de la magie, une activité qu'ils aimaient tous les deux.

Au repas du soir, Atlance jugea préférable de ne pas se diriger vers le hall de son père et d'aller demander aux cuisinières de lui composer une assiette. En voyant apparaître le prince à la porte, elles s'empressèrent de lui préparer un festin, malgré ses protestations. Quelques minutes plus tard, elles déposèrent dans ses bras un plateau chargé de victuailles. Le jeune homme les remercia et alla s'asseoir dans le jardin intérieur pour manger en toute tranquillité. C'est là que son frère Fabian, qui n'avait qu'un an de moins que lui, le rejoignit.

– Je savais que je te trouverais ici, annonça le jeune homme en prenant place sur un banc de pierre. Papa est de très mauvaise humeur, en ce moment.

– Je m'en doute.

– Que s'est-il passé ?

Atlance lui raconta la conversation qu'il avait eue avec le souverain.

– Il n'est pas très conciliant quand il est malade, tu sais, tenta de le rassurer Fabian.

– Il n'est pas malade, il meurt un tout petit peu plus tous les jours depuis que la guerre a pris fin.

– Il a vaincu la mort une fois déjà, et il réussira encore à la déjouer.

– Alors pourquoi me complique-t-il l'existence, s'il est pratiquement immortel ?

– Il doit avoir une idée derrière la tête.

Fabian avait parfaitement raison, car depuis qu'Onyx avait découvert les anciens textes de loi, il avait l'intention de devenir le monarque suprême d'Enkidiev et de céder le trône d'Émeraude à son fils aîné. Ce serait sa façon à lui de prouver à l'univers et aux dieux que même un homme ordinaire pouvait s'élever cent fois au-dessus de sa condition.

Swan ne fit pas de cas de l'humeur massacrante de son époux au repas du soir afin de ne pas gâcher l'appétit de Maximilien et de Cornéliane, les seuls de leurs enfants à s'être présentés à table, mais une fois retirée avec Onyx dans leurs appartements, elle aborda ouvertement la question.

– J'ai toujours cru qu'Atlance était un garçon docile et obéissant, grommela-t-il en enlevant une botte.

– Il t'a donc tenu tête pour la première fois, conclut la mère.

– Il refuse de comprendre que le prince qui va hériter du titre de son père se doit d'épouser une princesse.

– Atlance est amoureux ? Le petit cachottier.

– D'une paysanne, en plus.

– Mon chéri, le cœur et la raison ne voient jamais les choses de la même manière.

Elle l'aida à retirer sa deuxième botte et le força à s'allonger sur le lit. Autrefois, elle lui sautait dessus pour l'embrasser, mais ils ne pouvaient plus s'amuser à se bagarrer, à cause de sa blessure. Elle joua donc dans ses longs cheveux noirs pour le calmer un peu.

– Je suis jadis tombée éperdument amoureuse d'un villageois qui s'appelait Farrell, lui rappela-t-elle.

– Tu n'étais pas le Roi d'Émeraude.

– Non, mais j'étais et je suis toujours la Princesse d'Opale.

Chassée de l'enveloppe corporelle de Sage et emprisonnée dans la tour d'Abnar, l'âme d'Onyx avait réussi à se libérer et à s'emparer du corps de Farrell.

– J'ai même appris à t'aimer lorsque tu t'es caché en lui, et tu étais un paysan, toi aussi.

– Un paysan qui n'avait pas l'intention d'en demeurer un.

– Onyx, les parents ne doivent pas seulement penser à l'avenir de leurs enfants, ils doivent aussi envisager leur bonheur. N'envenime pas tes relations avec Atlance juste parce que tu voies grand pour lui. Laisse-le devenir l'adulte qu'il a envie d'être.

Il se rappela alors sa première vie, quand il était le septième enfant du seul meunier de leur village. Tous ses frères travaillaient sur les terres ou au moulin. Prétextant avoir besoin d'un fils qui sache écrire et compter, son père l'avait envoyé étudier au Château d'Émeraude.

– Tu n'es plus jamais retourné chez toi par la suite, n'est-ce pas ? demanda Swan qui suivait le fil de ses pensées.

– J'ai découvert que je pouvais être autre chose que le septième fils d'un minotier. J'aimais lire, mais j'avais aussi besoin de me dépenser physiquement, alors je me suis enrôlé dans l'armée où j'allais pouvoir prouver ma valeur.

– Donc, tu as agi contre la volonté de ton père.

– Je déteste que tu me fasses la morale, grommela-t-il.

– Mon but est uniquement de te faire comprendre que chaque personne a le droit d'être qui elle a envie d'être, y compris ton fils.

– Je vais tous les déshériter…

Durant les mois qui suivirent, il ne parla plus des préférences amoureuses de ses enfants, mais refusa qu'ils emmènent quelque étranger que ce soit à sa table. Il recommença aussi à souffrir et restreignit ses activités à ses appartements. Cornéliane venait s'asseoir sur son lit lorsqu'il n'arrivait plus à se lever ou sur une bergère près de l'âtre, s'il parvenait à s'y rendre pour se réchauffer. Elle savait déjà lire, grâce à Bridgess et à Wanda, et, le soir, avant d'aller se coucher, elle aimait bien lui lire une histoire.

– Est-ce que ça te rappelle quand tu étais petit ? demanda l'enfant.

– Personne n'a jamais fait ça pour moi, mon petit cœur.

419

– Pas même ta maman ?

– Elle avait trop d'enfants.

– Tu ne parles jamais de ta famille.

– C'est parce que celle que j'ai maintenant est plus importante.

– Est-ce qu'ils étaient gentils avec toi, tes frères ?

– Pas tous. J'étais le plus jeune, alors ils s'amusaient parfois à me frapper. J'ai appris très tôt à me défendre dans la vie.

– Il n'y avait pas de filles ?

– Seulement ma mère. Tout ce qu'elle faisait, c'était la cuisine et la lessive. Elle ne nous parlait que lorsque nous étions trop turbulents.

– Je suis contente que ma mère ne soit pas comme ça.

– Tu as, en effet, la meilleure maman du monde.

– Et le meilleur papa aussi.

Elle passa ses petits bras autour de son cou et l'embrassa sur la joue. Ses démonstrations de tendresse parvenaient toujours à amenuiser ses souffrances. «C'est peut-être une blessure émotionnelle», plaisanta-t-il intérieurement.

– C'est toi qui devrais me succéder, Cornéliane, parce que tu as le cœur à bonne place.

– On peut l'avoir à d'autres endroits ?

Onyx éclata de rire, mais son visage se contracta aussitôt.

– Je vais te soigner, papa.

Elle passa ses petites mains au-dessus de sa poitrine, comme elle avait vu les guérisseurs le faire, mais, jusqu'à présent, elle n'avait démontré aucun talent pour la magie. Onyx ne se décourageait pas, car ses propres facultés ne s'étaient manifestées que plus tard.

Pendant que son mari prenait du repos, Swan tenait les rênes de la famille. Elle surveillait son aîné de loin et le trouvait plus confiant depuis qu'il était amoureux. Maximilien, qui entrait dans l'adolescence, ne se passionnait que pour une chose : les chevaux. Il ne quittait presque jamais l'écurie. Celui qui lui donnait le plus de fil à retordre, c'était Fabian. Depuis quelque temps, il disparaissait de la forteresse et, apparemment, il partait seul. Alors, Swan décida de l'attendre à l'écurie, au crépuscule.

Comme elle l'avait prévu, il passa le pont-levis au trot et s'arrêta près des enclos. Il ne parut pas très content de voir sa mère.

– Où étais-tu, Fabian ?

– Je suis allé retrouver des amis.

– Où ça ?

– À l'extérieur du château.

– Et qu'avez-vous fait ?

– Nous avons saccagé des récoltes, détruit des vignes et nous avons volé des animaux de ferme.

– Si tu ne commences pas tout de suite à me dire la vérité, ça risque d'aller très mal pour toi. Qui sont ces amis et qu'avez-vous vraiment fait ?

– J'ai rencontré une sorcière près de la frontière jadoise.

– Fabian…

– C'est la vérité !

– Comment s'appelle-t-elle ?

– Aquilée.

– Es-tu amoureux d'elle ?

– Ce serait vraiment stupide de ma part, puisque ces gens-là ne veulent s'entourer de personne.

– Dans ce cas, pourquoi retournes-tu constamment la voir ? s'étonna Swan.

– Parce qu'elle me montre une forme de magie que je ne connais pas.

– Tu ressembles un peu trop à ton père, toi. Est-ce que ce sont des procédés qui sont permis par la loi ?

– Ça dépend.

– Est-ce qu'elle t'enseigne à tuer ? s'inquiéta la mère.

– Non.

– Je veux des exemples précis de ce qu'elle te transmet, Fabian.

Le visage et le ton graves de Swan firent comprendre au jeune homme que s'il ne lui dévoilait pas la vérité tout de suite, elle irait la chercher elle-même.

– Elle m'apprend à me métamorphoser, avoua-t-il finalement.

– Comme si c'était possible.

– C'est très compliqué, mais puisqu'elle y arrive, je suis certain que j'y parviendrai un jour.

– Va te laver et rejoins-nous à table.

Swan tourna si abruptement les talons que Fabian ne sut pas si elle le croyait ou non. Pour ne pas s'attirer en plus les foudres de son père, il fit ce qu'elle lui demandait. À son grand soulagement, la femme Chevalier ne parla pas de ses fugues pendant le repas. Cela ne signifiait toutefois pas qu'elle les avait oubliées. Le soir venu, dès que Cornéliane fut au lit,

Swan s'allongea près d'Onyx et lui demanda ce qu'il savait de cette Aquilée.

– Il ne s'agit pas d'une sorcière, mais bien d'une déesse, déclara-t-il. J'ai déjà lu quelque part qu'il n'y avait pas un seul panthéon dans le monde des dieux. Elle appartient à un groupe de divinités qui ne sont pas des reptiles à la base, mais plutôt des oiseaux.

Puisque Swan ne répliquait pas, Onyx se tordit le cou pour regarder son visage. Elle avait la bouche ouverte, mais aucun son n'en sortait.

– Pourquoi me poses-tu cette question ?

– Je te le dirai demain, d'accord ?

Elle se lova contre lui, en faisant bien attention de ne mettre aucune pression sur son côté blessé, puis s'endormit. Le lendemain, elle fit mine de s'acquitter de ses tâches quotidiennes, mais quand Fabian quitta une fois de plus le château, elle le suivit de loin. « Il m'a dit la vérité, du moins en partie », fut-elle forcée de constater lorsqu'un oiseau de proie tomba du ciel et se changea en une jolie femme aux longs cheveux bruns. Elle les observa pendant de longues heures, mais ils ne semblaient que bavarder, rien de plus. Dès qu'elle vit que Fabian retournait vers son cheval, Swan s'empressa de rentrer au palais.

Elle rejoignit son époux sur le balcon de leur chambre, tandis qu'il observait le travail de leur fils Maximilien dans l'enclos de dressage. Elle l'embrassa sur la joue et vit que sa peau était brûlante.

— Comment te sens-tu ?

— Emprisonné dans un corps qui ne veut plus de moi, murmura-t-il en cherchant son souffle.

— Te sens-tu assez fort pour répondre à mes questions ?

— Tant qu'elles n'exigent aucun effort physique, ça ira. Il y a deux jours, j'arrivais à me dématérialiser d'une pièce à une autre, mais, maintenant, même ma sorcellerie m'abandonne.

— Je veux surtout faire appel à tes facultés intellectuelles.

— Essaie toujours.

— Les humains, même ceux qui possèdent la plus puissante magie, peuvent-ils se métamorphoser en animaux ?

— Il n'y a que les maîtres magiciens qui en sont capables, mais cela requiert des années de pratique.

— Donc, si toi tu voulais te changer en loup, tu n'y parviendrais pas ?

— Non, même en utilisant toute mon énergie. C'est un pouvoir divin. Il faut avoir été conçu par au moins un parent céleste pour pratiquer ce genre de magie.

— Tu me rassures beaucoup.

Il bougea les lèvres pour faire un commentaire, mais ferma plutôt les yeux et tomba à la renverse sur le balcon.

– Onyx !

Swan se pencha aussitôt sur lui et approcha son visage du sien. Il respirait encore. Elle utilisa son don de lévitation pour le soulever et le ramener à son lit, puis courut chercher Kira.

25

UN VENIN PERNICIEUX

La maladie d'Onyx se mit à s'aggraver de plus en plus, si bien que le Roi des Elfes lui-même se déplaça pour voir ce qu'il pouvait faire. Il apporta avec lui des herbes qui étaient inconnues à la plupart des humains et concocta une boisson chaude que le malade devait ingurgiter plusieurs fois par jour. Le traitement le soulagea pendant un certain temps. Comme il ne mangeait presque plus, il n'avait plus la force de quitter son lit. Kira venait régulièrement lui transmettre une partie de sa force vitale, ce qui lui donnait l'énergie de combattre le poison, mais rien ne semblait vouloir l'éliminer.

Swan cessa de dormir dans le même lit que son mari, car tout mouvement du matelas lui causait de l'inconfort. Elle exigea aussi que Cornéliane ne s'approche pas trop près de lui.

— Je vais bientôt avoir douze ans et il ne pourra même pas m'embrasser, déplora l'enfant. Si au moins j'avais des dons de magie, moi aussi, je pourrais faire quelque chose pour le guérir.

Un matin, lorsque Swan vint voir comment Onyx se portait, elle découvrit que sa peau était devenue aussi blanche que la neige. Elle toucha son front. Il était glacial.

– Onyx !

Si ses yeux n'avaient pas remué dans leur orbite, elle l'aurait cru mort.

– Peux-tu bouger ?

Des larmes coulèrent sur le visage émacié de son mari. Swan, qui n'avait jamais éprouvé de peur sur un champ de bataille, se mit à trembler de frayeur. *Hadrian !* appela-t-elle par télépathie. *Onyx est à l'article de la mort...* Elle se mit à pleurer à chaudes larmes, incapable de terminer sa phrase. *Je veux voir mes enfants*, fit alors la voix d'Onyx dans son esprit. Swan les fit tout de suite quérir par les serviteurs.

Puisqu'elle n'avait jamais appris à ne parler qu'à un seul interlocuteur à la fois, comme le faisaient Hadrian, Onyx et les enfants que ce dernier avait formés lui-même en magie, tous les Chevaliers entendirent aussi son appel à l'aide. Ne pouvant plus se déplacer avec des vortex, ceux qui restaient à l'autre bout du continent lui transmirent aussitôt une vague d'apaisement. Toutefois, ceux qui habitaient Émeraude foncèrent vers le palais.

Lassa, Kira, Liam et Mali arrivèrent en même temps que les quatre enfants du couple. En voyant son père en train de mourir, Cornéliane voulut se précipiter vers lui, mais Atlance la saisit par la taille et la souleva dans ses bras.

– Non..., pleura la princesse.

Kira et Mali se mirent aussitôt au travail et bombardèrent le souverain de leur magie respective. Au bout d'un moment,

Onyx arriva à prendre une profonde inspiration et à battre des paupières.

– Tu vois, il va déjà mieux, chuchota Atlance à l'oreille de sa petite sœur.

Bridgess et Santo arrivèrent à la course, et les deux magiciennes, à bout de force, leur cédèrent la place auprès du roi. Puis, ce fut au tour de Daiklan, Ellie, Bailey et Volpel de se joindre à leurs compagnons d'armes et de tenter de ranimer Onyx.

– Arrêtez ! ordonna une puissante voix d'homme dans la chambre bondée.

Ils se retournèrent tous en même temps vers l'entrée et virent approcher Mann. Vêtu d'une longue tunique rouge, ses cheveux blonds bouclés dépassaient ses épaules et il tenait un bâton de marche à la main. Il se rendit jusqu'au pied du lit et fixa le moribond dans les yeux pendant un long moment, sans que personne ose prononcer un seul mot.

– Les Enkievs ne vont pas au même endroit que tout le monde lorsqu'ils meurent, dit-il à Onyx.

– On ne veut pas qu'il meure, on veut qu'il vive ! s'écria Cornéliane en se débattant dans les bras de son frère.

– Laissez-le parler, exigea Swan.

– Vous êtes d'une race à part, Onyx d'Émeraude, poursuivit Mann sans s'occuper des autres. Vous êtes un descendant en ligne droite de Corindon.

Les enfants cherchèrent une explication sur le visage de leur mère qui se contenta de hausser les épaules.

– Le feu qui circule dans votre corps aurait tout de suite tué un homme normal, mais pas un magicien de votre trempe.

Le jeune Wellan se glissa alors dans la pièce, mais demeura près de la porte pour observer ce qui allait se passer.

– Contrairement à ce qu'on vous a enseignés, vous n'êtes pas tous des descendants des Enkievs. Ceux-ci ont été refoulés au sud par l'arrivée de nombreuses races en provenance de l'océan. Un seul village a tenu tête à cette colonisation et a gardé son sang le plus pur possible. Ce village, c'est le vôtre.

– Ne pourrait-on pas remettre la leçon d'histoire à plus tard? se fâcha Fabian.

– Votre ancêtre Corindon a été tué parce qu'il était aussi puissant que vous, poursuivit Mann. C'est d'ailleurs ce meurtre qui a rendu les Enkievs méfiants vis-à-vis des gens des autres races. Vous êtes l'un de leurs fiers représentants.

L'augure marcha autour du lit, et les Chevaliers reculèrent pour le laisser passer. Le souverain le suivit des yeux.

– J'ai fait un rêve, lui dit Mann.

– S'il ne me concerne pas, je ne veux pas l'entendre, réussit à articuler Onyx. J'ai surtout besoin d'air en ce moment, pas d'une leçon de morale.

Wellan fit un geste discret de la main et les deux larges fenêtres s'ouvrirent, laissant entrer un délicieux vent frais.

– J'ai rêvé que vous unissiez un territoire encore plus grand qu'Enkidiev, continua l'augure.

– Je vais donc survivre à ce mal, conclut le roi en arquant un sourcil dubitatif.

– Ce ne sera pas facile.

– Rien ne l'est jamais.

Mann se tourna brusquement vers les enfants d'Onyx, tous rassemblés du même côté du lit.

– Un seul d'entre eux sera apte à régner, un jour, annonça-t-il.

– Ce sera moi ! s'exclama Cornéliane.

Un sourire de fierté se dessina sur les lèvres du souverain.

– Qu'arrivera-t-il aux autres ? demanda Fabian, même si Atlance et Maximilien auraient préféré ne pas le savoir.

Le silence de l'augure les mit tous mal à l'aise.

– Je pense qu'il est en train de rêver, dit Cornéliane à ses frères.

Le regard de Mann s'éleva au-dessus de l'assemblée et s'arrêta finalement sur le jeune Wellan qui épiait la scène depuis l'entrée de la chambre.

— Un héros dans un corps d'Enkiev, murmura l'homme, comme s'il se parlait à lui-même.

Wellan avait suffisamment joué au héros durant sa première vie et cela ne faisait certainement pas partie de ses plans pour la seconde. Tout ce qu'il voulait, c'était mener une vie normale.

— Tu retrouveras enfin tes frères qui errent dans un monde que vous ne connaissez pas encore et tu éclaireras leurs pas.

— Mes frères ? s'étonna Wellan. Mais ils vivent déjà ici !

— Pas ceux-là. Tu es relié au Grand Roi par ton sang et tu lui seras d'un précieux secours.

— Je ne comprends rien à ce que vous dites, intervint Kira pour que l'augure ne donne pas d'idées saugrenues à son aîné.

— Tout deviendra plus clair lorsque les événements se produiront.

— Vous n'avez pas répondu à la question de mon fils, s'imposa alors Swan. Qu'arrivera-t-il à mes enfants, outre celui qui accédera au trône ?

— L'un d'eux joue actuellement avec le feu.

Fabian comprit immédiatement qu'il parlait de lui.

– Lorsque les dieux s'intéressent aux hommes, ils ont toujours quelque dessein secret. Avant de signer un pacte avec eux, mieux vaut se renseigner.

– Continuez, exigea la reine.

– L'un des deux autres préférera vivre dans l'anonymat.

– Et le troisième ?

– J'aperçois une grande destinée pour celui-là, mais pas ici.

– C'est plutôt vague comme prédiction, fit remarquer Bridgess.

– Je ne peux pas voir au-delà de mes rêves.

– C'est bien dommage, laissa tomber Atlance qui était encore plus confus au sujet de son avenir qu'il ne l'était avant l'arrivée de Mann.

L'augure pivota de nouveau vers Onyx qui pâlissait à vue d'œil.

– Tenez bon, sire. Votre vieil ami arrive.

– Hadrian ? demanda le roi, dans un souffle à peine audible.

Il n'avait pas fini de prononcer son nom que, tenant dans ses mains une gourde de peau, l'ancien Roi d'Argent se précipitait dans la pièce, Jenifael à ses côtés. Sans se préoccuper de tous ceux qui entouraient Onyx, Hadrian s'assit sur le lit près du malade et l'aida à s'asseoir.

433

— Il était temps que tu arrives, grommela son ancien lieutenant.

— Tu sais aussi bien que moi qu'on ne peut pas accélérer la fabrication d'une potion.

— C'est toi qui...

— Tais-toi et bois.

« Il n'y a que lui qui puisse lui parler sur ce ton sans se faire trucider », songea Swan. Hadrian déboucha la gourde et la porta aux lèvres de son ami, l'obligeant à en boire tout le contenu, une gorgée à la fois.

— J'ai rarement goûté à quelque chose d'aussi amer, grimaça Onyx, une fois qu'il fut recouché dans son lit.

— C'est parce que ce n'est pas du vin, commenta Cornéliane.

— Cet antidote ne neutralisera qu'une partie des poisons, les informa Hadrian.

— Les poisons ? répéta Swan. Combien y en a-t-il ?

— Plus d'une vingtaine.

Hadrian se tourna vers tous ceux qui étaient venus aider Onyx.

— Sans vouloir vous chasser, j'aimerais que vous nous laissiez seuls pour la prochaine étape du traitement.

Mali prit aussitôt les choses en main et poussa tout le monde dehors. Seule Swan refusa de quitter le chevet de son mari. La prêtresse s'inclina pour la saluer et referma les portes de la chambre.

— J'aurais dû te demander ce qui va m'arriver avant de boire ta mixture, geignit Onyx qui sentait son estomac se tordre.

— Swan, je comprends que tu veuilles rester, mais ce qui va se passer sera très dangereux.

— Je ne manque pas de courage. Dis-moi seulement où je dois me tenir pour ne pas vous nuire.

— L'endroit le plus sûr, c'est derrière Jenifael.

— Hadrian ? s'alarma Onyx.

— Tu vas ressentir de terribles crampes, lui expliqua-t-il en rabattant les couvertures pour dénuder sa poitrine.

— Le poison va-t-il sortir par ma bouche ?

— Pas selon ce que les Elfes nous ont dit.

— Qu'est-ce que les Elfes viennent faire là-dedans ?

Onyx poussa un grondement rauque digne d'un grand fauve.

— Ça commence, signala Jenifael.

Hadrian sortit sa dague de sa gaine pendant que son ami ne se méfiait de rien. Il était important qu'il le prenne par surprise, car les réflexes guerriers de ce dernier étaient particulièrement aiguisés, même lorsqu'il était à l'article de la mort. Puis, d'un geste rapide, Hadrian planta la lame au milieu de la poitrine d'Onyx.

– Mais qu'est-ce que vous faites ? hurla Swan.

Jenifael l'empêcha de s'en prendre à l'ancien Roi d'Argent qui maintenait la lame dans la chair du roi, dont les yeux écarquillés marquaient la stupéfaction la plus totale.

– Pourquoi ? murmura Onyx, sidéré.

– Ne parle pas, ne bouge pas et fais-moi confiance.

Hadrian attendit patiemment les convulsions dont lui avait parlé Moérie. Derrière Jenifael, Swan pleurait à chaudes larmes. Dès la manifestation du premier spasme, Hadrian retira la dague. Au lieu d'un flot de sang, le liquide qui jaillit de l'entaille était verdâtre et nauséabond, et au lieu de retomber sur l'abdomen d'Onyx, il s'éleva de plus en plus vers le plafond. Jenifael tendit les mains vers le poison, mais attendit qu'il cesse de gicler de la plaie avant de l'attaquer avec toute la puissance ignée qu'elle possédait. Lorsque les flammes entrèrent en contact avec le venin, il se produisit une terrible explosion qui secoua tout le palais. Quelques secondes plus tard, Onyx et Hadrian se retrouvèrent sous une pluie de cendres semblable à celle qui suivait les éruptions volcaniques.

Heureusement, l'ancien roi avait eu le réflexe d'appuyer la paume sur la blessure et de la refermer pour que rien ne puisse s'y glisser.

– Tu m'as poignardé ! hurla Onyx en secouant la tête pour se débarrasser des flocons gris qui recouvraient son visage.

– J'ai suivi les indications des Elfes, répliqua Hadrian.

– Tu aurais pu me prévenir !

– J'avais très peu de temps pour te débarrasser des poisons.

– Es-tu en train d'insinuer que je suis lent d'esprit ?

– Onyx, calme-toi, s'en mêla Swan pour désamorcer cette querelle inutile.

Elle contourna Jenifael et tenta de le nettoyer avec ses mains, mais ne parvint qu'à le barbouiller davantage.

– Laissez-nous un moment, les pria la reine. Et demandez aux serviteurs d'entrer.

Hadrian et Jenifael firent ce qu'elle demandait. Dès qu'ils eurent quitté les lieux et que les domestiques se furent alignés au pied du lit, Swan demanda à ces derniers de nettoyer la chambre et de remplir d'eau chaude le bassin dans la pièce voisine, puis elle aida Onyx à se lever. Affaibli, il eut de la difficulté à mettre un pied devant l'autre, mais fit de gros efforts pour la suivre dans leurs bains privés. Elle le soutint tandis qu'il descendait en tremblant les marches qui menaient à l'eau qui s'accumulait de plus en plus dans la grande baignoire. Elle l'aida à s'asseoir et commença à le laver avec une éponge douce et beaucoup d'amour.

— Tu aurais dû enlever tes bottes et tes vêtements avant d'entrer dans l'eau, lui fit remarquer Onyx qui sentait sa tête tourner.

— Ferme la bouche.

Elle pressa l'éponge au-dessus de sa tête pour débarrasser ses cheveux et son visage de la cendre. « Si je suis libéré du poison de la lance, alors pourquoi mon corps me fait-il tant souffrir ? » se questionna Onyx.

— Tu es immobile depuis des mois, répondit Swan à sa question silencieuse. Tu vas devoir rééduquer tes muscles.

— Je ne suis pas certain de vouloir commencer tout de suite.

— Il va aussi falloir que tu recommences à manger, sinon tu n'auras jamais assez d'énergie pour lever un orteil.

L'eau que les servantes continuaient de verser dans la baignoire était de plus en plus chaude, ce qui permit finalement à Onyx de se détendre. Swan s'assit alors derrière lui et l'appuya contre sa poitrine.

— Je sais mieux que personne que tu peux surmonter n'importe quoi, mais j'ai vraiment eu peur que tu nous quittes, avoua-t-elle.

— Je me serais réfugié dans un objet en attendant de prendre possession d'un autre corps.

— Comme qui ?

— Quelqu'un qui a le même sang que moi, probablement Atlance.

— Ça, non ! protesta sa femme. J'ai accepté beaucoup de tes impairs depuis que nous sommes mariés, mais le meurtre de mon fils, jamais !

Il se mit à rire tout bas, même si la moindre contraction de son abdomen le faisait terriblement souffrir.

— Je suis sérieuse, Onyx, l'avertit Swan.

— Ce que j'aime chez toi, c'est ton caractère passionné.

— Tu ne réussiras pas à m'amadouer.

Une fois qu'il fut bien propre et plus détendu, Swan entreprit de lui faire remonter les marches, malgré la lourdeur de ses propres bottes remplies d'eau. Elle le fit s'allonger sur la table de massage et le couvrit d'un drap de bain, puis se débarrassa de ses vêtements qui lui collaient à la peau. Elle avait pris un peu de poids après la naissance de Cornéliane, mais Onyx ne put s'empêcher de constater qu'elle était encore la plus belle femme du monde.

Après que Swan eut changé de tunique, elle alla s'assurer que le lit avait été refait. Satisfaite, elle demanda aux serviteurs d'y transporter son mari. Onyx émit des plaintes sourdes lorsqu'ils le soulevèrent, puis le déposèrent dans les draps odorants.

– Va chercher Hadrian, ordonna-t-il à son épouse.

– Pour que tu lui fasses un mauvais parti alors qu'il t'a sauvé la vie ? Pas question.

– Je dois lui parler.

Swan sonda ses intentions et elles ne lui semblèrent pas agressives.

– Tu finis toujours par gagner, bougonna-t-elle en se dirigeant vers la porte.

Onyx tenta de se guérir lui-même, comme il le faisait jadis, mais il s'aperçut rapidement que son niveau d'énergie vitale était encore trop bas. Il arrêta donc de bouger et se concentra sur sa respiration. Quelque temps plus tard, Hadrian entra dans la pièce en transportant un plateau de bois.

– Je ne veux pas manger, je veux boire, l'avertit Onyx.

– Chaque chose en son temps, mon frère.

Hadrian déposa la nourriture sur une table non loin du lit, se tira une chaise et s'assit au chevet du Roi d'Émeraude.

– J'aurais vraiment aimé que tu m'avertisses avant de me planter un couteau dans le corps, maugréa Onyx. Sais-tu seulement comment on se sent lorsqu'on est ainsi agressé par son meilleur ami ?

– Non, mais j'imagine que c'est un peu paniquant.

– Un peu ?

– Si tu le veux bien, j'aimerais t'expliquer ce qui va maintenant se passer.

Onyx fronça les sourcils avec contrariété, mais demeura muet.

– Les Elfes ont réussi à identifier tous les poisons dont était imbibée la pointe de la lance et ils sont parvenus à préparer un premier antidote.

– Un premier ?

– Tu as été débarrassé de la majorité des substances toxiques qui s'apprêtaient à te tuer, mais il en reste encore une que nous ne pourrons extraire que si je trouve une certaine fleur absolument essentielle à la fabrication du deuxième antidote.

– Si vous n'avez pas déjà mis la main dessus, c'est qu'elle n'existe pas à Enkidiev, n'est-ce pas ?

– Elle ne pousse qu'au pied des volcans du sud.

– Tu vas envoyer les Fées la chercher ?

– J'ai effectivement pris le temps d'en faire la demande au Roi Tilly, mais aucun de ses sujets ne veut s'aventurer aussi loin.

– Il n'y a pas d'autres peuples qui possèdent des ailes. Qu'en est-il du dragon du fils de Falcon ?

– Il n'est pas assez fiable. Apparemment, lorsqu'il est fatigué, il se pose et il dort. La Forêt Interdite et le Désert sont trop dangereux pour y envoyer un animal qui n'obéit pas à son maître au doigt et à l'œil.

– Si tu réfutes tout ce que je dis, c'est que ton plan est déjà arrêté, finit par comprendre Onyx.

– J'ai l'intention de me rendre dès demain à Zénor pour affréter un vaisseau et naviguer vers le sud afin de contourner le Désert.

– Tu vas aller chercher toi-même cette fleur ?

– Sans elle, tu ne guériras jamais.

– Faudra-t-il une autre opération qui t'obligera à me poignarder ?

– Je souhaite que non, mais ce sont les Elfes qui m'indiqueront comment m'y prendre. Ce sont eux les experts en la matière. Maintenant, il faut que tu manges.

Avec peine, Onyx se décolla de ses oreillers et se pressa contre Hadrian qui, à son tour, le serra avec affection.

– Merci d'être arrivé à temps, s'épancha Onyx.

– Tu sais bien que je ferais n'importe quoi pour toi, vieux frère.

✳ ✳ ✳

Pendant que l'ancien Roi d'Argent s'occupait de leur père, les fils d'Onyx interceptèrent l'augure avant qu'il puisse quitter le palais. Mann s'arrêta devant les trois jeunes gens qui bloquaient la sortie.

– Nous voulons obtenir plus de précisions sur notre avenir, lui dit Fabian.

– Je ne peux pas voir au-delà de mes rêves.

– Vous avez pourtant parlé de dieux et de jouer avec le feu, lui rappela Atlance.

– Nous pensons que vous en savez plus long que ce que vous nous dites, ajouta Maximilien.

– Il est préférable que je ne vous dévoile pas tout, car l'avenir peut encore changer.

Mann voulut contourner les trois princes, mais ils se resserrèrent pour ne pas le laisser passer.

– Êtes-vous en train de me menacer ?

– Nous préférerions ne pas en arriver là, répondit Fabian.

– Dites-nous la vérité et nous vous laisserons partir, Chevalier Mann, précisa Atlance.

– Si j'ai un conseil à vous donner, c'est de ne pas suivre le même chemin que votre père. La force n'est pas un bon moyen de persuasion.

– Comme mon frère vient de vous le dire, ce sera notre dernière arme, réitéra Maximilien.

L'augure s'appuya sur son bâton de marche en les observant un à un.

– Si c'est ce que vous voulez.

– Et pas de subterfuge, l'avertit Fabian.

– Vous vous adressez à un Chevalier d'Émeraude, jeune homme.

– Et vous à trois princes au bord de la panique, ajouta Maximilien.

Le regard de Mann s'arrêta d'abord sur Atlance.

– Tu ne règneras pas sur Émeraude, à moins que la mission du Roi d'Argent soit un échec.

– Quelle mission ? s'étonna Atlance.

– Il reste encore du poison dans les veines de votre père, mais l'antidote qui pourrait l'en débarrasser se trouve sur un autre continent.

– Alors, Hadrian a l'intention d'aller le chercher, comprit-il.

– Son dévouement et sa loyauté devraient vous servir d'exemple.

– C'est donc moi celui qui vivra dans l'anonymat.

L'augure garda le silence, conscient d'en avoir déjà trop dit.

– Et moi ? le pressa Maximilien.

– Tu iras chercher fortune très loin d'ici.

– Je renierai ma famille ?

– Ton sang n'est pas le leur. Lorsque tu le comprendras, tu t'éloigneras.

Maximilien sentit son cœur se serrer dans sa poitrine, comme si cet homme confirmait quelque chose dont il s'était toujours douté. L'augure planta alors son regard dans celui de Fabian.

– Ce que tu fais est très dangereux, le mit-il en garde.

– On m'a appris à adopter une attitude inquisitrice dans la vie, se défendit Fabian.

– On aurait dû aussi te prévenir que certains pouvoirs n'appartiennent pas aux hommes.

– Dans ce cas, pourquoi nous les offre-t-on ?

– Les dieux voient plus loin que nous. Tous leurs gestes servent un but précis. Prends garde.

– Donc, il y a encore une chance que son avenir soit différent selon sa décision, voulut s'assurer Atlance.

– Le futur est toujours en mouvement.

Mann décolla son bâton de son corps et une puissante force écarta les trois princes, libérant la porte. Avant que ces derniers puissent se précipiter sur lui, il avait disparu.

26

LA QUÊTE

Lorsqu'Hadrian quitta le chevet de son ami Onyx, celui-ci avait mangé et s'était endormi. Il n'était pas hors de danger, mais son intervention lui accordait un sursis. L'ancien roi n'avait toutefois pas une minute à perdre. L'expédition qu'il projetait était non seulement périlleuse, mais encore elle risquait de durer de longs mois.

En retournant dans le corridor, il arriva nez à nez avec Jenifael. Il n'eut pas besoin de lire dans son esprit pour deviner ce à quoi elle pensait.

— Ce sera très dangereux, tenta de la décourager Hadrian.

— C'est à un Chevalier d'Émeraude que tu t'adresses, rétorqua-t-elle.

Un large sourire éclaira le visage jusque-là soucieux de l'ancien roi.

— Mais il y a plus, ajouta-t-elle. Viens, je veux te parler.

— Nous devrions plutôt nous mettre en route.

— Ma proposition concerne justement ce périple.

— Proposition ?

Elle prit les devants dans l'escalier et il n'eut pas d'autre choix que de la suivre. Elle le conduisit au hall des Chevaliers, qui aurait dû être désert à cette heure-là, mais plusieurs personnes l'attendaient assis à une table, dont Liam, Mali, Katil, Danitza, Cameron, Daiklan, Ellie, Améliane et Kira.

— Qu'est-ce que cela signifie ? s'inquiéta Hadrian.

— Jenifael nous a parlé de vos plans, répondit Kira. Il n'est pas question que vous partiez seuls. Si j'ai appris quelque chose durant mes longues années dans l'Ordre, c'est justement de soutenir ce genre d'entreprise.

Hadrian voyait déjà de quelle façon Kira pourrait lui être utile, mais elle avait un mari et de jeunes enfants.

— Lassa est parfaitement capable de s'occuper d'eux en mon absence, affirma-t-elle. C'est mon devoir de Chevalier de sauver notre roi.

Ce qui était également le cas de Liam, de Daiklan et d'Ellie, Chevaliers eux aussi. Mais les autres ? Hadrian se tourna d'abord vers Mali.

— Liam n'ira nulle part sans moi, déclara-t-elle. D'ailleurs, j'ai un grand don de guérison qui vous sera utile et je parle plusieurs langues.

— Ma magie est différente de la vôtre, sire, enchaîna Katil. De plus, les absences de maître Hawke sont de plus en plus longues, ce qui me laisse beaucoup de temps libre. Je veux l'occuper à faire quelque chose d'important.

Hadrian soupira avec découragement, car tous ces jeunes n'avaient aucune expérience de la guerre ni de la diplomatie.

— Je n'ai pas de facultés magiques, enchaîna Danitza, mais j'ai le don de bien rapporter par écrit tout ce que je vois. Il est important que cette quête soit consignée.

— Moi, je veux seulement prouver ma valeur à mes parents, indiqua Améliane.

Elle était la fille de Kardey et d'Ariane, dont le courage était bien connu, mais elle avait été élevée dans l'oasis protectrice du Royaume des Fées. Saurait-elle se débrouiller en cas d'événements imprévus? Le dernier de ces aventuriers était Cameron, le fils de Nogait et de la Princesse Amayelle.

— Je suppose que c'est la même chose pour toi? fit Hadrian.

— Pas tout à fait. Tout porte à croire que j'hériterai du trône de mon grand-père, à sa mort, mais puisque les Elfes vivent plus longtemps que les humains, j'aimerais accumuler des expériences exaltantes avant de lui succéder.

Ce que Cameron ne lui disait pas, c'est qu'il voulait suivre sa belle au bout du monde, mais ce n'était pas ce à quoi pensait Hadrian. Depuis qu'il avait été rejeté par la jolie Amarth, au pays des Elfes, il avait une tout autre opinion des représentants de cette race. Cameron était à demi-humain, car il était le fils de Nogait, mais les oreilles pointues qui fusaient de ses cheveux bruns indiquaient bien son ascendance.

– Je dois partir incessamment et vous me demandez de prendre une décision aussi importante sur-le-champ ? déclara-t-il.

Hadrian avait été assez longtemps chef de guerre pour savoir qu'il était plus prudent de ne pas s'aventurer seul dans des contrées éloignées. Personne n'avait encore écrit sur cette partie du monde, alors il ne savait pas ce qui l'attendait. Si Kira les accompagnait, Jenifael et lui pourraient certainement discipliner ces jeunes loups.

– Je vous emmène avec moi à la condition que vous acceptiez mon commandement et que vous ne discutiez pas mes ordres. Certains d'entre vous ne sont pas des soldats et ne se sont jamais retrouvés en situation de danger. C'est surtout dans ces moments-là, lorsque la panique est sur le point de s'emparer de nous, qu'il faut obéir. Avez-vous préparé vos bagages ?

– Je n'ai besoin que de quelques minutes, lui dit Kira en se levant.

– Allez-y maintenant et soyez de retour le plus vite possible. La vie d'Onyx dépend de notre célérité.

Danitza, Cameron, Daiklan, Ellie et Améliane restèrent assis, car ils avaient foncé au château avec un minimum de bagages. Quant à Jenifael, Liam, Mali, Katil et Kira, ils se précipitèrent vers la sortie, bousculant le jeune prince qui venait de s'y présenter. Atlance s'immobilisa et adressa silencieusement sa requête au meilleur ami de son père.

— Oh non, murmura Hadrian en marchant vers lui.

— Je dois faire partie de cette expédition, le supplia Atlance.

— Ton père ne me le pardonnerait jamais s'il t'arrivait quelque chose.

— Mon père me traite comme si j'étais l'idiot du village, parce que mes deux frères sont plus braves que moi. Je dois lui faire comprendre qu'il se trompe en vous aidant à lui sauver la vie.

La supplication que l'ancien roi percevait dans les yeux infiniment pâles du jeune homme lui alla droit au cœur. Il décida de l'emmener avec lui, juste pour lui prouver qu'il avait tort de penser une telle chose d'Onyx.

— Viens, l'invita-t-il en retournant vers la table. Je crois que tu connais déjà tout le monde.

Il avait entendu parler d'Améliane, mais il ne l'avait jamais rencontrée, alors ils se présentèrent l'un à l'autre.

Au même moment, Kira entrait dans ses appartements. Marek et Kaliska étaient absorbés dans un jeu de table, pendant que Lassa lisait, assis dans une bergère, tout près de la fenêtre. La princesse mauve s'arrêta devant son mari et lui fit discrètement signe de la suivre dans sa chambre. Lassa déposa son livre et fit ce qu'elle demandait.

— Que se passe-t-il ? s'inquiéta-t-il.

— Je pars avec Hadrian. Nous allons chercher un ingrédient nécessaire à la fabrication de la deuxième potion. Pourrais-tu t'occuper des enfants en mon absence ?

— Oui, bien sûr, même si j'aurais préféré t'accompagner.

— Il est important pour moi de les savoir en sûreté pendant que j'explorerai des territoires jusqu'ici inconnus.

— Tu sais bien que tu peux toujours compter sur moi.

— Oui, je le sais.

Elle l'embrassa et alla chercher sa besace de cuir. Lassa l'aida aussitôt à y enfouir des vêtements de rechange et quelques dagues.

— Vous aurez besoin de vivres, ajouta-t-il. Je vais aller à la cuisine vous faire envelopper tout ce qu'il reste du repas du matin.

— Où sont Wellan et Lazuli ?

— Habituellement, à cette heure-ci, ils s'entraînent à l'épée. Tu veux que je les rappelle ?

— Non. Je les croiserai certainement dans la cour. Prends bien soin d'eux.

Pendant que Lassa quittait leurs appartements pour procurer de la nourriture aux aventuriers, Kira se pencha sur les petits derniers, maintenant âgés de huit et six ans, en constatant qu'ils grandissaient bien trop vite. Elle les embrassa tous les deux avec l'intention de ne pas troubler leurs jeux, mais Marek aperçut aussitôt la besace.

— Où vas-tu ? paniqua-t-il en s'accrochant à son cou.

— J'accompagne mon ami Hadrian dans une autre contrée. Je ne serai pas partie longtemps, Marek.

Kaliska, plus raisonnable, se contentait de la regarder droit dans les yeux.

— Je ne veux pas que tu partes, pleura Marek.

— Papa restera avec toi et nous parlerons tous les jours par nos esprits, comme je t'ai enseigné à le faire depuis que tu es tout petit.

— Je ne suis pas doué…

— Eh bien, ce sera le moment idéal d'aiguiser tes sens magiques. Kaliska te viendra en aide, n'est-ce pas, ma petite chérie ?

La fillette aux boucles blondes hocha doucement la tête, même si, comme Marek, elle aurait préféré que sa mère reste à la maison. Les deux plus vieux entrèrent alors dans la pièce en riant et s'arrêtèrent net en apercevant leur petit frère en larmes.

— Marek, il ne faut pas pleurer quand on perd, le sermonna Lazuli en s'approchant.

— Il était en train de gagner, précisa Kaliska.

— Donc, il s'est fait mal ?

Wellan, aux dons plus affinés, comprit ce qui se passait.

— Lazuli, tu veux bien t'occuper de lui ? demanda-t-il. J'ai besoin de parler à maman.

— Oui, bien sûr, acquiesça le garçon aux cheveux noirs striés de violet.

Sans façon, il décrocha Marek des bras de Kira, malgré ses cris et ses lamentations.

Wellan prit les devants dans le corridor, aussitôt suivi de sa mère. Il attendit de s'être considérablement éloigné de la porte de leurs quartiers avant de se tourner vers elle.

— Je veux y aller, exigea-t-il.

— C'est trop dangereux, Wellan.

— Si j'étais un garçon normal de quinze ans, je te donnerais raison, mais je suis un adulte coincé dans un corps d'adolescent. Je possède encore toutes les connaissances que j'ai acquises dans ma première vie.

— Mon devoir de mère n'en demeure pas moins de protéger mes enfants.

— Si tu refuses, je trouverai le moyen de vous suivre. Il n'est pas question que je sois confiné dans ce château jusqu'à la fin de mes jours parce que tu as peur qu'il m'arrive quelque chose.

— Tiens donc, il me semble avoir entendu ces mots quelque part déjà, répliqua Kira avec un sourire amer, en se rappelant qu'elle les avait aussi prononcés au même âge, lorsque le grand chef des Chevaliers avait voulu l'empêcher de devenir Écuyer.

— Tu m'obligerais à rester ici juste pour te venger de moi ?

— Non, Wellan. Maintenant que je suis plus vieille, je comprends que tu n'avais pas le choix, toi non plus, quand j'étais petite.

— Tu avais quinze ans, toi aussi, quand tu m'as dit que tu n'avais plus besoin d'un protecteur.

— Je m'attendais à cet argument.

— Ou bien je pars avec vous, ou bien je me débrouillerai pour vous retrouver.

— Ton père ne m'approuvera pas, soupira Kira en secouant la tête avec découragement.

Elle était habituellement sévère avec ses enfants, mais elle finissait toujours par céder au charme de son aîné.

— Va chercher tes affaires. Nous n'avons pas de temps à perdre.

Parce qu'il n'était pas tout à fait de son âge, Wellan ne poussa pas le cri de joie qu'aurait laissé échapper son frère Lazuli dans la même situation. Il rebroussa chemin et revint quelques minutes plus tard avec un sac bien moins rempli que celui de sa mère. En silence, ils se rendirent au hall des Chevaliers. Tout à coup, Wellan se sentit revivre. Même s'il avait jusqu'à présent apprécié le calme et la quiétude de sa deuxième vie, son besoin d'apprendre de nouvelles choses et de fouler des territoires inconnus se manifestait de plus en plus.

Hadrian fut très surpris de voir revenir Kira en compagnie de son fils aîné.

– Il nous accompagne, lui fit-elle savoir en passant près de lui. Je t'expliquerai pourquoi lorsque nous serons en route.

Les autres membres de l'expédition arrivèrent quelques secondes plus tard.

– Je vais utiliser mon vortex pour nous transporter à Zénor, expliqua Hadrian à ses compagnons. J'ai visité beaucoup d'endroits jadis, mais je ne suis jamais allé au-delà des volcans. Je ne peux donc pas me servir de ma magie pour qu'on s'y rende directement. Nous allons partir de ce hall plutôt que de la cour du château pour disparaître sans alarmer personne.

– Attendez ! s'écria une voix à la porte de la grande salle.

« Quoi encore ? » se découragea Hadrian en pivotant vers le nouveau venu. « Je ne vais quand même pas emmener tout le monde ! » De plus, il ne connaissait pas le jeune homme qui se tenait devant lui. Grand et élancé, ses cheveux blonds touchaient ses épaules et ses yeux bleus brillaient d'indulgence. Il portait des vêtements marron taillés dans un tissu normalement tissé à Zénor.

– Je suis Kirsan, se présenta-t-il. J'arrive de loin pour participer à cette quête.

– Comme tu as grandi ! s'exclama Kira.

– Tu le connais ? s'informa Hadrian.

– C'est mon neveu, le fils du Prince Zach.

– Comment as-tu su qu'une équipe s'était formée ? s'étonna Jenifael. Je n'en ai parlé qu'à ceux qui sont arrivés au château.

– Je l'ai rêvé, affirma Kirsan.

– Pas un autre qui rêve, soupira Atlance, découragé.

– Vous perdrez beaucoup de temps si vous ne m'emmenez pas avec vous, car j'ai vu où poussaient les fleurs bleues.

« Il en sait trop pour que son don soit contestable », pensa Hadrian.

– Je sais aussi où vous pourrez trouver un bateau prêt à prendre la mer, ajouta Kirsan.

– Il est vrai que cela nous ferait avancer plus rapidement, admit Kira.

Hadrian trouvait son équipe bien inexpérimentée, mais il n'avait pas le temps de recruter leurs procréateurs, dispersés sur le continent.

— Nous partons, annonça-t-il. Placez vous autour de moi et touchez-moi. À quel endroit me suggères-tu de réapparaître, Kirsan?

— Au nord de la citadelle. Il y a une double baie. Notre transport nous attend dans la deuxième.

— Oui, je me souviens de cet endroit.

Kira, Wellan, Jenifael, Liam, Mali, Katil, Danitza, Cameron, Daiklan, Ellie, Améliane, Atlance et Kirsan lui obéirent sur-le-champ. «C'est un bon début», se réjouit l'ancien roi. Utilisant une magie vieille de plusieurs centaines d'années, il déplaça instantanément la troupe à Zénor.

— Regardez par là, indiqua Kirsan.

Tout comme il le leur avait promis, une solide embarcation de pêche les attendait.

— Comment peux-tu être si certain que ces marins nous mèneront à l'autre bout du monde, au lieu d'aller gagner leur vie en remplissant leurs filets? demanda Liam.

— Mais parce que j'ai déjà payé le capitaine, évidemment.

Kirsan dévala la colline en direction de la plage. Une dizaine d'hommes agitèrent les bras sur le pont en signe de bienvenue, tandis que deux autres les attendaient sur les galets dans une chaloupe où ils les firent tous embarquer afin de les conduire jusqu'au vaisseau.

Hadrian fut le dernier à monter sur le pont. Il avait jadis accompagné des pêcheurs en mer avec son père qui voulait qu'il expérimente tous les métiers avant de prendre sa place sur le trône. Il se rappelait encore à quel point il avait aimé le vent salin et le roulis. Le capitaine du bateau vint aussitôt à leur rencontre.

– Qui dirige cette expédition ? voulut-il savoir.

Ils pointèrent tous du doigt l'ancien Roi d'Argent.

– Je m'appelle Rumesh.

– Et moi, Hadrian.

– Mon équipage connaît les eaux de la côte, mais nous n'avons jamais poussé notre exploration plus loin que le Désert. Nous ne pouvons pas vous promettre que le voyage sera sans écueils.

– Mon groupe est composé de puissants magiciens. Aucun obstacle ne vous arrêtera.

Les marins hissèrent alors les voiles, tandis que le timonier orientait la proue du bateau vers le sud. Le bois de la quille craqua sous l'effort, mais obéit à la main de l'homme. Hadrian marcha jusqu'à la poupe et grimpa sur l'étambot, comme s'il avait été le commandant du vaisseau. Le monde était si vaste.

Dès qu'ils auraient ramené le chardon aux Elfes et qu'Onyx serait guéri, il se promit de partir à l'aventure pour le reste de ses jours.

Appuyé sur la rambarde et regardant au loin, Wellan pensait exactement la même chose.